JN012017

連合赤軍を読む年表

椎野礼仁

ハモニカブックス

人質をとって立てこもった「あさま山荘事件」のテレビ中継で国民の目は釘付けにされ、発覚した「山岳ベース」での12人もの粛清事件は日本中を震撼させた。

この事件の主役というべき「連合赤軍」とは何だったのか。

新左翼の誕生から「連赤」裁判まで、年表にしてはじめて見えてきた、事件の客観的な流れとそのプロセス、社会情況との密接な響き合い。

50年後のいま、当時を知らない読者のために、連合赤軍を読むためのブックガイドを併設。

事件の当事者であった植垣康博、加藤倫教、岩田平治へのインタビューを最終章に付す。

2月19日午後3時、足跡を追って機動隊がさつき荘まで迫ってきた。機動隊員は5人で、中から散弾銃を撃つと四方に散った。初めて銃撃戦となった。15分くらい対峙したが、これでは取り囲まれるばかりだからと脱出を試みる。走って逃げ、600メートル離れた山荘に飛び込んだ。そこがあさま山荘だった。
photo＝産経

連合赤軍の記憶を風化させないために

あさま山荘の銃撃戦と、その後に続いた同志大量殺害のニュースが世間を震撼させてから、50年になる。私が2002年に『連合赤軍事件を読む年表』（彩流社）を上梓した頃は、まだあの事件はなお少なくない人々の耳目を集めている、と感じることができた。しかし、さすがに50年となると情況は一変した。いまや、あの事件についての記憶は風化しつつある。昭和は遠く、20世紀は歴史の彼方に消え去るのか、当時を知る者たちも次々に鬼籍に入りつつある。仮に街頭インタビューでマイクを向ければ、「連合赤軍って何？」という若い世代の表情を映像が伝えてくれるのだろう。私達のところに取材にくる新聞記者、テレビディレクターでさえ、基本がわかってない。

連合赤軍事件、とりわけ同志殺害の事実は、日本の左翼運動に致命的な打撃を与えた。事件以降、左翼は大衆的な求心力を失い、「新左翼」は死語となった（もっとも、その原因は「連赤」だけにあるわけではないが）。したがって「連赤」は、左翼運動にシンパシーをもつ（もっていた）者にとって、触れたくない「重い」過去だ。少なくとも私にとって、あの事件は21世紀の今日でも十分すぎるほどに「重い」。決して風化させてはならないと思う。なぜ、あのような事態に至ったのか？　この「なぜ」は50年の間、繰り返し問われ続けられたものだが、この問いは決して陳腐化しない。これからも「組織と個人」「社会の変革とは何か」といった問題を考えていく際、必ずつきまとう問いなのだ。

連合赤軍とその事件の詳細を知るために、当事者による証言や、関係者による文献も多く出版され、現在でも絶版にならずに手に入るものも多い。ただ、それらは膨大な分量があり、また人間関係、事実関係が入り組んでいる。そこで、それらの情報を整理しようという試みたのが２００２年編集『連合赤軍事件を読む年表』であり、それをベースに大幅に改訂、増補したのが本書である。

第１章から第５章までの「年表」では、関係者の著作、当時の記録などをもとに、時系列に沿って「事実」を再構成している。矛盾は矛盾のまま、混沌は混沌のままにしてある。それが現実の肌触りだと考えたからだ。年表によって初めて気がつくことも多い。赤軍派と革命左派(当時は「京浜安保共闘」という名で報道されていた)は当初、互いに別個の山岳ベースを持っていて、その後合流していること。また、ベースでの連合赤軍としての活動は、指導部(中央委員)は会議、被指導部はまき作りをえんえんとくり返していることなどは、その典型例だろう。また、なにより、ひとつひとつ独立していると思える事象が、互いに結果となったり原因に再生したりして、結びついていることが年表からみえてくる。

第6章は、連合赤軍についての本を紹介する。50年の間に、当事者の手記、事件について書かれた本はじつに多いし、本だけでなく映像作品も多い。ここでは13点の本を採り上げた。第7章は、事件当事者へのインタビュー。02年の本で行なった植垣康博さんへのインタビューは、改めて注釈を加えて再掲載する。加藤倫教さん、岩田平治さんには21年夏、コロナ禍での面会だったが、50年を経た、いまだから聴ける話をうかがえた。記して、感謝を伝えたい。

椎野礼仁

登場人物の敬称は省略させていただいた。実名表記をした事件関係者の多くはいまだ存命しており、人権上も慎重な配慮が必要である。しかし、同時に当事者の証言を中心にした膨大な資料の整理・検証もまた重要であると考えたうえで判断した。

目次

■基礎用語の解説■

【全共闘】1968年から69年の大学闘争時に生まれた学生の闘争組織。それまでのように自治会や既成党派を基盤とせず、一般学生が自然発生的に結集してつくった大衆的運動組織で、大学闘争時、全国大学にそれぞれ全共闘組織が生まれ、学生をリードした。安田講堂占拠排除の攻防戦で世間の注視を集めた東大全共闘や、大衆団交で大学理事者全員に辞任を表明させた日大全共闘が代表的。大学闘争が警察権力で解体させられるなか、69年9月5日日比谷野外音楽堂に全国大学の各全共闘と革マル派を除く新左翼8派が集まり全国全共闘が結成された。178大学から2万数千人が集まり、議長に山本義隆（東大全共闘代表）、副議長に秋田明大（日大全共闘議長）が選出されたが、その衆的力と実態を消滅、一部は過激グループや住民運動などに入り込んでいった。

【オルグ】「オルガナイズ」「オルガナイザー」の略。党や組合の組織拡充のため、中央から派遣されて、労働者・大衆に宣伝、参加を呼び掛けること。また、その人。

【学生自治会】戦後の学生運動は、大学、旧制高等学校の各学部自治会と、その連合体としての全国学生自治会総連合・全学連が主体となってきた。共産党・民青や新左翼各党派学生組織の活動、運動、闘争の拠点として自治会は重要だった。さらに、大学側が代理徴収して自治会に還元する自治会費が、その自治会の主導権をにぎる党派の活動資金ともなることから、各派とも、自治会の主導権獲得に懸命となった。しかし、1968、69年の全共闘運動・大学闘争後、学生は政治的運動や自治会など組織への関心を弱め、また国立大学などが自治会費の代理徴収を取りやめたことも加わって、自治会の学生内における地位は低下、各党派に系列化したり、形だけのものなどが増えた。自治会総数も年々減少した。

【羽田闘争】ベトナム戦争に反対する学生らが1967年10月、大田区の羽田空港周辺に結集。学生らは当時、米国のベトナム戦争への軍事介入に日本が加担していると批判。佐藤栄作首相の南ベトナム訪問阻止のため10月8日、数千人が空港に通じる弁天橋で機動隊と衝突し、京都大生の山崎博昭さん（当時18）が殺された。「羽田事件」と呼ばれる。

【ブント】共産主義者同盟。略称「ブント」はドイツ語で「同盟」の意。1958年に結成された日本の新左翼党派。六全協による方向転換後、全学連などの学生運動を日常要求路線、身の回り主義へと指導しようとした共産党に対する反発にともない、全学連の共産党からの訣別によって誕生した。59年には全学連の指導権を握り、60年の安保闘争を主導した。安保闘争の総括をめぐって分解し、66年に再建された第二次ブントを経て、赤軍派や情況派・叛旗派の結成へと分かれて行く。

【革マル派】日本革命的共産主義者同盟革命的マルクス主義派。1963年4月に中核派と分裂して結成された。議長は黒田寛一、機関紙は「解放」。その学生組織はマル学同革マル派（日本マルクス主義学生同盟革命的マルクス主義派）。

【中核派】革共同系の日本の新左翼党派の一つ。革命的共産主義者同盟全国委員会の学生組織。公然拠点は前進社。機関紙は「前進」、機関誌は「共産主義者」。

【三派全学連】1960年の安保闘争の後、全学連は分裂。66年にマル学同中核派、ブントの学生組織である社学同（社会主義学生同盟）、社会党の青年組織から生まれた社青同（日本社会主義青年同盟）解放派によって三派全学連が生まれた。

【内ゲバ】「ゲバ」はドイツ語で暴力を意味するゲバルトの略。主に学生運動で、暴力的手段をもってする闘争。各党派間、あるいは一つの組織内での対立から生じる暴力抗争が「内ゲバ」である。

【革命左派】「革左」と略称される。日本共産党左派から分裂、元「警鐘」グループの河北三男、川島豪を中心に、1969年4月「階級闘争の烈火の中で党建設を」と結成。後に連合赤軍へ。大衆組織は京浜安保共闘。出身母体ゆえに党派名に「日本共産党」を冠しているが、系統的にはブントML派の分派であり、河北や永田洋子をはじめ中心メンバーの多くは社学同ML派出身者である。

【警鐘】「革命左派」の前身。1966年機関紙「警鐘」を発行。69年分裂。

【京浜安保共闘】「革命左派」の大衆組織。1969年8月に結成された。マスコミによって「日本共産党革命左派神奈川県常任委員会」またはその軍事組織である「人民革命軍」の代名詞として使われた。

【印旛沼事件】1971年8月に当時の千葉県印旛郡で起きた革命左派メンバーによる同志粛清殺人事件。革命左派の吉野雅邦、寺岡恒一らが、組織を離脱した早岐やす子、向山滋徳を殺害し、印旛沼付近に埋めた。いわゆる「同志殺害」という、一連の連赤事件の最初のもの。

【赤軍派】日本の新左翼党派の一つ。1960年に解体したブント（共産主義者同盟）が66年に再建され（第二次ブント）、その後再び解体し、戦旗派、全国委員会派、ML派、赤軍派などの党派に分裂した。赤軍派は世界革命戦争を掲げ、議長は塩見孝也。69年5月、ブントの中の武闘路線派が軍事組織結成と、銃や爆弾による武装蜂起をめざして結成、交番襲撃の「大阪戦争」「東京戦争」を展開した。69年11月に53人が大量逮捕された大菩薩峠事件までを第一次赤軍派、それ以降を第二次赤軍派と呼ぶ。70年3月、幹部ら9人が日航機よど号をハイジャックして北朝鮮に亡命、同年12月には京浜安保共闘と連合赤軍を結成、71年2月に中央委員の重信房子がパレスチナ入りしてPFLP（パレスチナ解放人民戦線）の庇護の下に日本赤軍をつくった。連合赤軍、日本赤軍出現後、国内の赤軍派の実態はなくなる。

【大菩薩峠事件】赤軍派は、警察施設を襲撃するなど過激な闘争を繰り返していたが、1969年11月5日には、総理官邸を襲撃し占拠する目的で、ナイフや爆弾を用意して山梨県大菩薩峠「福ちゃん荘」で軍事訓練中、活動家53名が検挙された。

【M作戦】赤軍派は森恒夫の指導の下、「PBM作戦」を展開した。PBMとは、P作戦（ペガサス作戦）、B作戦（ブロンコ作戦）、M作戦（マフィア作戦）。具体的には「ひったくり」や金融機関強盗がM作戦。71年2月に千葉県市原市の郵便局、3月相模原市の横浜銀行、7月には鳥取県米子市の松江相互銀行などを襲撃した。

【よど号事件】1970年3月31日、羽田発福岡行きの日航機「よど号」が「赤軍派」を名乗った9人組に乗っ取られた。彼らの要求は、朝鮮民主主義人民共和国へ行くこと。よど号は平壌空港に偽装されたソウルの金浦空港で、乗客とスチュワーデスの身代わりとして当時の山村新治郎運輸政務次官を同乗させ、4月3日には平壌近郊の美林空港に強制着陸。実行犯は北朝鮮に亡命し、山村ら人質は5日、羽田に帰着した。この事件は日本でのハイジャック第1号となった。

【真岡事件】革命左派は獄中の最高指導者川島豪による自身の奪還指令を受け、1970年12月18日、上赤塚交番襲撃に失敗。71年2月17日、電報配達を装って栃木県真岡市の銃砲店の勝手口を叩き、6人で乱入し、一家4人を縛り、猟銃10丁、空気銃1丁と銃弾約3000発などを強奪した。

【山岳ベース】主に革命左派は1971年5月以降、山中をアジトとした。小袖、塩山、丹沢、榛名山、迦葉山、妙義山等のベース。死者の出た「榛名」以降を指すこともある。榛名ベースは71年11月から72年1月下旬まで、北群馬郡伊香保町、榛名山中の沼尾川沿いに設定された。

【総括】日和見的であるとか、闘争意識が弱いとかいった些細な理由で同志をリンチにかける際の用語。いわゆる「自己批判」を徹底化し、死ぬまで手をゆるめぬ暴力の「儀式」で、これを意味づけるために「総括」という言葉が使われたが、もともとは新左翼運動の報告会などで使われ始めたという。

【あさま山荘事件】連続銀行強盗事件や真岡銃砲店襲撃を起こして逃走を続けていた革命左派および赤軍派の両派だったが、1971年から72年にかけて警視庁の徹底的なローラー作戦、追跡捜査によって、逃走中のメンバーが次々に逮捕された。72年2月吉野雅邦、坂東国男、坂口弘ら5人の逃走グループは、機動隊の追撃を振切って、河合楽器の保養所「あさま山荘」（軽井沢）に逃げこみ、管理人の妻牟田泰子さんを人質として籠城した。人質をとられたために機動隊は積極的な作戦がとれず、ライフルやガス銃による銃撃戦が、実に10日間も続いた。この間、犯人に対する機動隊や肉親の説得も効を奏せず、世論では一味の残虐さと当局の無策さを非難する声が、相半ばした。10日目、機動隊の決死的突入によって牟田泰子さんは救出された。機動隊員や民間人の3人の命が失われた。

【モンケン】杭打ち工事で、ウインチで巻き上げて一気に杭の頭に落とす重いおもり。上下して杭を打ち込むモンキークレーンのこと。あさま山荘10日目、警察は、人質は2階、犯行グループは3階にいると予想し、山側から大型クレーン車を近づけ、玄関脇の2階と3階の階段付近をモンケンで破壊した。開いた穴は放水を受け、催涙弾を放たれ、3つの部隊が突入した。しかし、人質は予想していた2階にも1階にもおらず、犯行グループと同じ3階にいた。

【日本赤軍】1970年、赤軍派の一部グループはよど号ハイジャック事件を起こして出国した。71年2月26日、赤軍派の重信房子は奥平剛士と偽装結婚してパレスチナへ行き、「国際根拠地論」を唱え、現地で「アラブ赤軍」を立ち上げた。72年5月30日イスラエル・テルアビブの国際空港で自動小銃乱射事件をはじめ数々の事件を起こしている。74年以降、「日本赤軍」を正式名称とした。

【東アジア反日武装戦線】1970年代に爆弾テロを行った日本のアナキズム系の武闘派左翼グループ。反日亡国論やアイヌ革命論などを主張し、大衆に訴えるカンパニア闘争の一環として、71年12月以降、興亜観音・殉国七士之碑など、「日本帝国主義」の象徴となるものを爆破する。74年8月には三菱重工ビルを爆破。8人の死者と数百人の負傷者を出した。捜査機関から「極左暴力集団」と呼ばれた。「大地の牙」メンバーだった浴田由紀子は77年のダッカ日航機ハイジャック事件において、日本赤軍の要求に基づき超法規的措置で釈放され、その後日本赤軍に合流した。95年、ペルーで身柄拘束され、2004年、懲役20年が確定。満期出所の後、童話を出版。

【カンパニア闘争】広く世に訴えて、一般大衆を動員する大衆運動。「カンパニア」はロシア語が語源で、英語では「キャンペーン」にあたる。

【階級闘争】社会がいくつかの階級に分裂して互いに和解しがたい場合に、社会的格差を克服するために行われる闘争。いずれか一方の階級が他方の階級を打倒して、その政治上、経済上、文化上の特権、権利、機会を奪取し、支配権を手に入れようとして行われる。

【ゲリラ・パルチザン戦】「ゲリラ」は「小さな戦争」を意味するスペイン語。「パルチザン」は「小部分で働く人」を意味するフランス語。軍隊などの正規軍とは別に、自発的に武装し、侵略軍に抵抗する人民の遊撃隊のことをいう。新左翼の中の過激グループである中核派、解放・狭間派、戦旗・共産同、とくに中核派は、闘争戦術として「ゲリラ・パルチザン戦と大衆武装闘争」を打ち出している。集会やデモ、警官隊との街頭戦闘などの党派外も巻き込んだ公然の「大衆闘争」の一方で、力においてとうてい対抗し得ない権力、警察側に立ち向かう戦術として、非公然、非合法の「ゲリラ・パルチザン戦」に力を入れる。第2次世界大戦中ドイツ・ナチの侵略に抵抗したフランス市民のパルチザン組織などは歴史的に有名。

【連合赤軍の全体像を残す会】1987年1月、（連合赤軍）事件の当事者と有志により活動を開始した。連合赤軍事件が何を指すかは必ずしもはっきりしないが、当初は、裁判の進行中だったこともあり、弁護団と協力・分担して上告趣意書の一部執筆も分担したが、関係者をインタビューして、テープに残す活動を中心としていた。その後、2003年2月に「連合赤軍殉難者追悼の会」を開催し、私的な活動から方向を転換、04年からは、記録を公開する冊子『証言』の刊行を開始した。さらに09年7月の「読者交流会」の開催以後、討論会の開催など、公開の催しも行うに至る。13年には『証言』の総集編『証言 連合赤軍』（皓星社）を刊行した。現在のメンバーは、雪野建作、前澤虎義、植垣康博、金廣志、黒宮雪彦、椎野礼仁ほか。

1 連合赤軍前史

新左翼の誕生から69年「4・28」まで

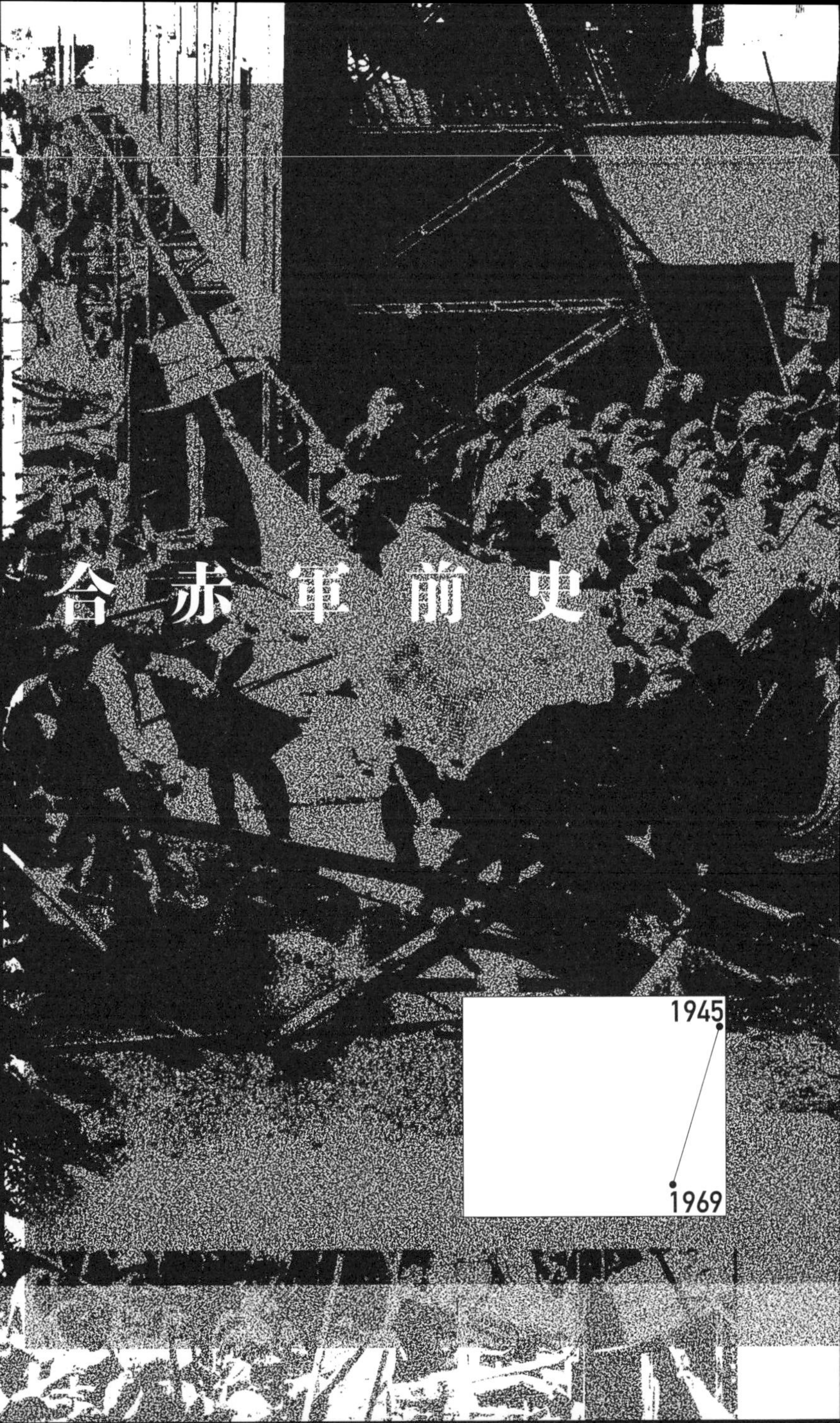

1945

1969

1945

GHQによる民主化路線で共産党や全学連が成立

10月4日 GHQ（連合国総司令部）の「人権指令」により、治安維持法などで勾留されていた思想犯など2500人が釈放。このとき出獄してきた旧共産党幹部らによって日本共産党が初めて合法政党として誕生。

11月2日 日本社会党の結成。

1946

1月4日 第1次「公職追放」。GHQは軍国主義者等の戦犯容疑者、軍首脳部、大政翼賛会幹部、文筆家などの公職からの追放を指令。軍国主義、超国家主義団体などの解散も命令。

1947

2月1日 マッカーサーの命令により2・1ゼネスト中止。官公労を中心に6000万人が参加予定だった。要求が官公庁労働者の待遇改善から内閣退陣のゼネストとエスカレートしたため。

1948

7月6日 全学連（全日本学生自治会総連合）結成。国公私立145校、30万人が参加。

1949

国鉄をめぐる3つの事件

7月5日 下山事件（国鉄下山総裁が行方不明となり、翌日常磐線北千住－綾瀬間の線路上で轢死死体で発見）。

10月15日 治安維持法廃止。

10月24日 国際連合成立。

7月 中国、全面的内戦開始。

11月3日 日本国憲法公布（47年5月3日施行）。

3月31日 教育基本法・学校教育法公布。

10月5日 コミンフォルム（共産党労働者党情報局）結成発表。

4月1日 ベルリン封鎖。

8月15日 大韓民国成立。

9月9日 朝鮮民主主義人民共和国（北朝鮮）成立。

4月4日 北大西洋条約機構（NATO）成立。

5月6日 ドイツ連邦共和国（西ドイツ）臨時政府成立。

7月15日　三鷹事件（国鉄中央線三鷹駅で無人電車が暴走。派出所と民家へ突入。死者6名、重軽傷者20名を数えた）。

8月17日　松川事件（東北本線松川駅近くで列車転覆。乗員3名死亡。何者かによりレールの釘が抜かれていたのが原因）。

▼3事件とも国鉄の人員整理との関係が取り沙汰され、三鷹事件、松川事件では共産党員などがそれぞれ10名、20名起訴された。これらを契機に労働組合は弱体化したが、両事件とも、後の裁判で獄死した1人を除き、全員無罪となった。松川事件では、作家広津和郎らが「検察・警察の共産党に対する予断が招いた冤罪事件」と裁判批判運動を展開。両事件とも未解決だが、犯行の規模や組織性から労働運動の抑圧を狙ったGHQ・公安機関の陰謀説も根強く囁かれた。

10月1日　中国革命に勝利した毛沢東が中華人民共和国の成立を宣言。

1950

コミンフォルムの日共批判

1月6日　コミンフォルム（ソ連や東欧の共産主義政党の連絡機関）が日本共産党の平和革命論を批判。アメリカの占領下での平和革命は不可能と批判した。これが翌年の共産党内部の争いにつながった。

2月9日　アメリカでマッカーシー上院議員が国務省に57人の共産党員がいると非難。マッカーシー旋風（赤狩り）の開始となる。

朝鮮戦争と日本国内の再編

6月25日　朝鮮戦争勃発。前年の中華人民共和国の成立以来、韓国はアメリカにとって重要な中国大陸への足がかりだった。戦争は当初北朝鮮（朝鮮民主主義人民共和国）軍が韓国南端まで侵攻するが、アメリカ軍・国連軍も仁川上陸作戦で巻き返し、中国の義

吉田茂首相

10月7日　ドイツ民主共和国（東ドイツ）成立。

5月3日　吉田茂首相、東大総長南原繁の全面講和論を「曲学阿世」と非難。

6月25日　朝鮮戦争勃発。

新左翼運動へ

勇軍も参戦するなど、南北の境界線・北緯38度線をめぐって一進一退の攻防が翌年7月まで続いた。

▼日本国内では経済が朝鮮特需に沸いたが、革命の波及を怖れレッドパージや警察予備隊の新設を誘引することになった。

7月24日 レッドパージ始まる。GHQ、新聞・放送界からの共産党員やシンパ(同調者)の追放を指示。東京では報道関係50社で従業員の2%にあたる702人が解雇された。9月1日には公務員のレッドパージが閣議決定。この動きは程なく民間企業にも波及した。

8月10日 マッカーサーの指令により警察予備隊(後の自衛隊)令を公布。警察予備隊という名前ではあるものの内閣総理府の直属で、任務は犯罪捜査ではなく非常事態宣言下の治安維持など。2年後には保安隊、さらに4年後の1954年には自衛隊と組織改編され、日本の再軍備への道を開いた。

1951

共産党、51年テーゼで武装闘争路線採択

2月 日本共産党の主流派(所感派)、コミンフォルム批判を受け入れ国際派を除名。

9月8日 サンフランシスコで対日講和条約。日米安全保障条約締結。アメリカ、イギリスなど戦勝国49カ国が対日講和条約に調印。中国排除の英米の主導など様々な理由で、ソ連、中国、インドなどは非調印。同日、日本とアメリカは安保条約(日米安全保障条約)に調印。米軍への基地貸与、極東地域での戦争への在日米軍の出動などが決められた。

10月16日 共産党51年テーゼを採択し武装闘争路線へ。共産党は第5回全国協議会(五全協)で日本革命を反帝・反封建の民族・民主革命と定義。山村工作隊(農村を拠点に都市を包囲する)による武装闘争等の路線を採択した。全学連の学生へも「学園から農村へ」の指示。

社会状況

7月2日 金閣寺、放火で全焼。

10月17日 文部省、国旗掲揚・君が代斉唱を通達。

12月7日 池田勇人蔵相、国会で〝貧乏人は麦を食え〟発言。正確には「所得の少ない人は麦を食う。多い人は米を食う(というのが経済の原則)」。

この年、特需景気。

7月10日 朝鮮休戦会談。

1952

1月21日 白鳥事件。札幌市警の白鳥一雄警部が射殺された事件。警察は共産党軍事組織の犯行と断定し、共産党札幌地区委員長村上国治（29歳）を逮捕。村上は犯行否認のまま起訴され、最高裁で有罪確定。

2月20日 ポポロ事件。東京大学の校内で開催中の公認学生劇団ポポロ座の公演に、私服警官が潜入。3名が学生に捕まり、警察手帳を押収され始末書を書かされる。警察は学生を逮捕したが、矢内原忠雄東大総長は非は不法潜入した警察にあるとして学生の釈放を要求。警察による学内偵察・情報収集も暴露され、大学自治への侵害として国会でも問題となった。

5月1日 血のメーデー。戦後メーデー会場として使われていた人民広場こと皇居前広場は、1950年にGHQが使用禁止にしていたが、この日デモ隊の一部が皇居前広場に乱入。後続者も含め6000人にふくれあがった労働者らと警官隊5000人が激突。警官隊の発砲で2人が死亡。負傷者は1500人に。騒擾罪が適用され7月末までに1232人が検挙、261人が起訴された。

7月21日 破壊活動防止法公布。

血のメーデー事件

1953

3月5日 ソ連のスターリン首相・共産党書記長が死亡。日本では株価のスターリン暴落おこる。対西側強硬策を採っていたスターリンの死亡に、東京証券取引所では軍需関連株を中心に株価が大暴落した。

6月13日 内灘の反基地闘争激化。石川県内灘村で米軍の試射場無期限使用に反対する農民らが座り込みによる実力阻止。支援の労働者・学生らと警官隊が衝突。

2月1日 テレビ本放送開始。

7月27日 朝鮮休戦協定調印。

1954

3月1日 第五福竜丸、ビキニ米水爆実験で被災。

4月21日 造船疑獄で指揮権発動、佐藤栄作自民党幹事長、逮捕を免れる。

新左翼運動へ

1955

共産党、六全協で武装闘争路線を撤回

2月　六全協で共産党が武装闘争方針を撤回。スターリン死後の国際共産主義運動〝右傾化〟と冷戦・平和共存路線の中で、日本共産党は第6回全国協議会で武装闘争路線を撤回。この方針転換は、山村工作隊、中核自衛隊として運動を担っていた活動家や全学連に多大な混乱を招いた。

9月13日　砂川闘争。東京・砂川町の立川基地拡張予定地の強制測量をめぐって、地元の反対同盟および支援の労組と警官隊２０００人が激突。翌年10月13日には第2次測量が強行されたが反対派の抵抗が強く、政府は14日に測量中止を発表。支援の全学連は反対運動各派から賞賛を得、学生運動史に輝く闘争となった。しかし、学生運動を政治闘争から日常生活の改善要求に転換を図っていた共産党はこれを批判。共産党と全学連主流派との対立は徐々に溝を広げていった。

1956

ブント、革共同の誕生

2月25日　ソ連共産党20回大会でフルシチョフ第1書記がスターリン批判を開始。革命の祖国ソ連でレーニンの跡を継いだ指導者として神格化されていたスターリンへの批判は、世界中の共産党に衝撃を与えた。

社会状況

7月21日　インドシナ休戦協定。これによりフランスは植民地を放棄。ベトナムは2年後に選挙で統一政権を選ぶまで北緯17度で2分されることになった。統一選挙は米国の圧力で中止になった。

5月14日　ソ連・東欧7国、ワルシャワ条約に調印。

8月6日　原水爆禁止第1回世界大会開催。

9月19日　原水爆禁止日本協議会（原水協）結成。

10月13日　社会党統一、11月保守合同（自由民主党結成）で、いわゆる「55年体制」成立。

下期～57年上期「神武景気」。

1957

10月 ハンガリー動乱＝首都ブダペストで起きた反政府（＝反共産党政権）デモに対し、ソ連が軍事介入。日本共産党がこれを支持したのに対し、全学連や学生党員を中心に反発・離反が進む。これらの人々は共産党に代わる〝真の前衛党〟を追求、共産同（ブント）、革共同などが結成されるひとつの萌芽となった。

1月 日本トロツキスト連盟（革共同の前身）結成。

10月 日本トロツキスト連盟が革共同（日本革命的共産主義者同盟）と改称。この後59年8月には第四インター系が分派、63年4月には革マル派が分派し、残った主流派は中核派を名乗る。

1958

12月 共産主義者同盟（第1次ブント）結成＝日本共産党を除名された全学連主流派の学生党員を中心に結成。同盟という意味のドイツ語ブント（Bund）が通称となる。60年安保闘争を指導。ブントはその後、何回か分裂を経るため、このときを第1次ブントと呼んで区別する。

赤軍派は、第2次ともいわれるブントの分裂の中から69年5月に結成され、9月に隊列として日比谷公園に登場することになる。

1959

60年安保闘争

安保条約（日米安全保障条約）の改定をめぐり、国論が二分。1959年、社会党、総評、原水協などが安保改定阻止国民会議を結成し（共産党はオブザーバー参加）、約20次の統一行動。史上最大の大衆政治運動として盛り上がりを見せたが、60年5月には自民党が衆議院で新安保条約を強行採決。自民党の反対派も欠席する中の単独採決だった。この過程で反対運動の強固な一翼を担った全学連（全国学生自治会総連合）主流派（反日本共産党系）は、3次にわたり国会突入などの実力闘争。

7月17日 経済白書、「もはや戦後ではない」。

10月19日 日ソ国交回復。

12月18日 日本、国連に加盟。

11月20日 日教組、日高教、全国で勤評（勤務評定）反対集会開く。

下期～58年下期「なべ底不況」。

8月 インスタントラーメン発売。

10月25日 全国で警職法改悪反対第1次統一行動。

1月1日 キューバ革命。

3月「少年マガジン」「少年サンデー」創刊。

1960

しかし6月には新安保条約は自然成立。この安保闘争の評価をめぐり、吉本隆明は『擬制の終焉』を著し、大衆闘争の盛り上がりと、にもかかわらずそれに対応できなかった日本共産党の前衛党(革命を指導する党)としての失墜を指摘した。

▼60年安保を「壮大なゼロ」と評するのは、右のような政治状況、つまり大衆闘争としては莫大な規模のものだったが、政治的獲得目標(安保改定反対)は達成されず、大衆闘争も自然発生性に依拠するだけで、社会を変える運動にならなかった(＝革命の視点に立てば、前衛党に結集する主体として組織化できなかった)ことを指す。

6月10日 来日した米大統領秘書ハガチーが羽田空港でデモ隊2万人に包囲され、米軍のヘリコプターで脱出。これによりアイゼンハワー米大統領の来日は中止となった。

6月15日 安保改定阻止第2次実力行使に総評・中立系労組　111組580万人が参加。夕刻、8000人で国会デモに加わっていた全学連主流派が国会構内に突入。警官隊との衝突の中で東大生樺美智子死亡。大衆的な政治闘争の中での初の死者は、大きなニュースとなった。

6月19日 「樺美智子全学連追悼集会」に6000人が集結。共産党は「犠牲者を出した責任はトロツキスト指導部にある」と集会をボイコット。

6月23日 新安保条約発効。岸信介首相が退陣表明。

7月4日 全学連第16回大会で安保闘争の総括をめぐってブントは3つに分裂。ほどなく第1次ブントは終焉。

白色テロル勃発

10月12日 社会党浅沼稲次郎委員長、日比谷公会堂で17歳の右翼の少年(山口二矢)に刺殺される。社会党では6月17日に川上丈太郎顧問がやはり右翼の少年に肩を刺されていた。左翼の大衆運動の盛上がりに対する、右翼陣営の危機感の表われといわれた。

9月30日 中ソ対立激化。

この年「岩戸景気」。

1月25日 三井三池炭坑で会社側ロックアウト、組合は全山無期限ストライキに突入。

4月19〜27日 韓国で反政府デモ激化し、李承晩大統領辞任。

8月1日 東京・山谷のドヤ街で、3000人がマンモス交番を襲撃する。

9月10日 カラーテレビ本放送。

12月20日 南ベトナム解放民族戦線結成。

12月27日 池田勇人内閣、国民所得倍増計画を閣議決定。

1961

2月1日　中央公論社の社長宅で17歳の右翼少年（小森一孝）が短刀で家政婦を刺殺、社長夫人に2カ月の重傷を負わす。深沢七郎の作品『風流夢譚』を雑誌「中央公論」に掲載したことに抗議したもの。革命が成功し天皇が処刑されるのを見物する夢を見たという小説で、宮内庁が皇室に対する名誉毀損として問題視していた。

1962

12月21日　中央公論社、「思想の科学」天皇制特集号を業務上の理由で発売中止に。

1963

4月　革共同が前衛党建設を優先する革マル派（革命的マルクス主義派）と大衆闘争重視の中核派に分裂。

5月1日　狭山事件起こる。誘拐事件にともない被差別地区が集中的に捜査され、同地区出身の石川一雄が別件逮捕される。被告側は無罪を主張し上告したが、77年に無期懲役刑が確定。60年代、70年代を通じて、狭山差別裁判闘争は新左翼の重要な闘争課題となった。

4月12日　ソ連のガガーリン空軍少佐、「地球は青かった」。人類初の宇宙飛行を終えての発言。57年の世界初の人工衛星打ち上げに続くソ連の成果。

5月16日　韓国、朴正熙による軍事クーデター。

8月13日　東ドイツ、ベルリンの壁構築。

2月8日　米、南ベトナムに軍事援助司令部設置。

10月22日　キューバ危機。

1月　テレビアニメ「鉄腕アトム」放送開始。

3月31日　吉展ちゃん誘拐事件。

8月5日　米英ソ3国部分的核実験停止条約正式調印。14日、日本、同条約に調印。31日、中国、同条約に対し批判声明。

第9回原水禁大会分裂。

11月22日（現地時間）　米国ケネディ大統領、遊説中にダラスで狙撃され死亡。

新左翼運動へ

1964

1965

3月 社会党の下部組織社青同から社青同解放派が分派。67年10月にはその政治組織として革労協（革命的労働者協会）、12月には学生組織反帝学評が結成された。

4月 ベ平連（ベトナムに平和を！市民連合）発足。各人の自由な意思による参加が原則。小田実、鶴見俊輔、吉川勇一らが中心メンバー。

社会状況

1964

4月1日 日本、IMF（国際通貨基金）の8条国に移行。

海外渡航自由化。

6月3日 韓国政府、朴大統領の退陣を要求する学生らに対し、ソウルに非常事態戒厳令。

6月 第51回芥川賞に柴田翔『されど われらが日々』。学生運動に関わる群像を描いた。

8月2日 トンキン湾事件。米、米軍艦が北ベトナム軍に攻撃されたと発表。

10月10日 東京オリンピック開催される。

11月12日 米原子力潜水艦シードラゴン号、佐世保入港。翌日反対派と警察、衝突。

1965

1月11日 中教審（中央教育審議会）「期待される人間像」。

2月7日 米軍機が北ベトナムへの爆撃（北爆）を開始。

2月8日 韓国政府、南ベトナムへ派兵決定。

1966

7月29日　沖縄・嘉手納基地から飛び立ったB52米軍機30機がベトナムを爆撃。日本政府は安保条約上は問題ないとしつつ、「日本国民感情を無視したもの」と抗議。ベトナム反戦と反安保、沖縄闘争は一層盛り上がった。

日韓闘争

11月13日　日韓基本条約阻止の統一スト。日韓条約阻止闘争は60年安保以来の大衆的闘争となった。

12月11日　日韓基本条約が参議院本会議で自民党、民社党出席のもと強行採決。18日に発効。

8月18日　北京の天安門広場で文化大革命勝利の100万人集会。毛沢東主席など中国首脳が列席。毛沢東の指示で前年から展開されたプロレタリア文化大革命は、紅衛兵（10代の少年少女）を先兵に「黒五類（地主・反動・右派分子など）」の糾弾や「四旧（古い文化・思想・風俗・習慣）」の破壊をスローガン化。知識人などが反革命として激しく弾劾されることになった。

9月　共産主義者同盟統一再建第6回大会開催＝第2次ブント結成。

三派全学連の登場

12月17～19日　全学連再建大会で中核派、社学同（社会主義学生同盟）ブントの学生組織、、社青同解放派の三派全学連が成立。共産党・民青系と革マル系の3つの組織がそれぞれ全学連を名乗ることになった。

2月10日　防衛庁の秘密文書「三矢研究」暴露。

4月17日　米ワシントンで1万人のベトナム反戦デモ。

9月1日　印パ戦争始まる。

11月10日　戦後初の赤字国債発行を閣議決定。

11月17日　プロ野球第1回ドラフト会議。

6月29日　ビートルズ来日。

7月4日　新東京国際空港の建設地を千葉県成田市三里塚に閣議決定。

8月　ワシントン、ニューヨークで大規模なベトナム反戦デモ。

この年～70年上期「いざなぎ景気」。

カラーテレビ、クーラー、カーが「新三種の神器」3C時代。

自動車による交通事故が増え「交通戦争」という言葉が生まれる。

連合赤軍関係図

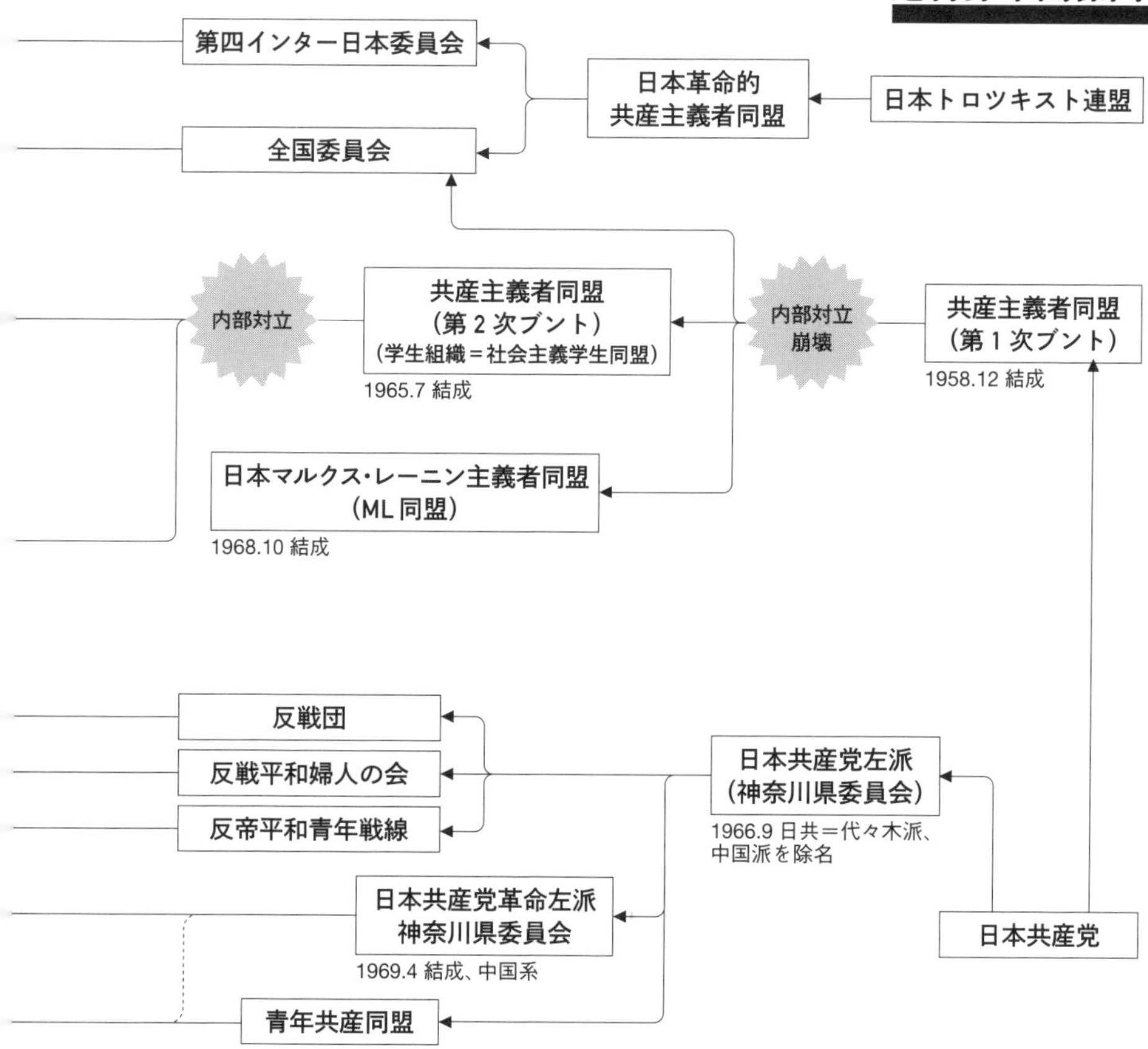

1967

1月 米国防省、ベトナム参戦の米兵は47万3000人と発表。

2月11日 紀元節（2月11日）を建国記念日という祝日に。

4月15日 社共推薦で美濃部亮吉が東京都知事に当選。

当選した美濃部亮吉都知事

社会状況

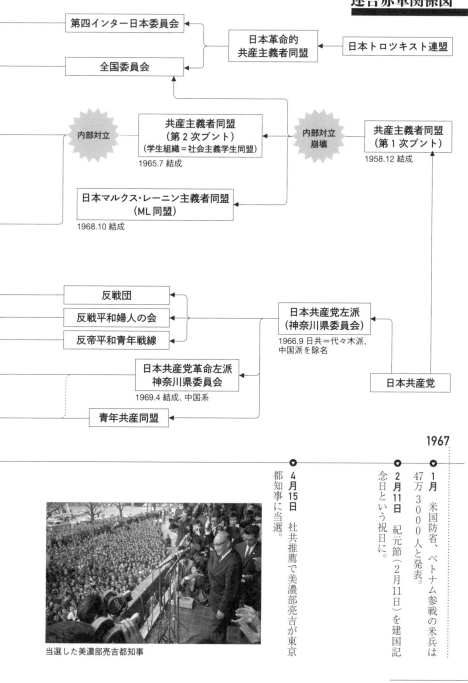

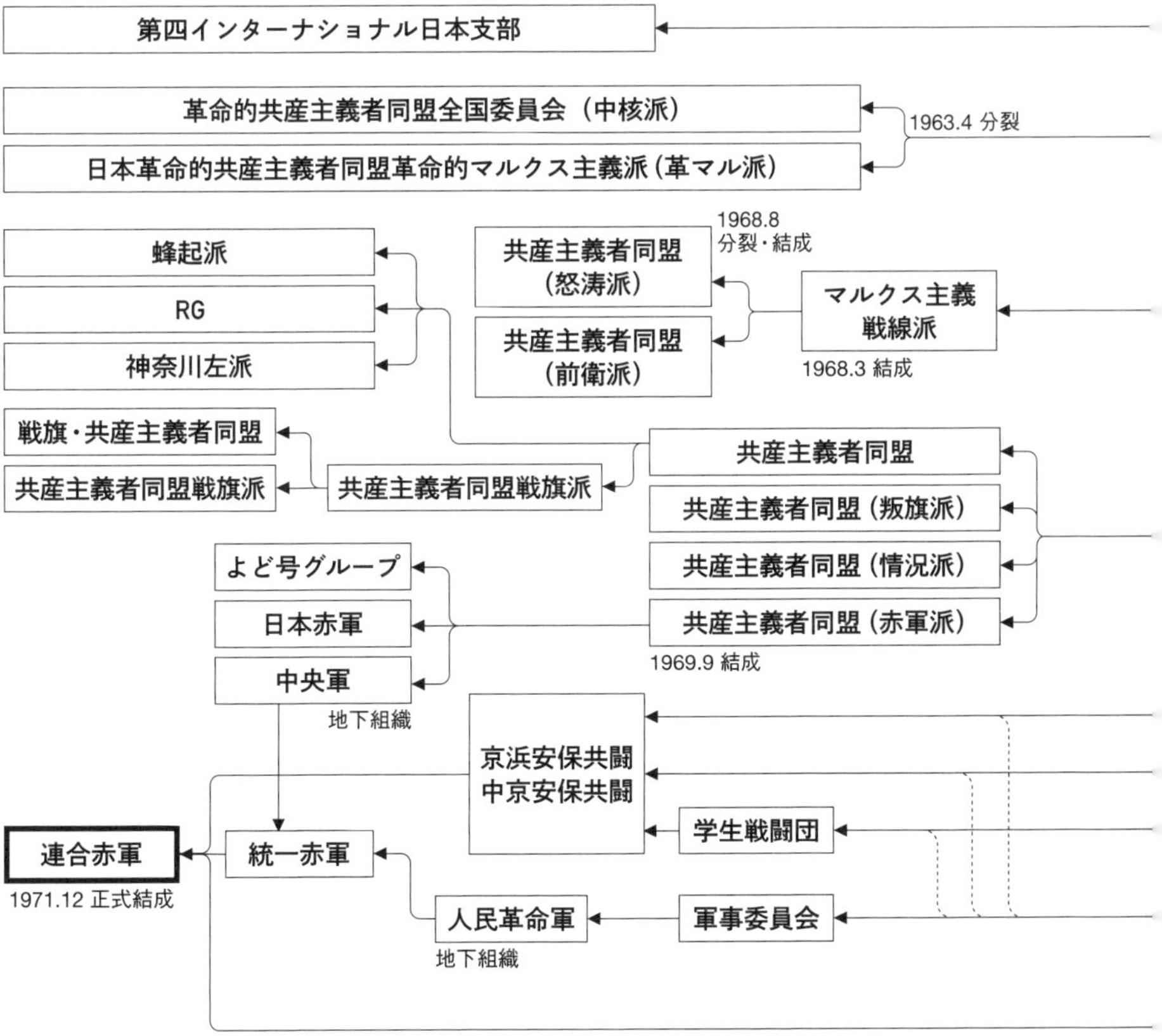

米、ニューヨークとサンフランシスコで総計50万人が参加した大規模なベトナム反戦デモ。

4月28日 米ボクサー、カシアス・クレイ（モハメド・アリ）が徴兵宣誓を拒否。

6月5日 第3次中東戦争（6日戦争）。ナセル大統領率いるアラブ連合とイスラエルが交戦、わずか80時間でイスラエルが勝利。

7月1日 ヨーロッパ共同体（EC）発足。

7月20日 動力炉・核燃料開発事業団（動燃）設立。

7月23日 米、デトロイト市で黒人暴動。全米各地に暴動広がる。

8月3日 公害対策基本法、施行。

8月8日 東南アジア諸国連合（ASEAN）設立。

9月1日 三重県四日市ぜんそくで、初の大気汚染公害訴訟。

参考：高橋檀『語られざる連合赤軍』所収の図

10・8（じゅっぱち）羽田闘争

10月8日 佐藤訪ベトナム阻止羽田闘争＝「第1次羽田闘争」。三派全学連（反日共系全学連ともいわれた）2500人が、佐藤栄作首相の南ベトナム等への訪問を阻止しようと羽田空港に突入を試みる。日本学生運動史上初めてヘルメット・棍棒が登場。京大生山﨑博昭が機動隊との実力闘争の中で死亡。この「10・8（じゅっぱち）羽田闘争」は、実力闘争を媒介とした政治課題・主張を明確にし、社会的に新左翼の存在（既成左翼との差異性）が大きくクローズアップされる象徴的な闘争となった。同日、共産党は多摩湖畔で赤旗祭りを開催。

10月17日には全学連・反戦青年委員会6000人が「虐殺抗議、山﨑君追悼中央葬」に集まった。しかし60年安保闘争の樺美智子の死が体現したような広範な階層・全国民的な共感を得るまでに至らなかったのは、学生運動の先鋭化の表われといえる。

11月9日 水戸巌氏ら文化人50名により一〇・八救援会発足。

11月12日 佐藤訪米阻止の「第2次羽田闘争」。

70年安保とベトナム反戦

1960年代後半、特に1967年の「10・8（じゅっぱち）羽田」から始まり69年1月の「東大安田講堂」頃までは、新左翼が（相対的ではあれ）広範な社会的支持を得ていた時代と言ってもいい。その支持の基盤は、安保条約反対とアメリカが行なっているベトナム戦争に対する反発だった。それは単純な反発から出発した「日米同盟は戦争に巻き込まれるから安保には反対」という受け身的見方に対し、「安保を容認することはアジアに対する新たな日本の進出を意味するのではないか？」というグローバルな視点の提示や、「日本がベトナム戦争に沖縄の基地をはじめとしたさまざまな協力をしていることについて、一人ひとりがどう行動するのか？」という問いかけが、受け入れられていたことを意味した。議会勢力的には安保支持派の方が数多く、社会主義に反対するからアメリカのベトナム戦争は正しいと主張する層も多かったが、なにより安保とベトナム

10月8日 前キューバ工業相ゲバラ、ボリビアで政府軍に逮捕され、翌日射殺。

10月16日 アメリカで反戦週間。全米30都市でデモ。

10月18日 ツイッギー来日、ミニスカート・ブーム。

11月15日 日米首脳会談で、小笠原の返還決定されるも（68年4月5日調印）、沖縄返還時期は明示せず。

戦争は、一人ひとりが立場を鮮明にしやすい課題だった。そこで多くの左翼的な考え方や革新系政党、勢力などを支持する、ないし自民党政権に投票しない（あるいは投票に行かない）人々が生まれた。デモ行進では、〝安保反対、闘争勝利〟とかけ声された。そんな中で、三派全学連とその実力闘争（＝外見的にはデモや抗議行動がエスカレートし機動隊との衝突に至る）は、既成の権威や社会秩序、体制的価値観などにどう関わるのかという根源的な問題意識の投げかけとして、一定のシンパシーを獲得できていた。もちろん実力闘争という違法行為やその被害・迷惑への反発も広範に存在していた。68年には三派全学連が分裂含みとなり、大学では全共闘（全学共闘会議＝学内の党派活動家、自治会、サークル、ノンセクトラジカルなどが共闘）が闘う主体として登場し、大学解体や自己否定の論理等を投げかけた。また反戦青年委員会など新左翼に結集する労働者も増えた。同じ時期、パリの5月革命、アメリカのスチューデントパワーや黒人解放闘争、ドイツの赤い旅団、あるいはチェコのプラハの春、中国の文化大革命など、世界的な既成体制に対する「異議申し立て」「実力闘争」の登場によって、世界は同じように変革期を迎えたかのような様相をみせた。

やがてデモのかけ声が〝安保粉砕、日帝打倒〟などへと変わり始めるとともに、新左翼運動は四分五裂を深め、内ゲバと連合赤軍ショックの中で社会の前面から姿を消すことになる。

1968

佐世保、成田、王子で実力闘争への支持高まる

1月15日 米空母エンタープライズ寄港阻止に佐世保へ向かおうとする中核派が、東京・飯田橋で機動隊に阻止され、131人が凶器準備集合罪で検挙される。

1月17～21日 米空母エンタープライズ寄港阻止佐世保現地闘争。北ベトナムに出撃する米原子力艦隊に対するもので、野党、労働団体、学生は「安保体制の強化や日本の核基地化につながる」と佐世保港で抗議集会やデモをくり返す。三派全学連の街頭闘争に対し市民の支持が高かった闘争として有名。

川端康成、日本初のノーベル文学賞

新左翼運動へ

1月29日 東大医学部が無期限スト。東大闘争の端緒となる。長く反対してきたインターン制度廃止に置き換えて新たに出されてきた登録医師制度に反対したものだった。

2月26日 「三里塚空港実力粉砕・砂川基地拡張阻止 2・26現地総決起集会」。三派全学連と三里塚・芝山連合空港反対同盟の初の共闘。これ以降、反対同盟は共産党や社会党などの既成左翼に代わり、新左翼との結合を深めていく。

3月8日 東京・北区にある米軍の王子野戦病院開設阻止闘争。これも反ベトナム戦争の運動の一環。2～4月まで9次にわたる機動隊との衝突の中で、学生、反戦青年委員会の労働者、市民などに200名近い逮捕者と約1500名の負傷者が出た。

3月29日 日本私立大学連盟「学生運動に対決する」と見解を発表。

4月 日大で20億円という巨額の脱税が発覚し、日大闘争の始まりとなる。

5月13日 フランス・パリで労働者・学生がゼネスト、5月革命起こる。

日大闘争

5月23日 日大生約2000名が、水道橋駅までデモ。右翼の牙城と思われてきた日大の歴史上画期的な「初めての200メートルデモ」として有名になった。

5月27日 日大全共闘結成。7000人の学生が集まり秋田明大が議長に。この後、秋田はカリスマ的存在となった（日大闘争では体育会や右翼学生との暴力的対立が激化したが、秋田は1人でいても右翼学生が手を出せない、と伝説的に語り継がれた）。

9月30日 日大全共闘ら1万人が、日大講堂の大衆団交に集結。会場に入りきらない学生2万5000人や全共闘に敵対する体育会系学生800人も周囲を取り巻き、騒然とした空気に。独裁者とあだ名された古田重二良会頭は、これまでの日大の体制を謝罪、学生自治権の確立、体育会の解散などを約束した。

10月2日 佐藤首相、「日大の大衆団交は認められない、政治的な対策を考える」と発言。

10月3日 日大当局、9・30団交での確約事項を破棄。古田日大会頭、翌日の団交を拒否。

社会状況

1月30日 佐藤首相、「非核三原則」の国会答弁。同日、南ベトナム全土で解放勢力が大攻勢（テト攻勢）。

2月20日 金嬉老、静岡県寸又峡温泉に人質20人をとって立てこもり、朝鮮人に対する差別を訴える。

4月1日 国際勝共連合結成。

4月4日 米、キング牧師暗殺される。

4月5日 チェコスロバキアで「プラハの春」。

4月25日 霞が関ビル完成。

5月13日 米・北ベトナム第1回和平会談。

5月16日 十勝沖地震。

7月1日 米英ソなど62カ国、核拡散防止条約に調印。

7月9日 東京・山谷で群集が交番を一時占拠。

8月20日 チェコ事件。ソ連、東欧5カ国軍がチェコに侵入（プラハの春の終わり）。

10・21国際反戦デー

10月21日 国際反戦デー。社会党・総評系、共産党系、新左翼系など全国46都道府県約560カ所で30万名が集会やデモ。新左翼各派は、三派全学連の解消の後、それぞれの位置づけで行動目標を設定。中核派は米軍タンク輸送車実力阻止を掲げ、ML派、第四インターなどと1500人で新宿駅に。駅構内や周辺で群衆2万名を巻き込む市街戦となり、山手線・中央線は翌日までストップ。深夜、騒乱罪が適用され、一斉検挙で769名が逮捕された。ブント・社学同1000人は日本の軍事外交路線を推進する防衛庁（六本木）に突入。社青同解放派900人は国会突入をはかった。全国の逮捕者は、1012名に上った。

10月22日 日経連、活動家学生の就職取り消しを発表。

10月23日 政府、明治100年記念式典開催。

10月31日 ジョンソン米大統領、北爆停止を発表。

12月10日 東京・府中で、3億円強奪事件発生。

11月22日 東大本郷キャンパスで「全国学生総決起集会」が開かれ東大・日大など全国の全共闘が初の共闘集会を開催。これより、日大全共闘や新左翼各セクトが東大闘争でも前面で闘うようになる。

12月 国民総生産（GNP）、資本主義国で第2位に。

5派共同声明。中核、ブント、ML、第四インター、社労同（のちに構改派、統社同、共労が合流し、8派共闘）、全国反戦青年委員会、全学連、全共闘の統一行動で合意へ。

12月15日 東大安田講堂で日大闘争報告大集会。

この年、「昭和元禄」と呼ばれる。

69年の社会状況は41頁～を参照

1969

1月9日 東大闘争・日大闘争勝利全都学生決起集会。

1月10日 深夜、民青が全共闘が占拠している安田講堂を攻撃。

1月14日 東大、加藤一郎学長代行が「警察力による封鎖解除も辞さぬ態度で入試を実施する」と言明。

1月15日 東大闘争勝利全都全国労学総決起集会に3500人の学生、労働者、市民が集まる。機動隊6500人が学外に待機していた。

東大安田講堂に機動隊導入。東大闘争の終焉

▼1月18日　朝、東大本郷構内に機動隊8500名が導入され、安田講堂などに立て籠もっていた全共闘派（全共闘、各セクト諸党派）の実力排除開始。機動隊は放水とガス銃を使用、全共闘側は火炎ビンや投石などで抵抗。まず工学部列品館にいたML派が重傷者が出たために降伏。午後3時頃までに法学部研究室なども封鎖解除され、中核派や社学同（ブントの学生組織）などの入った安田講堂が残った。警察側は4機のヘリコプターで催涙弾を注いだり放水をくり返し、安田講堂のバリケードを排除し、少しずつ屋上の全共闘に迫った。

▼攻防の模様はテレビで生中継され、衝撃を与えた。

▼神田駿河台では安田講堂に連帯しようと学生が集まり、道路に机などを運び出してバリケード封鎖し機動隊と投石などで渡り合う〝神田カルティエラタン闘争〟。お茶の水・駿河台界隈には明治・中央・日大など学生運動の高揚した大学が多数あり、セクトの拠点校となっていた。

▼1月19日　午後5時45分、安田〝砦〟攻防戦は、屋上に最後まで残った学生らが逮捕され終わる。逮捕された学生数は2日間で631名。

▼「全国の学生・市民・労働者の皆さん……われわれに代わって闘う同志諸君が、再び解放講堂から時計台放送を行う日まで、この放送を中止します」。

4・28沖縄デーに破防法適用

▼4月28日　社会党、共産党、総評が沖縄問題で初の統一中央集会を開催し、13万人が参加。新左翼は銀座、神田駿河台、大阪など各所でゲリラ戦を展開。

▼「4・28沖縄デー」に対して中核派とブントに破防法が適用され、両派の拠点に「がさ入れ」。また5人（ブント＝さらぎ徳二共産同議長、久保井拓三全学連副議長、中核派＝本多延嘉革共同書記長、藤原慶久反戦青年委員会世話人、青木忠全学連書記局）に事前に逮捕状が出された。

東大安田講堂

自民党が衆議院で新安保条約を強行採決。自民党の反対派も欠席する中の単独採決だった。この過程で反対運動の強固な一翼を担った全学連主流派(反日本共産党系)は、3次にわたり国会突入などの実力闘争を取る。1960年6月15日。
photo＝産経

佐藤訪ベトナム阻止羽田闘争。三派全学連2500人が、佐藤栄作首相の南ベトナム等への訪問を阻止しようと羽田空港に突入を試みる。学生運動史上初めてヘルメット・棍棒が登場。京大生山崎博昭が機動隊との実力闘争の中で死亡。1967年10月8日。photo＝産経

▲警官隊の反撃にあい、川にダイビングする学生たち。1967年10月8日。
▶羽田闘争、弁天橋。1967年10月8日。photo＝産経

1969年1月18日朝、東大本郷構内に機動隊8500名が導入され、安田講堂に立て籠もっていた全共闘派（全共闘、各セクト諸党派）の実力排除を開始。機動隊は放水とガス銃を使用、全共闘側は火炎ビンや投石などで抵抗。警察側は４機のヘリコプターで催涙弾を注いだり放水をくり返し、安田講堂のバリケードを排除し、少しずつ屋上の全共闘に迫った。
photo＝産経

■時代背景と社会状況■

【ベトナム戦争】ベトナム共和国（南ベトナム）政府軍と南ベトナム解放民族戦線（ベトコン）との内戦に、米国や北ベトナムなどが援助介入して国際化した戦争。１９５４年のジュネーブ休戦協定でインドシナ戦争に休止符が打たれ、休戦ラインが設定され、2年後に南北ベトナムの統一選挙を行なうことを決めた。南ベトナムでは米国にいたゴ・ディン・ジエムが帰国して大統領となり、地主と軍部、警察の力を背景に、独裁政治を強行し、これに対して、農民を中心とするゲリラが抵抗して、内戦状態となり、そこへ米国が政府側の援助に乗り出した。65年、米国は北爆に踏み切り、66年には30万近い大軍を送ったが、戦況は泥沼に。日本では65年に「ベ平連」が誕生。ニューヨーク・タイムズにベトナム戦争反対の1ページ広告を出すなど積極的で行動的な平和運動を展開した。

【国際反戦デー】１９６６年の10月21日、日本労働組合総評議会（総評）が米国軍のベトナム戦争介入に反対する全国政治ストライキ「ベトナム反戦統一スト」を実施し、それと同時に全世界の反戦運動団体に呼びかけた。69年10月21日、新左翼各派は大規模な街頭闘争を計画、東京・新宿を中心に各地で機動隊と衝突した。逮捕者は１５００人を超えた。

【佐世保事件】１９６８年1月19日、米原子力空母エンタープライズが、空母として初めて佐世保へ寄港した際、それを阻止しようとする「三派」、「革マル」系など全学連が、市民層を巻き込んでの乱闘騒ぎとなった事件。衝突は一週間にわたり続いた。

【造反有理】中国共産党中央委員会主席毛沢東が主導した政治闘争「文化大革命」は１９６６年から76年まで続いた。「謀反には道理がある」と謳う「造反有理」は、革命派の労働者や農民が立ち上がって、共産党と政府の機関にいた実権派を打ち倒すことを扇動した毛沢東の言葉。

【大衆団交】大学紛争において、学生が大学当局に要求する交渉方式。実態は、多数の学生が大学当局を吊し上げることもあるし、両者の主張が比較的おだやかにつき合わされることもある。

【五月革命】１９６８年5月から6月にかけてフランスのパリを中心に展開された学生、労組、革新的市民層を中心とする反ドゴール体制運動。学生約2万人のデモをきっかけとして主要労組が、賃上げなどの待遇改善を要求してゼネストに入った。ドゴール体制は一時窮地に陥ったが、総選挙で圧勝して危機を切り抜けることに成功、安定を得た。

【万博】日本万国博覧会。エキスポ70とも呼ばれた。１９７０年の3月15日から9月13日まで大阪府吹田市の千里丘陵で、「人類の進歩と調和」をテーマに、77カ国が参加して開催され、入場者は６４２１万人（外国人１７０万人）。会場中央のシンボルタワーは岡本太郎作の「太陽の塔」。

【コザ暴動】１９７０年12月20日未明、米国施政権下の沖縄。米軍嘉手納基地の門前町だったコザ市（現在の沖縄市）で米兵が起こした交通事故をきっかけに、それまでの数限りない米軍関係者による交通事故、犯罪、性暴力、それらの加害者に対する不処罰、事故、人権蹂躙によって沖縄に充満していた人びとの怒りが爆発した。群衆によって米軍関係車両80台以上が焼かれ、一時は群衆が嘉手納基地内にまで入り込んだ。

【成田空港反対闘争】政府は千葉県成田市の三里塚地区に空港をつくって新東京国際空港にすることを１９６５年11月、抜打ち的に閣議決定した。66年7月、地元農民たちが成田空港反対同盟を結成した。当初は社会、共産両党も農民の生活と土地を守る闘いを支援したが、三派全学連が新たな政治闘争の場として入り込んだのを皮切りに、反対同盟は新左翼との共闘を深め、日本史上有数の政治闘争となった。

【大学臨時措置法】大学紛争の鎮静化をはかるために、それまで困難だった警察の大学内への立ち入りなどを認めさせるために制定された法律。１９６９年8月、通常国会に提出された当時、「大学の自治」との関連でその当否が激しく争われ、世論は大きく割れた。この法律は5年間にわたる施行期間中、一度も適用されることはなかった。

2

革命左派と赤軍派の出現

両派の「武装闘争」

1964

1971

1963　1964　1965

革命左派

革命左派の揺籃期——永田、坂口、吉野ら左翼活動へ

1964

1月　共立薬科大学2年の永田洋子は社学同ML派（社会主義学生同盟マルクス・レーニン主義派）の集会に参加。この集会への出席が永田の人生を決める。

1965

4月　坂口弘、東京水産大学に入学。後援会費闘争を当時4年生の川島豪（後の革命左派指導者）が指導していた。

6月　日韓基本条約闘争。

坂口、初めて集会とデモに参加する。坂口は「大学生になった以上、一度は全学連の集会やデモに参加してみたいと思っていた」。日韓闘争に関わりながら、『共産党宣言』（マルクスとエンゲルスの共著）、『国家と革命』（レーニン）を読み感動。また中国共産党の元老朱徳を描い

赤軍派

1963

秋ごろ　森恒夫が大阪市立大学の自治会活動を通して田宮高麿（大阪市大、後によど号ハイジャックで北朝鮮入りし帰国せぬまま死去）との親睦を深める。

社会状況

1963

8月5日　米英ソ3国部分的核実験停止条約正式調印。14日、日本、同条約に調印。31日、中国、同条約に対し批判声明。

1964

8月2日　トンキン湾事件。米、米軍艦が北ベトナム軍に攻撃されたと発表。

1965

1月11日　中教審「期待される人間像」。

2月7日　米軍機が北ベトナムへの爆撃（北爆）を開始。

2月8日　韓国政府、南ベトナムへ派兵決定。

2月10日　防衛庁の秘密文書「三矢研究」暴露。

4月17日　米ワシントンで1万人のベトナム反戦デモ。

た『偉大なる道』（アグネス・スメドレー）に感銘を受け、「（朱徳のように）自分の恥辱を率直に語れる男らしい男になりたい」と思う。中国への興味はこの書に始まる。

7月 坂口、和歌山県白浜での漁業実習で、憧れていた魚の増殖技術開発への疑問が生まれ、また漁業労働者の貧しい実態を目の当たりにし、労働運動の活動家になって水産労働者の生活向上を図ろうと決意する。坂口は後、「私の人生はここからスタートした」と著書に記す。

1966

3月 川島豪、水産大を卒業し、水産関係業界紙に記者として入社。

警鐘の創立

4月 社学同（社会主義学生同盟）元委員長・河北三男と川島が、新左翼とは一線を画した『警鐘』編集委員会を創立。参加者には学生をやめ工場労働者であることを要求した。

坂東国男、京大に入学し京大西部講堂事件（警官が大学構内に入り、それを咎め捕らえた学生が逮捕された）でブント系のデモに初参加。デモや集会に参加し始めても、授業には欠かさず出ていた。「私に期待している母や父のことを考えると、なんとなく悪い気がしていたから」

9月1日 印パ戦争始まる。

11月10日 戦後初の赤字国債発行を閣議決定。

11月17日 プロ野球第1回ドラフト会議。

6月29日 ビートルズ来日。

7月4日 新東京国際空港の建設地を千葉県成田市三里塚に閣議決定。

8月 ワシントン、ニューヨークで大規模なベトナム反戦デモ。

この年〜70年上期「いざなぎ景気」。

カラーテレビ、クーラー、カーが「新三種の神器」3C時代。

「交通戦争」という言葉が生まれる。

1967

革命左派

3月 永田、共薬大卒業後、薬局研究生として慶應大学病院に勤める。

4月 吉野雅邦が横浜国立大学へ入学、混声合唱団に入り金子みちよ（山岳ベースで死亡↓72年2月4日）と出会う。

6月 坂口、念願かなって東京・大田区の小さな印刷会社に就職。1人で労働運動を始める。

永田、「警鐘」に加盟。中国のプロレタリア文化大革命を評価し、「婦人解放」を掲げる姿勢に共鳴したもの。

10月8日 10・8第1次羽田闘争に吉野は中核派シンパとして参加。羽田弁天橋で機動隊に殴られ、頭を13針縫う大け

赤軍派

社会状況

1月 米国防省、ベトナム参戦の米兵は47万３０００人と発表。

2月11日 紀元節が建国記念日に。

4月15日 社共推薦で美濃部亮吉が東京都知事に当選。

米、ニューヨークとサンフランシスコで総計50万人が参加した大規模なベトナム反戦デモ。

6月5日 第3次中東戦争（6日間戦争）。ナセル大統領率いるアラブ連合とイスラエルが交戦、わずか80時間でイスラエルが勝利。

7月1日 ヨーロッパ共同体（ＥＣ）発足。

7月20日 動力炉・核燃料開発事業団（動燃）設立。

7月23日 米、デトロイト市で黒人暴動。全米各地に暴動広がる。

8月3日 公害対策基本法、施行。

8月8日 東南アジア諸国連合（ＡＳＥＡＮ）設立。

が。死んだ山﨑博昭から5メートルの場所だった。

▼坂口はこの闘争を新聞で知り、ただごとではないと思う半面、「組合運動に没頭していたため、もう新左翼運動は卒業したとの思いも強かった」。

秋　坂口、川島と共同生活をしながら組合・学習活動に従事。

1968

1月15日　吉野、中核派の活動家として佐世保（エンタープライズ阻止闘争）に出かけ負傷する。

2月5日　社学同ML派、横浜国大構内で警鐘の下部組織「反帝平和青年戦線」の柴野春彦（横国大生、後に上赤塚交番襲撃で死亡↓70年12月18日）に襲撃をしかける。指導者の河北が元ML派だったことによる。ML派の襲撃は69年6月まで執拗に繰り返された。これへの対処をめぐって、河北と川島の間に対立が深まり、川島が組織を握っていくことになる。

坂口、大田区の自動車部品製造会社に就職。組合活動の中で前沢虎義（後に妙義ベースから脱走）に会う。

9月1日　三重県四日市ぜんそくで、初の大気汚染公害訴訟。

10月8日　前キューバ工業相ゲバラ、ボリビアで政府軍に逮捕され、翌日射殺。

10月16日　アメリカで反戦週間。全米30都市でデモ。

1月17～21日　米空母エンタープライズ寄港阻止佐世保現地闘争。野党、労働団体、学生は「安保体制の強化や日本の核基地化につながる」と佐世保港で抗議集会やデモ。三派全学連の街頭闘争に対し市民の支持が高かったことで有名。

1月29日　東大医学部が無期限スト。東大闘争の端緒となる。

2月26日　「三里塚空港実力粉砕・砂川基地拡張阻止2・26現地総決起集会」。三派全学連と三里塚・芝山連合空港反対同盟の初の共闘。これ以降、反対同盟は共産党や社会党などの既成左翼に代わり、新左翼との結合を深めていく。

3月8日　東京・北区にある米軍の王子野戦病院開設阻止闘争。

革命左派

2月26日　吉野、三里塚闘争で逮捕され千葉少年鑑別所送りの処分。1カ月で出所するが、激しく消耗し活動から一時離れる。

警鐘から神奈川左派へ

3月　警鐘は神奈川左派(日本共産党左派神奈川県委員会)と組織合同。神奈川左派は中国のプロレタリア文化大革命を支持して日本共産党を除名されたグループのひとつ。河北、川島は、経験豊富な日共出身者と団結できたことを手放しで喜んだ。

9月頃　反戦平和婦人の会が発足し、永田が委員長になるが、組合活動との二者択一に悩み、河北の助言で反戦平和婦人の会を選び、済生会病院を辞める。

11月　永田、河北夫妻の家に同居して組織活動に専念。

赤軍派

8月　弘前大学で男声合唱団のサークル活動などをしていた植垣康博(2年)は、大学構内に私服刑事が侵入した事件をきっかけに政治活動に関心をもつ。この時初めて弘前大学にも反日共系の活動家がいることを知り、驚く。その活動家の1人が青砥幹夫(医学部)だった(青砥とは後に連合赤軍に参加し、山岳ベースまで行動を共にすることになる)。

10月　植垣は物理学科のクラスの代議員に選ばれる。以後、植垣にとってクラスの代表として行動しているという意識は一貫して自己のアイデンティティとなる。代議員として活動するうち共産党の下部組織・民青(民主青年同盟)との接触が多くなり、この月、民青に加盟。反戦反安保闘争に関心を深める。

12月　ブント8回大会。のちに赤軍派を結成する関西上京組の塩見孝也、学対(学生対策)部長の高原浩之らが党の中枢から外され、さらぎ徳二、松本礼二ら、旧東京ブント系が主導権を握った。

社会状況

5月23日　日大生約2000名が、水道橋駅までデモ。日大の歴史上画期的な「初めての200メートルデモ」として有名になった。

9月30日　日大全共闘ら1万人が、日大講堂の大衆団交に集結。会場に入りきらない学生2万5000人や全共闘に敵対する体育会系学生800人も周囲を取り巻き、騒然とした空気に。独裁者とあだ名された古田会頭は、これまでの日大の体制を謝罪、学生自治権の確立、体育会の解散などを約束した。

10月21日　国際反戦デー。社会党・総評系、共産党系、新左翼系など全国都道府県約560カ所で30万人が集会やデモ。新左翼各派は、三派全学連の解消の後、それぞれ行動目標を設定。中核派は米軍タンク輸送車実力阻止を掲げ、ML派、第四インターなどと1500人で新宿駅に。駅構内や周辺で群衆2万人を巻き込む市街戦となり、深夜、騒乱罪が適用、一斉検挙で769名が逮捕された。ブント・社学同1000人は日本の軍事外交路線を推進する防衛庁(六本木)に突入。社青同解放派900人は国会突入をはかった。

1969

4月12日 新左翼の街頭闘争を評価しない神奈川左派に不満を抱いていた河北と

東大安田講堂闘争でブント分裂の萌芽

1月 東大安田講堂攻防戦の緊張が高まり、ブント―社学同も全国から200名の籠城隊（中核派に次いで多い）を組織する中で、戦術をめぐる対立が中枢部で発生。さらぎ議長、松本副議長らが、安田講堂撤収を指示したことから、学生指導部と対立。激しい攻防戦は学対指導部の責任で開かれた。以後、「党の革命必要論」が高まる。

植垣、民青に失望感

2月4日 植垣は、沖縄全軍労の「2・4ゼネスト」に呼応した、日本本土―沖縄の全国ゼネストが反戦反安保闘争の大きなうねりを生み出し、かつそれが新左翼の実力闘争主義を乗り越えるものとして機能するのではないかと期待していた。植垣にとっては1・18の東大安田講堂攻防戦は「眼中にな」かった。しかし全国ゼネストは直前で中止になり、深い失望感にとらわれた。

4月 植垣は、ゼネストを回避した以降の民青の活動が選挙運動に集中している

1月18～19日 東大安田講堂に機動隊が導入。全共闘・各セクトの学生らとの攻防戦で、631名が逮捕。

1月20日 69年度東大入試の中止が決まる。東京教育大も（体育学部を除く）。

米、ニクソン大統領就任。

1月24日 美濃部東京都知事、公営ギャンブル廃止を表明。

1月25日 北ベトナム、南ベトナム解放民族戦線、南ベトナム、アメリカの4者による「パリ会談」始まる（73年1月まで続く）。

2月18日 日大が機動隊を導入し、全学の封鎖を解除。

3月10日 佐藤首相、沖縄返還について「核抜き、本土並み」と答弁。

3月12日 指名手配中の日大全共闘議長秋田明大、逮捕される。

3月28日 当年の私大への補助金が決まり、日大、中大、明治学院大、上智大、芝浦工大などの「紛争校」は大幅減額。

4月7日 連続ピストル射殺事件の容疑者永山則夫（19歳）逮捕される。

革命左派

川島は、分裂を決意。この日が神奈川左派から「革命左派」（日本共産党）革命左派（神奈川県委員会）創立の日となった。永田、柴野ら約20名が党員に。70年安保闘争を迎える政治路線として「アメリカ帝国主義の暴露に全力を集中し……米軍基地を集中攻撃」を定める。6カ月後の米軍基地にダイナマイトをしかける「政治ゲリラ闘争」はこの主張の実践。坂口は革命左派の大衆組織「京浜安保共闘」の一員に。

▼革命左派の機関誌として「解放の旗」創刊、「反米愛国」を掲げる。永田は「解放の旗」特別号に執筆した原稿を評価される。

京浜安保共闘の結成

▼**4月20日**　「京浜安保共闘」結成大会に50～60人が参加。のち、革命左派の闘争が報道される際、「京浜安保共闘」の名が使われるようになった。これは「日本共産党（革命左派）神奈川県委員会」という革命左派の正式名称について、日本共産党が「我が党とは無関係」とくり返し抗議し、その旨を記事に付記するようマスコミ各社に要求したからといわれた。

赤軍派

こと、反日共系の学生に対し暴力的抑圧をすること、などに矛盾を感じ民青をやめる。共産党のトロツキスト批判などを読むうち〝トロツキスト〟の方がいいことが書いてあるじゃないか」と思うようになっていたこともあった。（↓231頁）

▼**4月中旬**　ブント内で路線論争が高まり、関西ブントを中心として形成された赤軍派は、独自の機関紙「赤軍」の発行へ。

沖縄反戦デーに破防法適用

▼**4月28日**　沖縄反戦デーを前にブント内で路線対立が深まる。田宮高麿、上野勝輝ら関西から上京して、東京で活動していたもののうち一部は「防衛庁への機関銃使用による占拠」を主張。主張の背景には東大闘争以降の戦術的手づまり感があったと思われる。新左翼諸派が暴力による「政府中枢占拠」などを扇動したとして27日に逮捕状が出る。破防法（破壊

社会状況

▼**4月15日**　水俣病を告発する会発足。

▼**4月21日**　文部省、全国の大学長に「警察官の学内立ち入りの最終判断は警察にある」との通達。

▼**4月28日**　沖縄反戦デーに反日共系学生、反戦青年委員会系労働者は深夜まで、銀座、新橋一帯で機動隊と激突。

活動防止法）が適用され、中核派3人（本多延嘉書記長、藤原慶久反戦青年委員会世話人、青木忠全学連書記局）、ブント2人（さらぎ徳二共産主義者同盟議長、久保井拓三・全学連副委員長）に事前に逮捕状が出る。

28日当日、ブント突撃隊長の上野勝輝が、お茶の水の明大記念館で「先進的な大衆を領導するための共産主義突撃隊の結成」をアジテーション。4・28闘争での行動隊として参加してきた学生の間には、このまま専従「突撃隊員」となる、と言われて一部には動揺も。

ブントの分裂と森の召還

6月1日以降、ブント政治局員の塩見孝也らが、「10・21の抜刀隊による首相官邸占拠」～「自衛隊・米軍出動による世界革命戦争」論（前段階武装蜂起論）で、党内の誰彼なくオルグし始め、これに反対する東京の学生指導部やさらぎ議長ら政治局との間で分派党争に突入。

6月27日頃　新宿郵便局への「郵便番号自動読取機導入反対闘争」のブント総決起集会が明大記念館で開催。当時、ブント千葉県委員長だった森恒夫は、集会の

5月9日　早大の大隈重信像にラクガキされる。

5月20日　立命館大で、全共闘が「わだつみ像」を引き倒す。

5月　新宿西口フォーク集会。この時から毎週土曜、新宿西口「広場」に多数の群集が集まり、フォークソングを歌う反戦集会を開いた。

5月29日　全共闘を支持する大学教官200人が「大学を告発する全国教官報告集会」を東京・文京公会堂で開催。

5月　カルメン・マキの「時には母のない子のように」（作詞・寺山修司）、100万枚を超える大ヒット。

6月8日　ASPAC（アジア・太平洋協議会）第4回閣僚会議に反対する反日共系学生、反戦青年委員会系労働者が、静岡県伊東市で機動隊と衝突。

6月10日　南ベトナム解放民族戦線が臨時革命政府の樹立を発表。

6月12日　日本初の原子力船「むつ」が進水。

6月14日　熊本県の水俣病患者が、チッソに対し損害賠償請求。

革命左派

7月　京浜安保共闘の20人余が「反米愛国行動隊」を結成。工場争議の支援や基地反対闘争などに参加。そんな中、多摩川の川原で訓練を行ない、川島が武装闘争の意義を強調。しかし坂口ら隊員はリアリティを持って受け止めなかった。1951年の日共非合法パンフ「球根栽培法」を復刻した「登山の手引き」を組織内で回覧。

8月　吉野と金子、一緒に生活を始める。

吉野、横浜国大を辞める。

川島は9月の愛知揆一外相の訪米訪ソに対し、実力阻止を提起。下部の「組織ができたばかりなのに」という反対に、「組織はつぶれても路線は残る」とアジる（アジテーションの演説をする）。

8月末　永田、川島のアパートに陽子夫人（革左の有力な活動家）を訪ねたが陽子は帰宅せず。警鐘時代から共同生活になれていたため、永田はその晩泊まったが、夜、川島に性的暴行を受ける。性的に未熟だったためショックを受けるが、抵抗してアパートが権力に知られてはと思い、必死には抵抗できず。このことで革命左派が非難されるのは避けたいとも

赤軍派

司会者の1人だった。集会ではブントが3派に分かれて非難を応酬し合う場となった。赤軍派は関西の学生を動員したが、東京では明大2部と高校生にしか支持派をもたず、論争は不利となった。この時、司会の森恒夫は途中から失踪した。

7月6日　赤軍派100名が、明治大学和泉校舎を襲いブントさらぎ徳二議長にリンチを加える。大阪市立大学でブント—赤軍派に加わっていた森恒夫はこの襲撃に加われず、活動から逃げる。その後しばらく旋盤工として働き、田宮高麿に活動資金をカンパしていた。

社会状況

7月10日　同和対策事業特別措置法公布。

7月12日　早大、全学部でストに突入。革マル派と反革マル派の対立激化。

7月19日　警察は新宿西口「広場」を「通路」として集会を禁止、機動隊によって群集を排除した。

7月20日　米、アポロ11号、初の月面着陸。

7月24日　東京教育大学評議会が、筑波学園都市への移転と新大学構想を決定。

8月3日　大学運営に関する臨時措置法案、抜き打ち採決。

8月15日〜17日　米、ウッドストック・フェスティバル。

8月27日　映画「寅さん」シリーズ第1作目、封切り。

考えた。川島を、思想的には問題だが政治的には正しいと思っていたので、強姦を組織的に問題にできず悩む。結局、革命左派の活動をすることで自分が受けた打撃を克服すべきと考えた。また、恋愛—性愛—結婚は一致すべきという価値観を持っていたので、川島に結婚しようと言うが、川島ははぐらかし、永田は不信感を強める。

最初の実力阻止闘争 ——愛知外相訪米訪ソ阻止

9月3〜4日 愛知揆一外相の訪米訪ソ阻止闘争として坂口、吉野ら5人の京浜安保共闘メンバーが、海から羽田空港の滑走路に侵入。「反米愛国」の旗を掲げ、愛知の特別機に向かって火炎ビンを投擲。特別機は出発が26分遅れた。他の4人は二手に分かれ、アメリカ大使館とソ連大使館に火炎ビンを投げ込む。

羽田事件で坂口弘、吉野雅邦など、火炎ビン事件で寺岡恒一（横国大生、山岳ベースで死亡 72年1月18日）など計10人が逮捕された。吉野と生活していた金子みちよは、組織的な支援体制がないことに怒り、革命左派の救援対策メンバーと

赤軍派の旗揚げ

9月4日 東京の葛飾公会堂で赤軍派大政治集会。共産主義者同盟赤軍派の旗揚げ。議長は塩見孝也、軍事委員長は田宮高麿、その他、後にハイジャック闘争で北朝鮮に渡る小西隆行（東大）、田中義三（明治大）や、アラブに渡り日本赤軍を名乗った重信房子（明治大）などを中核に、同志社大や京大を中心とする関西ブントが母体となり、花園紀男（早稲田大）、前沢裕一（中央大）などが参加した。

9月5日 日比谷野音で開催された全国全共闘結成大会に１７８大学の全共闘と8党派、計2万６０００人が集結。議長に山本義隆（東大全共闘議長）、副議長に秋田明大（日大全共闘議長）を選び、「70年安保粉砕、沖縄闘争勝利」のスローガンを採択。全国全共闘は新しい闘争主体になるかと注目を浴びたが、実際的な組織としては機能しなかった。

集会に赤軍派が隊列として初登場（約１５０人）し注目を浴びた。会場ではブント（マスコミでは統一派と呼んで赤軍派と区別）との内ゲバ（実際にはブント

9月3日 早大、機動隊を導入し、大隈講堂などの封鎖解除。

9月5日 東京・日比谷で全国全共闘連合結成大会。東大全共闘議長・山本義隆逮捕。

ウッドストック・フェスティバル

革命左派

して目覚ましい活動を始める。

▼川島は柴野春彦（この闘争で指名手配になる）、若林功子とともに「機関紙を出せる指導部を守るため」に地下潜行。

赤軍派

の学生組織・社学同＝社会主義学生同盟とのゲバルト）が起き、赤軍派が勝利。党派が分裂したときは、どちらが「ブント」の名で統一戦線や集会に参加するかを巡って相手の暴力的排除を狙う内ゲバが必至だった。統一派の部隊は各大学の寄せ集めで、新派を宣言したばかりの赤軍派の意識が優った内ゲバ勝利だった。

▼**9月頃**　機関紙誌「赤軍」創刊。

植垣、赤軍派に

▼弘前大全共闘のノンセクトラジカルとして活動していた植垣は、初めて赤軍派のオルグ梅内恒夫（福島県立医大）と接触。大学の占拠闘争の限界に遭遇し、機動隊の攻撃（＝国家権力の弾圧）を本当に突破するなら銃や爆弾による闘争が必要で、赤軍派に銃を含めた闘争の準備があるなら参加しようと決める。他の学生も同調し、弘前大はいちやく赤軍派の拠点の1つとなった。

大阪戦争、東京戦争

▼**9月22日**　赤軍派、大阪・阪南交番を襲撃する「大阪戦争」。

社会状況

▼**9月12日**　日大、全学総決起集会で、古田重二良会頭体制を実力で打倒することを決める。

▼東京都立青山高校で警官隊導入、校長室の封鎖を解除。

▼**9月21日**　京大、機動隊を導入、封鎖を解除。

▼**9月23日**　中国、初の地下核実験。

9月27日　全共闘が本部封鎖を続けていた弘前大に、1000人の機動隊が導入され、植垣らはなにもせず撤退（後に植垣はこの撤退は「党派の闘争を大衆運動に優先させ」たものと後悔の回想をすることになる）。翌々日、植垣らは赤軍派の中央の闘争に加わるため上京。

9月30日　赤軍派、警視庁本富士署を襲撃する「東京戦争」。どちらも警察権力への直接攻撃と武器奪取を狙ったものだったが、田宮は「チャチな闘争でしかなかった」と敗北の総括。こういう警察などへ向けた直接的なゲリラ戦は、表だった大衆闘争からは姿を隠した非公然活動家（その精鋭部隊が「軍」と呼ばれる）を中心に、ときおり赤軍派（党）の大衆組織（下部組織）である「革命戦線」からピックアップ、ないしステップアップするメンバーによるものだった。通常の大衆運動とは、集会やデモ、街頭での情報宣伝活動（アジ演説やビラまき）をいう

▼この頃、革命戦線がデモに現われると、機動隊・公安が規制して（周りを取り囲んで）活動家一人ひとりの顔写真をしつこく撮影していた。そこの中から非合法活動へ参加するメンバーが出ることを予

新宿西口フォーク集会

国際反戦デー

10月21日 横田基地にダイナマイトを仕掛けるが爆発せず。後に坂口や永田は、川島がメンバーの「度胸試し」のためにセットしたのではと疑う。

ダイナマイト闘争

10月31日 川島ら4人が岐阜県池田町の採掘現場からダイナマイト15本、電気雷管30本を奪取。11月5日と6日に厚木基

想しての行為だった。革命戦線の人数が少なかった（小さいデモなら東京で30人程度のこともよくあった）から抵抗できなかったのだが、当然、人権侵害と抗議すべき行為だった。しかし「赤軍なら仕方がない」という空気が両方にあったように思われる。

10月21日 社会党、総評、共産党、そして新左翼各派が1都14県約830カ所で50万人が集会参加。新左翼は都内各所で駅や道路を占拠、火炎ビン、投石、角材で機動隊と激突を繰り返し、1200人を超える逮捕者を出した。赤軍派は新宿駅襲撃や中野坂上でのパトカー襲撃でピース缶爆弾を使用。

植垣逮捕され、1年2カ月の拘置所生活に

植垣は赤軍派の梅内と連絡が取れず、第四インターの列に加わり新宿駅近くの三光町交差点で逮捕される。取り調べの最中、赤軍派の大菩薩峠逮捕を刑事から聞き「遅れをとったような気持になった」。結局、公務執行妨害・凶器準備集合罪容

10月3日 自衛隊が東富士演習場で、治安行動訓練を初めて公開。

10月15日 アメリカ全土でベトナム反戦大集会、1000万人以上が参加。

10月28日 東京都立日比谷高校、警官隊が封鎖解除。

10月29日 厚生省、チクロの使用を禁止、回収を指示。

地にダイナマイトを仕掛ける。厚木基地では1名逮捕され、その自供から川島ほか1名に逮捕状が出た。11月16日の佐藤訪米阻止闘争にもダイナマイトを持って羽田、アメリカ大使館に行くが、どちらも未遂に終わる。

▼ダイナマイト闘争を知らなかった坂口（府中刑務所に拘留中）は仰天し、「脳に重しがつかえたような日」を送る。

11月5日　赤軍派の大菩薩峠での大量逮捕に対し、若林は残念がるが、永田は「赤軍派の名前は知っていたが、関心はなかったし、新左翼の闘争は敗北する」と思っていた。

11月6日　立川基地にダイナマイト設置。

疑で起訴され、70年12月中旬に保釈されるまで東京拘置所（現在の池袋サンシャイン）と弘前拘置所に勾留される。よど号ハイジャック事件も弘前拘置所で知った。この期間にマルクス、エンゲルス、レーニン等の古典から「赤軍」あるいは赤軍派の基本路線だった「一向過渡期世界論」（一向は塩見孝也のペンネーム）まで学習したことが、革命運動へ参加する決意を強固にさせた。

大菩薩峠で53名が逮捕される

11月5日　首相官邸突入の軍事訓練のため、大菩薩峠の福ちゃん荘に集結していた赤軍派53名が凶器準備集合罪で全員逮捕される。あまりにも警戒心がない集結で、簡単に警察に尾行された。上野勝輝、八木健彦、松平直彦らも逮捕されたため、赤軍派は主だった活動家を失い、後に森が復帰する遠因ともなった。

佐藤訪米阻止闘争

11月16、17日　70年の安保条約改定を前に、佐藤首相の訪米阻止の集会が全国１２０カ所、72万人の参加で開催。実力阻止闘争に立った新左翼各派合計９０００人は、羽田周辺で機動隊と衝

11月4日　航空自衛隊の小西誠3曹が、反戦ビラ配布を理由に逮捕される。

11月13日　この日から3日間、アメリカ全土で「第2回ベトナム反戦行動」。

革命左派

12月8日 川島の妻・陽子を尾行して来た刑事に、川島が逮捕される。ダイナマイト闘争を始めて40日足らずだった。

坂口、吉野ら 保釈され革命左派の党員に

12月24日 坂口、府中刑務所から保釈される。200円しか所持金がなく、中退した東京水産大学寮に向かう。翌々日には永田から連絡があり、非合法活動が進んでいることを聞かされ驚く。また永田が活発な活動家に変身していたことにも驚いた。

▼この日、吉野も保釈。金子みちよは吉野が拘置されていた東京拘置所の近くにアパートを借り、面会に行っていた。寺岡ら3人も同時期に保釈となった。

9・3／4羽田闘争に完黙（完全黙秘）した者は党員にという方針から坂口、吉野、寺岡などが革命左派の党員となった。

赤軍派

突。約1900人の逮捕者（全国では約2200人）を出した。新左翼各派による大規模な街頭闘争は、その後見られていない。

▼坂東は正義感に基づく自分のささやかな異議申し立てが、「国家権力―大学当局の一体となった暴力的弾圧の中で、政治化していく」ことを自覚。京大パルチザン（京大全共闘）として、自己否定の論理に魅力を感じつつ、10・21国際反戦デーなどに参加していた。この日、佐藤訪米阻止闘争に上京するが「ただ逃げまどうだけで実にみじめな想いを」感じる。ここから権力の厚い壁を突破するには火炎ビン、ゲバ棒ではだめで武装蜂起―銃―軍をつくる以外ないのかと「短絡的に考えた」。

森の復帰、坂東の決意

12月 森恒夫、一兵士として赤軍派に復帰。

坂東は、新左翼各セクト（党派）の60年代後半の階級闘争の総括や70年安保に対する闘争方針を比較するうち、赤軍派の「世界革命戦争という壮大な発想」「高次の自然発生性」「なしくずしファシズム」

社会状況

11月19日 佐藤首相、ニクソン大統領会談で、72年沖縄返還などの共同声明。

11月24日 米ソ、核拡散防止条約を批准。

11月26日 全国スモンの会、結成。

12月12日 東京・渋谷で、寺山修司の劇団天井桟敷と唐十郎の状況劇場が乱闘。

12月15日 公害健康被害救済特別措置法公布。

この年、「少年ジャンプ」創刊などもあり、劇画ブーム。

キックボクシングがテレビのゴールデンアワーに登場。沢村忠の「真空飛びひざ蹴り」が流行。

▼**12月30日** 革命左派創立時の指導者の1人河北が、「政治ゲリラ路線」に反対し組織を離れる。

1970

▼**1月** 常任委員に坂口、永田、中島が加わり、柴野、若林の5人での集団指導体制へ。

▼接見禁止が解けた川島は、永田に接見に来るように指示。永田は、個人的な関係を通じて組織を指導しようとすることに反発を覚える。

9・4羽田闘争の判決

▼**1月31日** アメリカ大使館火炎ビン投擲のY（東京水産大）に懲役2年の実刑、ソ連大使館火炎ビン投擲の寺岡に懲役2年・執行猶予3年の判決。Yに執行猶予が付かなかったのは、母親が「外に出たらまた同じような事件を起こすだろうから」と裁判長に実刑を直訴したから。寺岡は警察・検事の取り調べに完全黙秘で通し、裁判でも反米愛国のスローガンを叫ぶなど戦闘的だったが、父親は「親として息子の責任を負う」と証言。このとき執行猶予になったことが、山岳ベースで森恒夫の追及を受けることになる。

などの総括に共感を覚え、赤軍派に参加するため鈍行の夜行列車で東京へ。

▼**1月16日** 赤軍派の「武装蜂起集会」（東京）に８００人が結集。「国際根拠地建設、70年前段階蜂起貫徹」がスローガン。この集会の情宣活動が、坂東の赤軍派デビューの仕事となった。集会告知のステッカー貼りは、普通、警察の目を避けて夜間に行なうものだったが、坂東は糊の入った缶を提げて新宿、早稲田界隈、銀座などで真昼間から貼り廻り、度胸のあるヤツと評判になった。「正しいことをしているのに何も恐れることはないと思っていた」（坂東）。

▼復帰していた森は、この頃、関西から上京。下部メンバーと新宿駅でビラまきなどの活動に従事。

▼塩見孝也は森の復帰を喜び「自分も逃亡したくなる時がある」と話す。しかし森は連合赤軍結成に際し、革命左派に60年代の階級闘争を総括したとき、「この発言は問題」と言うことになる。

▼ドリフターズ「8時だョ！全員集合」、「コント55号！裏番組をブッ飛ばせ!!」が低俗番組の代表と非難される。

▼**1月12日** ナイジェリア内乱、事実上終結。飢えた子どもの映像が流され、ビアフラの悲劇が伝えられた。

革命左派

2月3日　9・4羽田闘争の第4回公判で早くも論告求刑。異例に審理が早かったのは、金子の奔走でやっと決まった弁護士が「もともと裁判に乗り気でなかった……我々がダイナマイト作戦を始めてからは私を避けだしたため」（坂口）。求刑は坂口に懲役7年、吉野に懲役5年。坂口は7年という長さに動揺する。救援連絡センターも「7年求刑は長期実刑判決の先触れで、看過できない」と弾劾抗議集会の開催や新たな弁護士の紹介を約す。

永田と坂口の結婚

坂口は求刑7年の重圧感について「生活そのもので喜びでもある活動の場が（7年も）奪われることが一番の苦痛だった」と説明している。同時に女性への思いに胸が焦がれ、永田に求愛する。「活動に没頭するタイプで私の性格によく似ている点や、肩が凝らずに話ができる女性だったから……」また、「刑務所に入る前に女性を抱きたいという思いも募り……」。永田は坂口を信頼していたが、恋愛や性愛の対象としてみていなかったので断ったが、7年の求刑に同情していたこともあり「1回目をつぶればよいの

赤軍派

森、指導部に復帰。坂東は中央軍に

2月7日　赤軍派の「蜂起集会」（大阪）に1500人が結集。

森は赤軍派中央委員を補佐して公然活動部隊を指揮。坂東は千葉県の担当をしながら、ブントの拠点戦旗社（東京・千代田区三崎町）への襲撃など、内ゲバにも参加。

森は復帰後の地道な活動が認められ、自己批判書の提出を条件に指導部の一員に。坂東は赤軍派中央軍への入隊を要請され「単ゲバでもいいのなら引き受ける」（単純にゲバルト＝暴力を行使する兵隊でいいなら引き受けるが）、まだ軍の質はない（思想的理解や政治的指導力が不足）と一旦断るが、「単ゲバ」でいいという説得に応じることとなった。

社会状況

2月21日　アメリカン・ニューシネマ『明日に向かって撃て』封切り。革命左派が銃を奪って札幌に潜伏していた際の会話「中国に行こう」は、この映画のラスト直前、追いつめられた主人公たちの会話を想起させた。

だと思った」。その後、2人は5月に結婚することになり、坂口は永田から川島との関係をうち明けられ、「何とも形容しがたい暗い気持ちに落ち込んだが、あくまで個人の問題と考え川島の政治的主張とは切り離した」。

▼この結婚を振り返って永田は「坂口氏が、川島氏のように性的放縦でないことに信頼の念をおいてしまい、坂口氏の〝家父長的〟な女性利用主義に反対できなかった」と述懐している。

▼坂口は「路線が違ったら別れようぜ」といい、永田は「路線が違ったら、自分が正しいと思う路線に相手を必死にオルグすべきじゃない」と答える。

▼この頃、永田は原因不明の極度の頭痛に襲われ、半日意識朦朧となることがしばしばあった。坂口は治療をすすめるが、永田は「活動が好きだから」ととりあわなかった。

川島の偽装転向

3月下旬　川島、面会にきた永田に対し終始泣き叫び「活動をやめる」と繰り返す。その奇態に永田は悩むが、坂口は保釈を狙った「偽装転向」と断定。永田、

3月15日　塩見孝也赤軍派議長（28歳）が、前年10・21国際反戦デーでのピース缶事件で、前沢裕一と共に爆発物取締り容疑で逮捕。

3月2日　公明党・創価学会による言論・出版妨害問題で、衆議院に調査特別委員会。

3月15日　大阪で、日本万国博覧会が開かれる。

大阪万博

革命左派

中島、寺岡らは川島がなぜ偽装転向するのかその真意がつかめず困惑。柴野、若林の潜行組を含め、常任委員会の話し合いで「偽装転向を認める」と組織決定するが、獄外者の間に混乱と不信を引き起こした。その後の経過を見ると本当に偽装だったと思われる。

3月31日 よど号ハイジャック事件を、坂口は水産大学朋鷹寮のテレビで知る。ハイジャックにまったく共感はしなかったが、赤軍派の実行力は見直した。ハイジャック事件後、川島は獄中から「やはりブントだ」「赤軍派から学ぶように」としきりに手紙を出す。

政治ゲリラ闘争でダイナマイトを使用

5月26日 横田基地、5月31日立川基地、6月24日大和田基地にダイナマイトを仕掛け爆発させる。実際に爆発に成功させた闘争としては初めてのもの。

川島の奪還要求

5月末頃 川島が坂口に面会要請し、暗に自分の実力奪還を指示(後に川島は暗黙の指示を否定)。柴野、若林も奪還闘

赤軍派

よど号ハイジャック

3月31日 赤軍派、日航機をハイジャックして国際根拠地建設のために北朝鮮へ。田宮高麿(27歳)をリーダーとした9名は日航機よど号をハイジャックし、ピョンヤン行きを指示。機は韓国ソウル郊外の金浦空港へ偽装着陸したが田宮は見抜き、4日間の交渉の末、乗客を解放し身代わりに山村新治郎運輸政務次官を伴ってピョンヤンに飛ぶ。当初の計画では秋には帰国し「前段階武装蜂起」を戦うつもりだったが果たせず、1995年、田宮は北朝鮮で死去。高校生だった柴田泰弘は1988年、密かに帰国中に日本で逮捕。田中義三(当時21歳)は1996年3月にカンボジアとベトナムの国境で拘束されるなど、さまざまな人生を送り、2000年前後には、彼らの妻や子供の帰国が実現。さらには北朝鮮に残っている小西隆裕ら4人の自主帰国も話題になった。

▼この前日、坂東が中央委員に。「ハイジャック闘争で人がいなくなり、本来なら一兵卒の私が闘いを継承していかなくてはならなくなった」。

社会状況

3月30日 藤圭子のファーストアルバム『新宿の女』がオリコンLPチャート第1位。その後、セカンドアルバムまで続き、計37週連続1位という空前の記録を残す。

4月1日 週刊少年マガジンで67年12月から連載し人気を呼んでいた『あしたのジョー』(高森朝雄/ちばてつや)がテレビアニメとして放送開始。

4月30日 米軍・南ベトナム軍、カンボジアに侵攻。

5月9日 プロ野球「黒い霧」事件で、西鉄の益田、池永、与田の3選手、永久追放。

5月11日 松浦輝夫、植村直己、日本人初のエベレスト登頂に成功。

5月12日 広島でシージャック。観光船を乗っ取った犯人は射殺される。

5月16日 拓殖大空手同好会、シゴキで学生が死亡。

6月23日 日米安保条約、自動延長される。社共、総評などの反安保統一行動に全国で77万人参加。

争を受け入れる。坂口がその責任者となり、ここで裁判を捨て地下に潜ることを決意した。

7月始め 永田、坂口との間の子どもを中絶。

7月頃 中島に代わり寺岡恒一が常任委員に就任。

8月 川島はゲリラ闘争の開始を言い出し、獄外指導部も「政治ゲリラ」闘争をゲリラ闘争へと発展する時期が来たと判断。

永田が獄外の最高指導者に

9月 5人の常任委員の中から委員長を選挙。永田3票、坂口2票で、永田が獄外メンバーの最高指導者となる。坂口は永田選出の理由を①誰もが役職を回避したかった②一番頑張っていた（文章能力がなかったのを克服して機関紙「解放の旗」の主筆を務めていたり、政治ゲリラ闘争への思い入れも強いなど）からと説明する。「他の点ではむしろ指導の必要を感じていた」とも。

赤軍派のP・B・M作戦構想

6月 P＝ペガサス作戦＝塩見議長を奪還し国際根拠地をつくる。B＝ブロンコ作戦＝アメリカに渡って70年秋の日米同時蜂起（アメリカではペンタゴン突入、日本では霞ヶ関占拠）。M＝マフィア作戦＝金融機関をおそって資金調達。実際に実現したのは、M作戦だけだった。

▼この頃から、赤軍派の理想と現実のギャップの中で、指導者や部隊の同盟員の中に戦線逃亡者が増えてきた。

▼70年秋の前段階武装蜂起は、主体的にも客観的にもやれないと判断。突出的に闘うことを党派性にしていた赤軍派は、蜂起がだめならゲリラ闘争をという方針を出し、どうやって強い軍をつくるのかに思考が傾いた。

7月7日 入管法反対集会で、華青闘（華僑青年闘争連合）は「日本の階級闘争のなかについに被抑圧民族の問題は定着しなかった」「被抑圧民族としての立場を徹底的に検討して欲しい」との声明を発し「新左翼は本当に我々と連帯する気があるのか」と批判。デモを中止し討論を続行することになった。

7月17日 家永教科書第2次訴訟で文部省敗訴。東京地裁は、家永教科書に対する検定の実態は思想審査に当たるとして、検定処分取り消しを求めた原告勝訴を言い渡した。

7月18日 東京で光化学スモッグ発生。

7月 静岡県富士市・田子の浦港のヘドロ公害が話題になる。

8月2日 歩行者天国開始。

8月4日 庄司薫によるベストセラー小説の映画化『赤頭巾ちゃん気をつけて』（監督森谷司郎）が公開される。

8月4日 中核派に拉致されていた革マル派学生（海老原俊夫）が、死体で発見される。8月14日、革マル派は法政大の中核派を報復の襲撃、両派によるゲバルトが激化。

革命左派

▼**7～10月**　川島奪還のための要人誘拐のため、神戸のアメリカ領事館を調査。調査は「消耗」から復帰した吉野らに、党員権利停止処分の解除を条件にやらせた。

▼**11月中旬**　合法・非合法メンバーを含めた全党会議開催。①「攻治ゲリラ」をゲリラへの路線転換②川島奪還は要人誘拐によらず実力奪還、を意思一致。

▼実力奪還は横浜地方裁判所で決行と決めたが、実行には銃が必要とわかり、色々手を尽くした結果、交番を襲って拳銃を奪う方針を決定。

上赤塚交番襲撃

▼**12月18日**　午前1時30分頃、軍（人民解放遊撃隊）の責任者柴野ら3人、拳銃を奪う目的で板橋区の上赤塚交番を襲う。武器は長さ30センチの鉛入りゴムホースだった。柴野は警官の発砲で死亡。その他の2人は重傷。警察は正当防衛と発表した。上赤塚交番を選んだのは埼玉県に近いため、警察の配備体制に手間取ると考えたから。

▼同日は9・4羽田空港火焔ビン事件のやり直し裁判の公判日だったが、坂口は出廷すれば拘束される恐れがあるから

赤軍派

▼**12月18日**　革命左派による上赤塚交番襲撃のニュースに接し、坂東は、観念的な武闘を実行に移したことを評価。「柴野同志の死をまさに、英雄の死として感激しました」。同時に、「先をこされたという思い」も抱いた。

社会状況

▼**9月6日**　パレスチナ・ゲリラが航空機4機をハイジャック。乗客は無事だった。

▼**10月4日**　ジャニス・ジョプリン死去。アルバム『パール』のレコーディング中だった。

▼**11月9日**　第1回日本歌謡大賞に藤圭子『圭子の夢は夜ひらく』が選ばれる。

▼**11月25日**　三島由紀夫が楯の会会員4人とともに、東京・市ヶ谷の自衛隊駐屯地で自衛隊員に決起を呼びかけるが失敗。森田必勝（楯の会）と二人で割腹自殺。

バルコニーで800人の自衛隊員に演説する三島

▼**11月28日**　チッソ株主総会に、水俣病の企業責任を問う一株株主が参加し、混乱。

▼**12月16日**　ハイジャック防止条約（ハーグ条約、航空機の不法な奪取の防止に関する条約）採択。

と、公判放棄＝非公然活動入りを決め、吉野にも承知させて地下潜行。

上赤塚交番襲撃の反響

同日の出入国管理法案反対の集会（7000人集会）で柴野へ1分間の黙祷。

12月19日 上赤塚交番へ柴野虐殺抗議のデモ。羽仁五郎、猪俣浩三ら知識人が抗議声明。

▼赤軍派の獄中メンバーやML派中央委員会書記局から支持のアピール。ML派からのアピールに永田は「内ゲバも武装闘争の実践によって克服できる」と感じた。またかつての革命左派の救対（救援対策部）活動家らもかけつけた。

12月26日 救援連絡センター主催の人民葬に3000人が参加。司会やアピールは革命左派・京浜安保共闘メンバー。機関紙「解放の旗」が飛ぶように売れた。革命左派は大集会で発言したことが一度もなかったので、このような大きな人民葬が開催できたことに胸を詰まらせた。

人民葬の後、京浜安保共闘と赤軍派の下部組織である革命戦線が共同集会。これが両派の共闘の最初だった。

12月20日 コザ暴動。沖縄・コザ市で、米軍MPの交通事故処理に市民が憤慨。市民5000人が米憲兵隊と衝突。

コザ騒動

革命左派

12・18の後、柴野が出入りしていた土浦のアジト（偽の名義で借りたアパート）を栃木県小山に移す。

▼ここで金子の妊娠が議題になり、従来の方針を転換し、妊娠した活動家は子どもを産むことにした。

赤軍派との共闘の始まり

12月31日　数日前の接触で、赤軍派は表明、12・18上赤塚交番闘争に衝撃を受けたと表明、革命左派は常に赤軍派に学ぼうとしてきたと答え、指導部の合同会議開催を決めていた。そしてこの日、埼玉県蕨市の旅館で、永田、坂口、寺岡と赤軍派の森恒夫、坂東国男が初めて接触。革命左派は赤軍派に銃の貸与を要請する。理論問題はほとんど森が話した。森は誰が革命左派の指導者か判別できなかった。銃の要請は数日後の会合で拒否された。

1971

赤軍派

赤軍派と革命左派の初会合

12月31日　革命左派の永田、坂口、寺岡との初会合。赤軍派側は森と坂東が出席。坂東は、武装闘争をやっている実践力と、反米愛国というスローガンの結びつきに奇異なものを感じ、永田らに会うことに興味を抱いていた。革命左派は赤軍派に銃の貸与を要請、赤軍派は革命左派の12・18上赤塚交番襲撃に見られる闘争性を評価したが、政治討論はかみあわなかった。森は誰が革命左派の指導者なのか見当がつかず、坂東は、一番よく話した永田が責任者だろうと推測した。

1月　活動家1人が銃を入手するため銃砲店に働きに入ったが、店主に怪しまれ、銃を奪う計画を告白。店主の人の良さから、抵抗されたときに傷つけることが忍びなかったため。同時期に、違うルート

社会状況

12月30日　大阪市西成区あいりん地区で、仕事にあぶれた労働者が暴動。

1月中旬 赤軍派との3度目の会合。森と坂口が「ベトナムでアメリカが核兵器を使うかどうか」で論争。坂口は使うと主張したが、自分の負けだったと述懐。永田は赤軍派の情勢分析に舌を巻く。また、破防法の適用について森の「六法で調べてみないと」という態度にも、自分たちにはない発想と驚いた。

革左と赤軍派、共同政治集会

1月25日 赤軍派・日本共産党革命左派共同政治集会(千代田公会堂)開催。革命戦線と京浜安保共闘の共闘宣言発表。壇上での発言者は全員頭にストッキングを被り、異様なムードが醸し出された。

で銃の購入には成功。

植垣、寿町でオルグを開始

1月15日 植垣、組織作りのため横浜の寿町(港湾労働のドヤ街)に入る。進藤隆三郎(受験浪人でアテネフランセなどへ通っていた。山岳ベース死亡→72年1月1日)をオルグ。また早稲田大学生組織の指導も指示され、山崎順(早大。山岳ベースで死亡→72年1月20日)らもオルグした。

赤軍派と革左、共同政治集会

1月25日 赤軍派・日共革左共同政治集会(千代田公会堂)に450名が参加。植垣と京浜安保共闘の岩田平治が司会を務めた。集会の基調報告として森が送った文書は、中国などアジア共産主義やゲリラ闘争に否定的だと、獄中や中央軍の活動家から評判が悪く、森はしばらく意気消沈した。

中央委員会分裂

1月下旬 中央委員会が分裂し、ゲリラ闘争推進派が7人委員会を結成。国際部を統括していた重信房子は、すでに日本脱出が決まっていることを理由に7人委

1月15日 ナイル川、アスワン・ハイ・ダムの公式開通。

1月24日 三島由紀夫の本葬が東京の築地本願寺で行われる。葬儀委員長は川端康成。

革命左派

真岡銃砲店襲撃

2月17日　寺岡、吉野、中島、雪野ら6名が栃木県真岡市の塚田銃砲店に押し入り、散弾銃10丁、空気銃1丁、散弾実包2000発、ライフル実包60発などを強奪。しかし中島と尾崎が赤羽橋で検問に引っかかり、警察犬に追われ逮捕。栃木、茨城、埼玉、東京の主要道路で自動車の検問が実施され、米大使館、首相官邸、警察署、派出所などが厳戒態勢に入っていた。

2月18日　永田らは、中島が出入りしていた館林アジトを出て群馬県太田市に移動。しかしアパートローラー作戦が1都6県に拡大されたため、わずか1日で新潟県長岡市に移る。さらに永田、雪野ら6人は北海道へ、銃を抱えながらの逃避行に入る。北海道へはスキーヤーの恰好をし、リュックに銃をひそませた。

川島奪還のために準備していた金が底をついたため、永田が友人から「あなた個人が困ったときに使う以外はいやだ」と念を押されてカンパされた15万円に手をつけてしまった。

▼2月17日の銃奪取は、3日後に川島が

赤軍派

員会から排除。72年5月にテルアビブ空港の「リッダ闘争」で死亡する奥平剛士らに、赤軍派の内容を教えるため、坂東がしばらく共同生活を行なう。

7人委員会に警察の手が迫り、千葉県のアジトに隠れることになる。資金が枯渇し、毎日の食事代にも困窮するようになった。

2月中旬　植垣、革命戦線から赤軍派中央軍へ移るよう指示を受け、電話のあるアジトで待ったが、2週間ほど何も連絡がなかった。

この頃、千代田区末広町の銃砲店に押込む計画をたてた。

社会状況

2月1日　サイモン&ガーファンクル最後のアルバム『明日に架ける橋』がオリコンLPチャート第1位（その後、7週連続）。

2月5日　ジローズによるシングルレコード『戦争を知らない子供たち』が発売される。作詞は北山修。そもそも前年の大阪万博でのコンサートでアマチュアグループのために作られた楽曲だった。

2月15日　はしだのりひことクライマックス『花嫁』（作詞は北山修）がオリコンチャートで1位を獲得。ミリオンヒットになる。

この頃、警察は全国25万警察官の20%を動員した、アパートローラー作戦を実行する。

横浜地裁に現われるとき使おうと意図したからだったが、それどころではなくなった。

札幌での潜伏

▼**2月22日** 永田、坂口、寺岡、吉野らは青函連絡船で函館入り。その後札幌のシンパや水産大学ＯＢ宅などを泊まり歩く。

▼**2月26日** 銃を札幌定山渓の付近に埋める。テレビで長岡のアジトで銃が見つかり、永田、坂口、寺岡ら4人が指名手配になったことを知る。その後、夜通しやっているマージャン屋などに潜む。

▼永田は、警察の追及が厳しい中で射撃の訓練さえできないから中国に根拠地を求めなければならないと考える。

▼**3月2日** やっとシンパがアパートを借りてくれたが、全く陽が射さず、隣の部屋とはベニヤ板の壁だけ、床はビニールが敷いてあるだけで凸凹の上、傾いて

中央軍、Ｍ作戦を敢行

▼**2月22日** 中央軍が最初のＭ作戦として千葉県の市原辰巳台郵便局を襲う。この金を元に、7人委員会を東京、名古屋、東北、大阪に分散することにし、名古屋は司令部、Ｍ作戦は東京、銃奪取は大阪などと任務分担。森は名古屋に、坂東は東北に行くことを決定。青砥は軍と革命戦線を結ぶ組織部（半合法）の担当に。

▼**2月27日** 中央軍、Ｍ作戦の第2弾として千葉県の高師郵便局を襲う。

重信房子、アラブへ

▼**2月28日** 赤軍派の重信房子、「国際根拠地」作りのために奥平剛士と偽装結婚し、日本を脱出。

植垣、初めて森恒夫の名を知る

▼**3月2日** 植垣に指示があり、豊橋のアジトに移動。Ｋの部隊に入るが、生活費がなく、デパートから高価な専門書を万引きして活動費を捻出。やがて食料も

▼**2月22日** 成田空港用地の第1次強制代執行始まる。

いるという代物。トイレは共同があるだけだった。6人が6畳大の部屋に、石油ストーブ1つを頼りに服のまま就寝。6人もの人間がいると気がつかれないよう、排泄は室内の洗面器ですませ、流しに捨てた。

▼赤軍派のM作戦のニュースをラジオと新聞で知る。

「銃の質」の討議

▼1カ月半潜伏する間、永田は「銃の質」論を展開。それは「銃を奪っても意気込みだけでは川島奪還はできず、その前に銃の質(=銃を撃てるだけの個人の内実)を獲得することが必要。そのためには実践の中で思想の問題を解決する、すなわち銃を得て始めて思想問題を問うことができる」というもの。

万引きするようになる。革命戦争を行なうためには、このような能力も必要と合理化したが、植垣は後に「大衆闘争と無関係に武装闘争を着手した私たちは、その孤立した非合法生活を維持するためだけにも、反人民的行為を行なうことになった」と手記に書く。

▼**3月4日** 中央軍、M作戦の第3弾として千葉県の夏見郵便局を襲う。この3つの襲撃を、植垣はM作戦とは気づかず、新聞報道で初めて知る。またM作戦の結果、赤軍派十数名が手配されたので、獄外の最高指導者が森恒夫という人だとも初めて知った。

▼**3月9日** 中央軍M作戦、横浜銀行相武台支店を襲撃。

坂東、植垣ら独自行動

▼**3月10日** 坂東が豊橋のアジトに行き、植垣らを伴って、東京経由、仙台近郊に。植垣はいよいよ中央軍が行動を開始したと思い緊張する。

▼坂東隊の任務は爆弾作りとM作戦であり、そのため東北に土地鑑があり、物理学科でもある植垣が選ばれた。

▼**3月3日** 海上自衛隊と米軍原潜、初めて合同演習。

▼**3月5日** 尾崎紀世彦『また逢う日まで』発売。この年の12月、日本レコード大賞と日本歌謡大賞を受賞する。

▼**3月6日** 映画『ある愛の詩』(アーサー・ヒラー監督)日本公開。

ある愛の詩

4月上旬　やっと半合法部（革命左派あるいは京浜安保共闘の名で公然活動をしている部隊）と連絡が取れ、現金と川島の手紙が届けられる。赤軍派が共闘を申し入れていること、川島が永田など指導部を批判していることを知る。

赤軍派との再接触

4月20日　永田と坂口が上京。①東京のアジト作り、②海外亡命の可能性を探るため。青函連絡船の乗り場では、数人の警察官が乗客一人ひとりの顔をチェックしていて緊張したが、なに事もなく通り抜けた。

3月11日、15日　M戦を実行した指導的立場の人間が、次々に逮捕される。

3月15日　中央から資金が送られてこないことになり、坂東隊はM作戦を決意。東北地域の金融機関を調べはじめる。ほどなく、中央軍との連絡も途絶え、独自行動を余儀なくされた（→222頁）。

坂東隊、M作戦を開始

3月22日　坂東、植垣らのゲリラ隊、最初の銀行襲撃（仙台振興相互銀行黒松支店）に成功し115万円余奪うが、植垣がシンパの電話番号メモを車のシートの間に遺留したことから発覚、全国指名手配になる。テレビに自分の顔が映るのを見た植垣は「もはや後戻りできない」と改めて感じた。

3月28日　この頃まで赤軍派幹部と中央軍の兵士のほとんどが指名手配に。坂東、植垣らは、植垣の人脈があった寿町に潜伏。山崎順が坂東隊に参加。

4月はじめ、やっと中央軍と連絡が回復。森はM作戦について「政治的敗北、軍事的半勝利」と総括。「政治的敗北」とは大衆の流動を組織化できなかったことであり、M作戦を乗り越えるものとして、

3月25日　バングラデシュが独立宣言。

3月26日　東京電力福島原子力発電所、運転開始。

4月3日　若者向け情報番組『ヤング720』がこの朝終了。TBSテレビで66年から4年半にわたって放送された。

4月3日　テレビドラマ『仮面ライダー』（NETテレビ系）放映開始。

4月5日　加藤和彦と北山修によるシングルレコード『あの素晴らしい愛をもう一度』発売。

革命左派

4月23日　永田、坂口、東京の映画館で森と落ち合う。自分たちが捕まったら使っていいと銃の隠し場所を教える。話し合いの中で森との親密度が深まった。森に中国行きを提起するが、森は「日本で殲滅戦を闘う」と表明。

赤軍派のアジトで、森の手料理の肉とキャベツの油炒めを食べる。永田は赤軍派の食生活の豊かさにタジタジとなった。

4月下旬～5月始め　永田と坂口は都内のアジトなどを転々とする中で、杉崎ミサ子（横国大生、山岳ベースで逮捕↓72年2月16日）、向山茂徳（浪人しながらアテネフランセなどに通う。後に「処刑」↓71年8月10日）など半合法部隊とも会い、中国行きなどを説明する。向山は「テロリストとしては戦えるが、それ以上ではない」と表明。永田と坂口は「ゲリラ闘争は党建設のための戦いでテロリズムとは違う」と説得。

手配写真が至る所に貼ってある都内の移

赤軍派

軍による殲滅戦を4・28沖縄闘争の時に大阪で決行ときめる。

革命左派との再接触

4月23日　森恒夫と永田、坂口の会談で、革命左派は赤軍派に銃の隠し場所を教える。坂口、永田から提起のあった中国行きに対し、森は国内健軍武装闘争を打ち出す。

社会状況

4月21日　韓国、在日韓国人学生・徐勝ら51名、北朝鮮のスパイ容疑で検挙と発表。

4月23日　ローリング・ストーンズのアルバム『スティッキー・フィンガーズ』発売。ジャケットデザインは、アンディ・ウォーホルが手がけた。全英、全米共に1位を記録。

4月25日　小柳ルミ子『わたしの城下町』で歌手デビュー。デビュー曲がミリオンヒットになる。

4月27日　韓国大統領選挙で朴正煕が野党候補の金大中を破って3選を果たす。

動は、2人の神経をすり減らし、坂口が隠れ場所としての山岳ベースを提起。永田も同意し、学生時代にワンゲルで行った奥多摩の雲取山に決める。

● 山に入る前、赤軍派の森に会い、30万円のカンパを要請。逆に森は銃2丁の要請。どちらも相手の要請を受け入れる。

沖縄反戦デー

● **4月28日** 京浜安保共闘・赤軍派も集会。

● **5月中旬** 札幌に潜伏中の寺岡と連絡し、雲取山で会う。

▼ 寺岡は永田の「銃を軸とした戦い」を批判し、150名の部隊で前段階武装蜂起すべきと主張。また自分を委員長とする組織の改組案も示すが、銃の問題で永田の意見に賛成し、和解する。

● **4月28日** 日比谷野外音楽堂で、ブント内で最大の内ゲバ。後に戦旗派を名乗る荒岱介（日向翔）の指導する派と、関西を中心とする3派がぶつかり、荒派が勝利。

● 赤軍派・京浜安保共闘も集会。

● **5月15日** 坂東隊と中央の連絡が復活し、寿町からの移動が決められ、植垣は不満を抱く。坂東隊は総勢14人に（坂東、植垣、進藤、その恋人持原、山崎ほか）。赤軍派中央のM作戦（横浜銀行阪東橋支店）は失敗。同日、坂東隊は南吉田小学校給料奪取のM作戦を実施し320万円奪取。

● **5月26日** 森と植垣、初めて会う。植垣「（森は）頭を短く刈り、腹が出ていて、土建屋の社長という感じだった」。森は

● **4月28日** 散発的な実力闘争はあったものの、前年のような街頭ゲリラ闘争のない反戦デーとなった

● **5月3日** 小説家・高橋和巳が結腸癌のため39歳で死去。連載中だった『黄昏の橋』は未完に終わる。9日に行われた告別式で葬儀委員長を務めたのは埴谷雄高。

● **5月** 大阪の天王寺公園野外音楽堂で大規模な野外コンサート「春一番」第1回が開かれる。

革命左派

小袖ベースから向山が脱走

5月31日 雲取山近くの小袖鍾乳洞の廃屋バンガローをベースに決定（小袖ベース）。吉野、雪野ら札幌の3人を呼び寄せる。向山、金子、早岐やす子（後に「処刑」→71年8月3日）らが入山。

6月初め 札幌定山渓に埋めた銃を取りに行き、小袖鍾乳洞の中で実射訓練。坂口は散弾銃を撃つのが初めてだった。

向山が下山したいと表明。「反米愛国路線は正しいと思うし、党建設のためのゲリラ闘争も正しいと思うが、小説も書きたいし、大学も行きたい」から。

6月6日 向山が脱走。そのためもあり小袖のベースを捨て、近くの炭焼き跡に小屋を作った。また各人の所持金を没収することになった。

数日後、早岐も「カレと生活したいから」山を下りたいと申し出たが、他のメンバーの説得で思いとどまる。

6月9日 丹波ヒュッテでの拡大党会議に19人が集まった。永田、建党建軍武装闘争と銃による遊撃戦を提起し承認される。また、川島から来た赤軍派との新党

赤軍派

みんなから「おやじさん」と呼ばれていたが、それは後の山岳ベースでも変わらなかった。森はこの名で呼ばれるのは、あまり好きではなかった。

6月9日 進藤らが大阪から銃を受け取って、坂東隊に持ち帰る。

社会状況

5月 高野悦子『二十歳の原点』が新潮社から出版され、たちまちベストセラーになる。

『二十歳の原点』

5月14日 群馬県警、8人の女性を暴行殺害した大久保清を逮捕。

5月24日 女性解放運動家の平塚らいてうが死去。戦前から戦後にわたって旺盛に活動した。

5月28日 若松孝二、足立正生がカンヌ映画祭の帰途、レバノン・ベイルートに降り立ち、重信房子と合流する。

6月1日 施政権下の沖縄出身の16歳、南沙織が筒美京平作曲の『17才』で歌手デビュー。

設立を提案する手紙が披露される。

▼雪野や前沢は活動家ほぼ全員を集めたことに危惧を覚えた。

▼加藤能敬（和光大、山岳ベースで死亡→72年1月4日）、大槻節子（横国大、山岳ベースで死亡）が新たにベース入り。入山者は14名になった。

▼この後、坂口は機関紙で、山岳ベースを単なる隠れ家から殲滅戦遂行のための根拠地と位置づける主張を展開。

▼雪野の述懐「小袖に行った時は解放感は覚えた。しかし野営地であり根拠地とは思えなかった」

▼**6月15日頃**　早岐、脱走を試みるも果たせず。ただし、その後は通常の活動を続ける。前沢は「（山を）下りるのは自由」と言う。

▼**6月13日**　坂東隊は、長野県長谷村の工事現場からダイナマイト10本など奪取。すぐ東京に持っていき、鉄パイプ爆弾に改変。

▼大阪部隊の幹部が逮捕され、中央軍最強を自称していた大阪部隊は壊滅。

明治公園で鉄パイプ爆弾を投擲

▼**6月17日**　沖縄返還協定阻止闘争。

▼赤軍派の1人が中核派などの集会が開かれていた明治公園で、機動隊に向かって鉄パイプ爆弾を投げる。機動隊37名重軽傷。そこをデモ中の中核派約200人が逮捕された。赤軍派としては「半殲滅戦」と総括。中央軍の銃による殲滅戦がやれなかったことと、機動隊が死ななかったことが、「半」がついた理由。爆弾闘争の時代の幕開けとなった。

▼**6月24日**　M作戦で坂東隊、横浜銀行妙蓮寺支店襲撃。45万円を奪う。初めて銃を使った。

▼**7月**　獄中から塩見孝也議長がゲリラ型戦争路線を提起。69年秋の前段階武装蜂起の敗北を「革命戦争の開始とは軍事的

▼**6月5日**　ATG創立10周年記念として製作された大島渚監督の映画『儀式』が公開された。キネマ旬報ベストテンの年間第1位に選出される。

▼**6月15日**　沖縄返還協定阻止闘争。新左翼の8派協定分裂。

▼**6月17日**　東京とワシントンで、沖縄返還協定に調印。

▼**6月17日**　東京・明治公園の沖縄返還協定調印に反対する集会で、中核派が警視庁機動隊と衝突。

▼**6月26日**　イギリス映画『小さな恋のメロディ』（ワリス・フセイン監督）が日本で公開される。イギリスとアメリカではヒットしなかったが、日本では大ヒット。

統一赤軍結成の提起

7月6日　川島の提起を受けた形で、赤軍派との連絡を回復。永田と坂口は上京し、森に新党を提起。森は「新党ではなく軍の共闘を組もう。そのため、党史を交換しよう」と逆提案。

7月13日　小袖ベース跡で永田、坂口、寺岡と赤軍派の森、坂東が党史交換のために会合。

▼森は第2次ブントの始まりから大菩薩峠での大量逮捕までを語った。自分が7・6内ゲバ（赤軍派がブント統一派を襲い議長を監禁）を戦いきれず逃げたことにも触れたが、永田も坂口も、赤軍派の歴史や森の自己批判について、よく理解できなかった。革命左派については警鐘以来の歩みを永田が開陳したが、路線の正しさに疑問を感じ始めていたため、うまく説明できず、党史の交換は不満足な結果に終わった。

にはゲリラ型戦争の開始であり、それに見合った主体の共産主義的改良＝党の軍人化、軍の中の党化、軍の正規軍化の獲得」が要求されたと総括した結果だった。

新党結成への合意

7月6日　坂口と永田が森と会談。新党が提起される。森は新党ではなく軍の共闘を提案。相互理解のため党史を交換（思想、組織、運動の遍歴などを互いに明らかに）することになった。

7月13日　革命的左派の小袖ベース跡で両派が党史交換のための会合。森が軍事組織を統合した「統一赤軍」結成を提起。

▼坂東は、議論がかみ合わなかったと記憶している。そもそも森には革命左派をオルグするという意識があったし、坂東は、革命左派の決意や戦闘性は評価するが、反米愛国路線はナンセンスだと思っていた。

7月3日　小沢茂弘監督の映画『傷だらけの人生』（東映）公開。主演は鶴田浩二。もともと同名曲を鶴田浩二が歌唱し、前年12月に発売してから大ヒットしていた。

7月9日　米、キッシンジャー大統領補佐官が秘密裏に中国を訪問。翌年のニクソン大統領訪中を決める。

7月14日　臨時国会が召集されたが、長州御三家と呼ばれた参議院の重宗雄三議長の4選阻止をめぐって紛糾し開会が翌日以降に持ち越された。

社会党（成田委員長）は「沖縄返還協定反対と日中国交回復を中心とした安保反対の立場に立つ全野党の共闘を」呼びかけた。

▼森から提起された両派の軍事組織を統合した「統一赤軍」結成について、革命左派の3人は「森が毛沢東の評価や銃による殲滅戦で歩み寄ったから」と提案を承認した。

3つの衝撃＝①向山の動静

7月15日　永田、坂口、寺岡ら、3つ目の塩山ベースに移動。ベースといっても、小木の上に屋根代わりのビニールシートをかぶせた粗末なもので狭く、夜は男女別なくシュラフ越しに体がくっつきあって、生活環境は劣悪だった。

▼永田が統一赤軍結成を下部メンバーに告げると「本当、万歳！」などの声が挙がり、賛成ムードだった。

▼しかしこの日の午後、驚愕の事態が出現。その1は、大槻が脱走後の向山の言動について、永田に次のように報告したこと。「下山後、登山服姿のまま親類の家に行き、登山服をクリーニングに出した。その家には京浜安保共闘担当の私服刑事が出入りしているが、彼らと酒を飲み、スリルを楽しんでいる。また山岳ベースについて小説に書こうとしている」（永田、坂口とも一致した記述）。

7月15日　沖縄米軍基地の毒ガス第2次撤去「レッド・ハット」開始される。1月に行われた第1次撤去に続き、GB、VXなど残る1万2850トンを50日間で撤去するという作戦。

ニクソン米大統領が「訪中」を決定。翌年5月までに実現をワシントンと北京が同時に発表。

▼どの行為を取っても、山岳ベースの存在を嗅ぎつけられ、安全を根底から揺るがす内容だった。大槻は「向山を殺るべきだ」と発言(後の法廷での永田の証言)。永田は向山の下山を放置していた誤りを認めるが、「彼に対する組織的対処については十分考えたい」と答えた。

3つの衝撃＝②早岐の離脱

さらにもうひとつ、衝撃の知らせがもたらされた。交番調査のため山を下りていた早岐が姿を消したというものだった。2人の離脱について全員で対策を協議し、寺岡の牢屋案が支持された。この時点では、誰にも処刑の気持ちはなかった。早岐が塩山ベースを知っているため、またベースの移動を余儀なくされることになり、丹沢に移動することにする(↓74頁)。

3つの衝撃＝③米中共同声明

この日はこれで終わらなかった。ラジオでニクソン米大統領の中国訪問決定のニュースが流れ、坂口は強い衝撃を受けた。「毛沢東が、1年前には打倒を呼びかけたアメリカ帝国主義の頭目ニクソンと秘密裏に接触し、訪中を受け入れ」るなんて！

7月16日　ニクソン「訪中」発表を受けて、NY株式が反騰。

7月17日　阪神・江夏豊投手、オールスターで9者連続奪三振。

7月19日 永田と坂口が上京し森と接触。統一赤軍の機関紙として発行を決めた「銃火」の論文の打ち合わせ。向山と早岐問題を知った森は「スパイや離脱者は処刑すべきではないか」と答えるが、坂口は一般論と受け取った。

処刑の決定

7月21日 再び大槻が、向山と早岐のその後の動向を報告。早岐は周囲に「山に行って来た」と話しているし、向山の小説は3分の2が完成している、という内容に永田らは危機感をつのらせた。永田「牢獄でやっていけるかしら?」寺岡「殺るか?」永田「うん」というやりとりで、ついに処刑が決定される。坂口は発言はしなかったが同意の態度をとった。寺岡は「あとは軍に任せてくれ」と発言。坂口はこれについて、「寺岡君が進んで困難な仕事を請け負ったのは、自ら殺害を提起し、かつ軍の責任者だったたから」と説明する。

永田と坂口の記憶の食い違い

7月23日頃 東京・新小岩のアジトで赤軍派(森、坂東)と指導部会議。「銃火」の森論文に対して、革命左派として回答。

米子でM作戦に失敗

7月23日 赤軍派のゲリラ隊4人が、鳥取県米子市の松江相互銀行米子支店を襲撃。現金奪取に成功するが、伯備線に乗っ

7月20日 日本マクドナルドの1号店が銀座に開店。ハンバーガーは80円、コカ・コーラは60円だった。

7月21日 テレビドラマ『時間ですよ』(TBS系)の第2シリーズ放送開始。出演した天地真理が人気者になり、10月1日にアイドル歌手としてデビューする。

革命左派

実は（国家）権力問題について永田が書き直すつもりだったができず、そのまま同意した。

▼「このとき2人の処刑決定を森に告げる。森は赤軍派も同じ問題を抱えていて、処刑することに決めていると答えた」というのが永田の記憶。坂口は「永田は森と坂東に「山を降りた2人の処置に迷っている」と言い、森が「同様な問題が起きていて、殺ることに決めた」と答え、革命左派に向かい「殺るべきだ」と言った」とし、これによって坂口は殺害方針に踏ん切りをつけたとする。

▼2人とも克明な手記を発表しているが、永田が事実の推移を淡々と叙述しているのに対し、坂口のそれは、事実関係は比較的簡略にすませ、ときおり解釈を記す。時としてその解釈には悔悟の念と、自己弁護の色がにじむ。著作の出版時期が、永田の『十六の墓標』は1982年であるのに対し、坂口の『あさま山荘1972』は1993年である。事実認定に当たっては、坂口は永田の本を下敷きにしているので、くり返しは避けているのだろうし、事件後20年以上を経て坂口本が出版されているので、彼の記憶

赤軍派

ているところ1人が逮捕され、ほか全員も逮捕される。この時、革命左派から譲り受けた猟銃を押収され、警察に両派の接近が発覚した。

社会状況

7月24日 前日（23日）に鳥取県米子市で起きた銀行強盗事件について、京浜安保と赤軍派の「強盗共闘」だったことが断定される。

7月26日 成田市の新国際空港敷地内の「十六地点」にある空港建設反対派の農民放送塔、地下壕などに対する強制執行が、警察官2300人動員の下、機動隊を全面に押し立てて強行された。

は無意識にも合理化されていることも考えられる。また裁判に対する態度の違いも表われているのだろう。坂口は1審では思想性を問う方針で裁判に臨んだが、2審で一転、反省と悔悟を前面に打ち出す。判決はどちらも死刑だった。

早岐やす子の処刑

7月末 新小岩のアジトに寺岡が来て処刑計画を話す。「実行行為者は寺岡、吉野ら4人。杉崎ミサ子と金子に酒盛りの相手をつとめてもらう。酒の中に睡眠薬を入れ眠らせて外へ連れ出す。運転は入山したばかりの小嶋和子（市邨学園、山岳ベースで死亡→72年1月1日）。他に運転免許証を持っている者がいないので仕方がない。埋葬は印旛沼にする」。突然の指名に吉野は躊躇したが、結局「引き受けざるをえなくなった」（坂口本）。

8月3日 昼頃、寺岡が「小嶋が任務を明らかにしないと運転しないと言ったので教えたところ、嫌だと言っている。いま吉野たちが説得している」と報告。永田も小嶋同様、動揺していたが「銃を軸にした建党建軍武装闘争のため必要な戦いであると言って、何とか説得させてほ

坂東隊は、森の処刑方針を知りながら、組織から逃がすことを考える

7月31日 坂東が森からの指令を伝える。内容は、スキー小屋をベースに、白河方面で殲滅戦を実行せよというもので、植垣らは一斉に反発し、大都市での銃による殲滅戦を主張。また、進藤隆三郎の恋人持原の処遇について、森の処刑方針を伝達。坂東・植垣らは部隊から切り離すことを考える。結局、坂東と植垣の独自判断で、警察にだけは行かないことを条件に、隊からの離脱を認めた（→223頁）。

7月30日 雫石事故。航空自衛隊のジェット戦闘機が全日空旅客機と衝突。旅客機の乗員・乗客全員死亡、自衛隊員は落下傘で脱出し無事だった。

8月1日 ジョージ・ハリスン主催のチャリティ・コンサート『バングラデシュ難民救済コンサート』。ボブ・ディラン、レオン・ラッセル、ラヴィ・シャンカルらが出演。ロック音楽による初のチャリティ・コンサートといわれる。

しい」と指示。

▼夕刻、寺岡が「早岐はやってきて酒盛りが始まっている」と報告し、遠慮がちに「早岐が合法で活動したいと言っているが……」と言う。坂口は、殲滅戦のためには早岐の存在は危険と思い切った後なので「一度決まったことは覆せない」と突き放した。

▼午後11時頃、早岐が寝込んだ知らせを受けて、実行犯3人は車に乗せる。早岐は目を覚まし、「騙された」とうなだれた。印旛沼につくと外に連れ出し、瀬木が首を絞めて殺害。埋める。

▼永田と坂口は一晩中、アジトで待つ。永田は落ち着かず、立ったり座ったりをくり返す。4日朝方、4人が戻り、寺岡が低い声で「殺ったぞ」と報告。「人を殺すのは大変なことだ」と何度もつぶやいた。運転をつとめた小嶋和子は自分で歩けず、寺岡に抱きかかえられるように入ってきた。永田も坂口も小嶋に会うのはこの時が初めてだった。

▼寺岡ら男性はすぐ眠りに落ちたが、小嶋は「どうしても納得できない」とくり返し訴えた。永田は「交番を調査中に脱走

革命左派

赤軍派

社会状況

したことは、殲滅戦への敵対であり、われわれの闘いへの敵対である」などと答える。小嶋は「殲滅戦は闘うべき」とうなずき、自分の中京安保共闘時代の話など、早口に長時間話し続けたが、やがてソファーに眠り込んだ。

▼小嶋はこの後、精神のバランスを崩した。瀬木も恋人の元に行き活動を辞めたいと言い出し、一旦は恋人とともにベースに戻ったが、やがて2人で脱走し、名古屋で逮捕されることになった。

▼半合法メンバーも事態を察したらしく、表情を暗くし、面と向かって早岐の消息を聞く者はなかった。

▼坂口もアジトで永田と2人だけになったとき、「処刑に何か暗いものを感じる」と発言。その様子を永田は「日頃の強引さはなく、頼りなさそう」と描写する。永田は処刑は必要なことであり、それに耐えなければならないと思っていたので、坂口の弱々しそうな様子に対し、寺岡と3人で組織的に話し合おうと要求。寺岡は「今頃になって、そんなことといわれても困るじゃないですか」。会議はそれぞれの思いがすれ違いのまま、処刑の理由を確認するようなことで終わってし

▼**8月4日**　7月30日に起きた全日空旅客機と航空自衛隊の戦闘機による空中衝突事故(乗客155名と乗員7名の計162名全員が死亡＝全日空機雫石衝突事故)を受け、その政治責任を追及する国会の連合審査会が始まる。野党側は事故の原因は自衛隊機の無謀訓練にあるとして、政府に迫った。

▼**8月6日**　広島原爆忌。佐藤栄作首相が現職首相として初めて広島平和式典に出席した。首相の出席に反対する新左翼系の数人が会場に乱入し取り押さえられた。なお50年後の平和式典に出席した菅義偉首相は、挨拶の文案を読み上げる際、その一部を読み飛ばして、陳謝したものの、「不勉強かつ不誠実」をさらす結果となった(2021年)。

▼日本初の野外ロック・フェスティバルと言われる「箱根アフロディーテ」が箱根で開催され、ピンク・フロイドらが出演した。

まい、次の向山の処刑を推進する結果になっただけだった。

8月6日　広島平和記念公園で岩田が赤軍派と革命左派の軍事部内の統一を宣言するビラをまく。

8月9日　新小岩のアジトに来た森に、永田が早岐殺害を告げる。森は「殺る前に何か言わせたか」と答えた。自派の処刑については何も語らなかった。

向山茂徳の処刑

8月10日　杉崎と大槻が向山を東京・小平市のアパートに呼び出す。寺岡は近くに待機し、永田が喫茶店で電話の中継役に。杉崎は「向山は警戒して何も飲み食いせず、早く帰ろうとする様子を見せているので必死に引き留めている」と報告。寺岡は「アパートに向かう」「今日殺るかどうかの最終的判断はまかせてほしい」と永田に要請し、吉野らと小嶋の運転でアパートに向かい、暴れる向山を取り押さえた。引き留め役だった杉崎、大槻、金子の女性たちも取り押さえに加勢する結果になった。向山はタオルで絞殺され、印旛沼の山林に埋められた。

革命左派

革命左派との打ち合わせから帰った森は、坂東に「革左はスパイを1人処刑した」と報告。坂東が「本当にスパイだったのか、どんなことをしたのか、どうして摘発したのか？」と聞いても暗い顔をして黙っているだけだった。

鉄パイプ爆弾の実験

8月9〜11日　駒止スキー場の山小屋に宿泊し、銃の試射や鉄パイプ爆弾の製造実験。土の中に穴を掘って爆発させたが、「降りしきる雨の中でも、轟音を吹き上げる土煙の大きさに、爆弾の威力の大きさを思わせた」（坂東）。植垣は爆発した鉄パイプの破片を調べ、破片の一つひとつに最大限の大きさが加わるようパイプの溝の切り方を決定するなど、さまざまな工夫を施し、実験用爆弾を2個つくった。

赤軍派

8月7-9日　岐阜県恵那郡（現在の中津川市）で第3回全日本フォークジャンボリー開催。出演は、浅川マキ、遠藤賢司、岡林信康、加川良、高田渡、友部正人、なぎら健壱、はちみつぱい、はっぴいえんど、日野皓正、三上寛、友川かずき、ミッキー・カーチス、かまやつひろし、六文銭、よしだたくろう、ガロ、高橋幸宏、中川五郎ら。

社会状況

向山の処刑については、寺岡も詳述はしなかったようで、坂口の本に「簡単だった。車の中で硬直していた」という発言が寺岡のものとして書かれているだけだ。

寺岡との電話をすべて中継し終わって喫茶店から出たとき、永田は気を失ってアーケード街の側溝の中に倒れ込んだ。「緊張の糸がぷつんと切れたように感じられた」（坂口）。

8月11日 寺岡が永田に、杉崎か金子と話してくれと依頼。女性たちの動揺を鎮めて欲しかったようだ。永田は金子と会い、10日の夜、杉崎、大槻、金子が徹夜で語り明かしたことを知る。3人は横浜国大教育学部の同級生だった。永田が新小岩のアジトに戻り、坂口らに女性3人がしっかりしていることを報告すると、安堵の様子が広がった。この席で金子の妊娠が明らかにされ、組織的に後押しすることにしようという空気になった。

連合赤軍結成へ

8月中旬 獄中の川島から「統一赤軍の結成は反米愛国路線の放棄」と反対意見の手紙。川島の主張を一部取り入れる形で、赤軍派に名称を「連合赤軍」へ変更す

白河交番殲滅戦の準備

8月17日～ 坂東隊は、白河方面の交番調査。

8月中旬 革命左派のベースを坂東が訪問。永田は「2人目の処刑を行いました」「力があれば牢獄に入れておくこともできたかも知れないが、それをやる力もなかったのでしかたなくやりました」と言う。その時の永田は「それについては何

8月14日 三里塚で幻野祭。レコードデビュー前の頭脳警察が出演し、『世界革命戦争宣言』を演奏した。

8月16日 ドル・ショック。ニクソン大統領によるドル防衛策。

革命左派

るよう申し入れること、および銃による殲滅戦の実践のための交番調査を決める。

8月18日　丹沢ベースで赤軍派（4名）との合同会議。森、名称変更を承諾。また森は大槻らとの歓談の中で「なぜ革命戦争を闘おうとしているのか？」と問い、彼女らの様々な答えを一蹴し「世界革命のためだ。その答えが出ないのは、反米愛国路線だからだ」と批判。

8月21日　雪野、新宿で逮捕。

8月末頃　夢の島、会津若松などの交番調査の過程で、消耗の様子を見せている坂口が殲滅戦に爆弾の使用を提案、寺岡は激しく反発。「他人に危害を加えず、権力を直接殲滅できるので、銃でなくてはならない」という理由。

活動資金が切れ始め、永田はカンパ集めに奔走。会ったことをすぐ記事にしないことなどを条件にルポライターJに会い、約10万円のカンパを受ける。Jは、逮捕されないでいることに感心しつつ「革命左派は狭い。ゲリラ闘争にしても、もっといろいろな本を読むべき」。名古屋でのカンパ集めは山本順一（商社員、山岳ベースで死亡→72年1月30日）の退

赤軍派

も言わせないという迫力があった」と坂東は回想する。坂東は、米子のM作戦で銃を奪われたことを赤軍派として自己批判、当初予定していた新たな銃の要請は、とてもできる雰囲気ではなかった。

自派に戻って森に「2人目処刑」について報告すると、森は「またやったのか！もはやあいつらは革命家じゃないよ！」と、じっとうつむいた。

8月22日　突然、森と青砥が坂東隊（4人）の山小屋に現われる。革命左派の2人の処刑について語り、「殲滅戦をやりぬくにはそういうきびしさが必要」という。植垣は、持原への処理が甘かったかと思う。進藤は森に、「持原の問題を総括しておけ」と言われる。

白河交番殲滅戦の中止

8月24日　森の指揮で坂東隊は、白河方面の調査を続行するが、車を破損するなどのミスが重なる。植垣は、原因をそれまでの自主的な活動ではないからと分析。

8月25日　対象の交番の近くに移動。

8月26日　殲滅戦の対象を国道4号線沿

社会状況

8月22日　陸上自衛隊朝霞駐屯地で自衛官が、赤衛軍に殺される。元京大助手・滝田修（本名竹本信弘）を指名手配。

8月25日　藤田敏八監督による青春映画『八月の濡れた砂』が公開される。ロマンポルノ路線に転換する前の日活による最後の作品。

8月25日　トワ・エ・モワ『虹と雪のバラード』発売される。翌年2月に開催予定される冬季オリンピックのテーマソングで、オリコン・チャートの7位に。

職金を含め20万円しか集まらなかった。

▼坂口、永田に「女が指導者だということに抵抗があるんだなー」。永田は男の本音が出たと受け止めるが、著書（10年後の『十六の墓標』）では視点を変えて「極左的な武装闘争にたいして盲目的に頑張っているだけの私にたいする不満だっただろう」と書く。

▼小嶋和子、衝動的にベースから逃げようとするが、永田に「殲滅戦は闘わなければいけないと思うが怖い、怖いと思うが闘わなければいけないと思う」と心境を吐露し、残留へ復す。

いの駐在所、決行は30日と決定。警官を殲滅し拳銃を奪い、母屋にいる妻を縛って逃走する。途中、パトカーや検問にあったら、銃や爆弾で粉砕する、という計画を立てる。

▼**8月30日** 台風のため前夜から激しく雨が降り、沢のキャンプから胸まで水につかりながら移動。この日の殲滅戦計画は延期となる。2回目を9月10日に設定したが、この日も台風で順延に。

▼**9月11日** 決行となり4人は車で出発。坂東はこのときの植垣の様子を「ハチマキを取り出し、それをギュッと固く頭にしめ、ひざの一点を見つめ、何かこころに念じている」と描写する。植垣はこのときの心境を「もともと賛成でなかった地方殲滅戦だったうえ、たいして緊張もない駐在所の襲撃だったため、なんともやりにくい作戦で……警官の殲滅への意欲をかきたてるのに苦労した」「人民の解放の事業に生命を犠牲にするという確信を持てないまま、自分の人生はこれで終わりか、なんともさえない人生だったなあと思ったりも」と記す。坂東自身は「これまでのM作戦と違ってずいぶん緊張……「人を殺る」ということは私

▼**8月28日** 円、変動相場制移行を実施。

▼**9月9日** 後にジョン・レノンの代表作とされるアルバム『イマジン』がアメリカで発売される。日本でも12月にオリコン週間LPチャート第1位に。

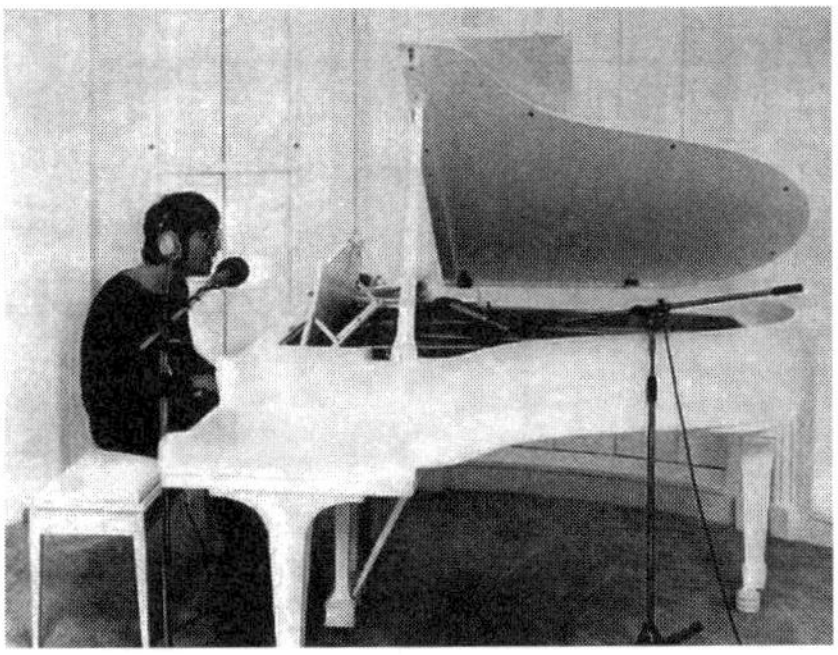
ジョン・レノン

9月14日　京浜安保共闘と革命戦線の共催で連合赤軍結成集会。500人が参加。

の価値観そのものを問い返す重い闘い……〝やらねば〟なにごとも始まらないのだ！という決意でこの重圧に打ち勝とうとしている」。しかし近づいてみると警官は不在、拍子抜けして緊張感がいっぺんに解け、やむなく作戦は中止となった。

帰路、運転を練習するため坂東がハンドルを握ったが、カーブを曲がりきれず、路肩からずるずると斜面を転落、2回転半して木に引っかかって止まる。誰も怪我はなく、そのまま車を放棄してキャンプに戻る。森はむずかしい顔をして待っていたが、報告を受けて苦笑する。翌日、作戦中止を決定。

坂東隊、東京へ

9月13日　坂東隊は西新宿のアジトに移る。新宿や中野の警察に近く、スナック、喫茶店、銭湯、クリーニング店、床屋などあらゆるところに指名手配写真が張ってあり、緊張を強いられたが、都会の雑然とした中での生活には不思議な落ち着きと安らぎもあった。

9月14日　革命戦線と京浜安保共闘の共催で連合赤軍結成集会。500人が参加。

9月13日　中国で、林彪副主席がクーデターに失敗し、逃亡中死亡。

9月16日　成田空港用地の第2次強制代執行。三里塚東峰十字路で警官3名死亡。

植垣康博の印象

10月6日頃 手榴弾作りの指導に植垣が丹沢ベースに現われる。永田は初対面の植垣の印象を「話をしていて楽しく、革命左派を蔑視するような赤軍派の人たち

9月16日 三里塚・東峰十字路での機動隊殲滅戦に、坂東らは先をこされた思いを抱く。

中央軍に山田ら新メンバー

9月19日 田園調布のアジトで森、坂東、植垣、進藤、山崎、青砥の6人で殲滅戦の会議。地方殲滅戦失敗の総括と、東京の交番調査などを決める。

また、革命戦線から青砥、行方正時（岡山大学、山岳ベースで死亡72年1月9日）、山田孝（京大大学院、塩見孝也を匿った罪で獄中経験など、かつて派内で高い位置にいた。山岳ベースで死亡↓72年2月12日）の中央軍入りの予定が明らかにされる。

植垣の消耗

植垣は青山のマンションに移り、森の身の回りの世話、カンパやアジトの提供者の確保などを行なうが、自分の存在意義に消耗感を抱く。

10月初め 植垣は「あれこれ考えても仕方がない……自主性を捨てて指導部の指示をひたすら実行するだけの兵士になりきることにした」。

9月18日 日清食品が「カップヌードル」を発売。カップ麺の先駆けとなる。

9月23日 初来日したレッド・ツェッペリンが日本武道館で公演。

9月25日 テレビアニメ『天才バカボン』（赤塚不二夫／よみうりテレビ）放送開始。

9月27日 天皇・皇后、ヨーロッパ7カ国訪問に出発。

9月30日 若松孝二・足立正生監督による映画『赤軍－PFLP・世界戦争宣言』が東京・新宿で公開される。

9月 週刊少年マガジンに4年9カ月連載された『巨人の星』（梶原一騎／川崎のぼる）が連載終了。

10月 NHK総合テレビ、全番組のカラー化を実施する。

10月1日 アメリカのフロリダ州でウォルト・ディズニー・ワールドが開園。

10月2日 第48代横綱大鵬の引退相撲。玉の海、北の富士という両横綱を従えて最後の横綱土俵入り。ところが、9日後の10月11日に玉の海は急死。

のような態度が見られず」「「どこにでも指名手配写真を貼られているあの人なの」と聞くと、笑いながら「そうです」と答えたが、それが深刻そうでなく、のびのびと活動しているらしい様子に驚いた」と書く。

▼植垣は丹沢ベースが浅すぎる、人の出入りが多すぎる、山岳根拠地論は誤りと批判（→238頁）。永田は「山岳根拠地主義ではなく、都市と結合していくつもり」と答えた。

▼夜、植垣は金子や永田の顔や足を触るなど「痴漢行為」、翌日から男の間に寝させられる。

再三のベース移動

▼**10月23日頃**　瀬木と他1人が下山し名古屋で逮捕。またベースの移動を余儀なくされた（静岡県・井川にベースを移動）。瀬木の脱落は、殲滅戦を唱いながら銃の訓練もせず、世界革命と主張しながら理論化しなかったことにあるのではないかと総括。

▼植垣は革命左派のベースに手榴弾作りの指導に行く。

党内闘争の発生

▼**10月頃**　獄中の赤軍派幹部内で論争。最高幹部八木健彦が塩見議長のゲリラ戦争路線に対し「小ブル革命主義のテロリズム」と批判。塩見は「解党解軍主義、民兵主義」と反批判。獄外の最高指導者森は塩見路線を支持したが、関西地方委員会は八木に与し、中央軍への結集を拒否。

▼革命戦線だった青砥、行方、遠山美枝子（明治大、山岳ベースで死亡→72年1月7日）の3人が関西委員会へオルグに行くが失敗。遠山らはノンセクトラジカルの戦闘団のオルグにも失敗していた。

銃による殲滅戦

▼森は原因を、革命戦線の攻撃的・能動的な軍事能力の欠如に求め、銃による殲滅戦を担いうる軍の建設、党の軍化と一体となった革命戦線の教育訓練センターを山岳に設けることを主張。青砥の回想「元々、赤軍派は山岳ベースでずっとやろうとは思っていなかった」

▼**10月3日**　合歓ポピュラーフェスティバルで、上条恒彦&六文銭の『出発の歌　失なわれた時を求めて』がグランプリを受賞。

▼**10月6日**　ドラマ『気になる嫁さん』（日本テレビ系列）放送開始。榊原るみ、石立鉄男ら出演。

▼**10月16日**　東京・世田谷の警視庁松原荘、爆破。

▼**10月21日**　国際反戦デー。平和的なカンパニア闘争（デモと情報宣伝活動）に終始。しかしこの月、交番を狙う爆弾ゲリラ多発。

▼**10月24日**　テレビアニメ『ルパン三世』（モンキー・パンチ）放送開始。

▼**10月25日**　中国、国連に復帰決定。

▼**10月25日**　ペドロ&カプリシャス『別れの朝』発売。たちまちオリコンチャート第1位になり、4週連続に。

11月3日　森と協議し、共同軍事訓練の場所は赤軍派が提供することになる。

早岐・向山の処刑について、森は革命左派の機関紙「解放の旗」に発表すべきと主張。永田は断る。

11月4日　小嶋和子、瀬木の離脱に動揺。吉野が常任委員入り。

11月5日　ベースを安倍川の上流、牛首に移動（92頁参照）。

3人の女性の党員候補化と自己批判の要求

永田と吉野は、牛首ベースで大槻、金子、杉崎の3人に党員候補への昇格を通告。同時に大槻には「9・4闘争での自供の自己批判」、金子には「政治ゲリラ闘争を救対の立場から批判したことや、中国行きを根拠地問題抜きに批判したこと」、杉崎には「寺岡があなたの自立を望んでいるので頑張ること」と、自立の必要性を指摘する。

植垣、山田、山岳調査を実施

10月27日　植垣と山田は、西新宿のアジトを出て、甲府、身延と経由し、身延からはバスで2時間入った山梨県早川町の新倉へ到着。11月6日まで南アルプスを調査し、冬季は使用しない森林伐採のための山小屋を発見。ここをベースに決めたのは、山が深いので長期滞在できることの他に、ここを基地に米軍の北富士演習場から武器を奪取できると考えたからだった（→220頁）。

▼この期間中、かつて最高幹部だった山田に、植垣は自分たちの部隊だけが生き残っていることを尊重して自主的な活動を保障するよう訴える。山田は一兵卒から再スタートしているせいか、生返事だった。

東京では他の坂東隊が、交番に盗聴器を仕掛けようとして失敗。山崎が手を負傷。

11月2日　1958年から発生していたサリドマイド薬害の問題で、大日本製薬を被告として提訴されていた損害賠償請求訴訟。西ドイツのW・レンツ博士が来日し、東京地裁の証言台に立った（レンツ証言）。

11月10日　加藤能敬に党員候補を通告。

11月14日　牛首ベースに山の管理人がきたので、急遽移動を決定。とりあえず井川ベースに戻る。

加藤能敬ら是政で一斉逮捕

11月21日　東京府中市の是政のアパートなどで加藤能敬ら5名が逮捕。ここからは拳銃の実弾が発見される。このアパートはもともと岩田が交際していた女性と住むために借りたものだった。この時点で加藤と小嶋は恋人関係だったが、永田は知らなかった。

暴力的総括要求の萌芽

11月22日　小嶋の消耗が議題となり、荷物を調べるが逃げる準備は見えなかった。坂口、突然、小嶋を川に引っ張り出し「夢中になって洗濯しろ」と命令。永田はこの洗濯強制を振り返って、「同志的な感情に基づいたものであったが、一種のしごきであり、吉野が脱走しようと

山岳ベースの開始

11月11日　坂東、植垣、進藤の3人が先発隊として新倉に向かう。植垣はシンパからカンパをもらって行ったが、それから約30年、会えないことになった。

11月13日　3人は新倉のベース候補地に到着。坂東は「ここなら、いくら射撃訓練をしても大丈夫だ」と感想。その後、5つある山小屋のうち、一番奥とその前の小屋の使用を決定。以降の数日を、尾根までの道通しや薪作り、銃の肩付け訓練、「星火燎原」の学習、討論などで過ごす。進藤は議論好きだったが、肉体労働は苦手で、坂東と植垣は次第に批判的になっていった。植垣は活動の場ができ、一時の消耗感から立ち直っていた。

11月22日　森、山田、山崎の3人が山小屋に到着。森は翌日から、銃や体操などの軍事訓練を開始。この生活の中で、進藤は銃の手入れを怠ったなどの理由で、薪割り1週間の懲罰を食らうなど、森を始めメンバーの進藤批判が少しずつ強まった。

11月19日　沖縄返還協定強行採決に抗議行動。中核派は、東京・日比谷公園内のレストラン「松本楼」を炎上させた。

11月20日　日活、ロマン・ポルノ第1作『団地妻 昼下りの情事』公開。

11月20日　はっぴいえんど、アルバム『風街ろまん』発売。
よしだたくろう（吉田拓郎）アルバム『人間なんて』発売。

した瀬木を殴ったのと同様の暴力的総括要求の萌芽……」とし、後の暴力的総括要求を受け入れる下地となったと回想する。

11月23日　ベースを榛名山に設営することを決め移動。銃は寺岡、吉野ら6人で持って山越えすることにし、他のメンバーは電車利用。榛名山に決めたのは、大久保清事件の被害者が埋められた場所の側なら、あまり人も近付かないという判断だった。

共同軍事訓練の位置づけ

11月29日　森が革命左派との共同軍事訓練の位置づけを話す。「連合赤軍の統合司令部の建設を具体化し、殲滅戦の戦術原則をかちとる。そのため革命左派には、瀬木の脱走や是政での大量逮捕の総括を要求する。特に逮捕のとき警察の突破を図らなかったことを問題にし、そういう軍事的能動性の欠如は、反米愛国路線の欠点の現れである」。

▼赤軍派は革命左派には銃を使いこなす能動性・軍事力はないとみなしており、共同軍事訓練で自分たちの優位性を示そうと目論んでいた。

11月24日　沖縄返還協定、非核兵器ならびに沖縄米軍基地縮小に関する決議が衆議院本会議で可決される。

1969年9月5日、全共闘結成大会に殴り込みをかけた赤軍派。東京・日比谷公園野外音楽堂で開かれた全国全共闘結成大会には全国78大学、26,000人（主催者側発表）が参加した（東大全共闘の山本義隆が議長、日大全共闘の秋田明大が副議長）　photo＝産経

1970年4月3日、赤軍派を名乗る9名のグループに乗っ取られた日航機「よど号」は福岡から平壌に向かったはずだったが、韓国の金浦空港に着陸。乗客はまだ閉じこめられたまま。緊張は極限に高まった　photo＝産経

BUND
BUND

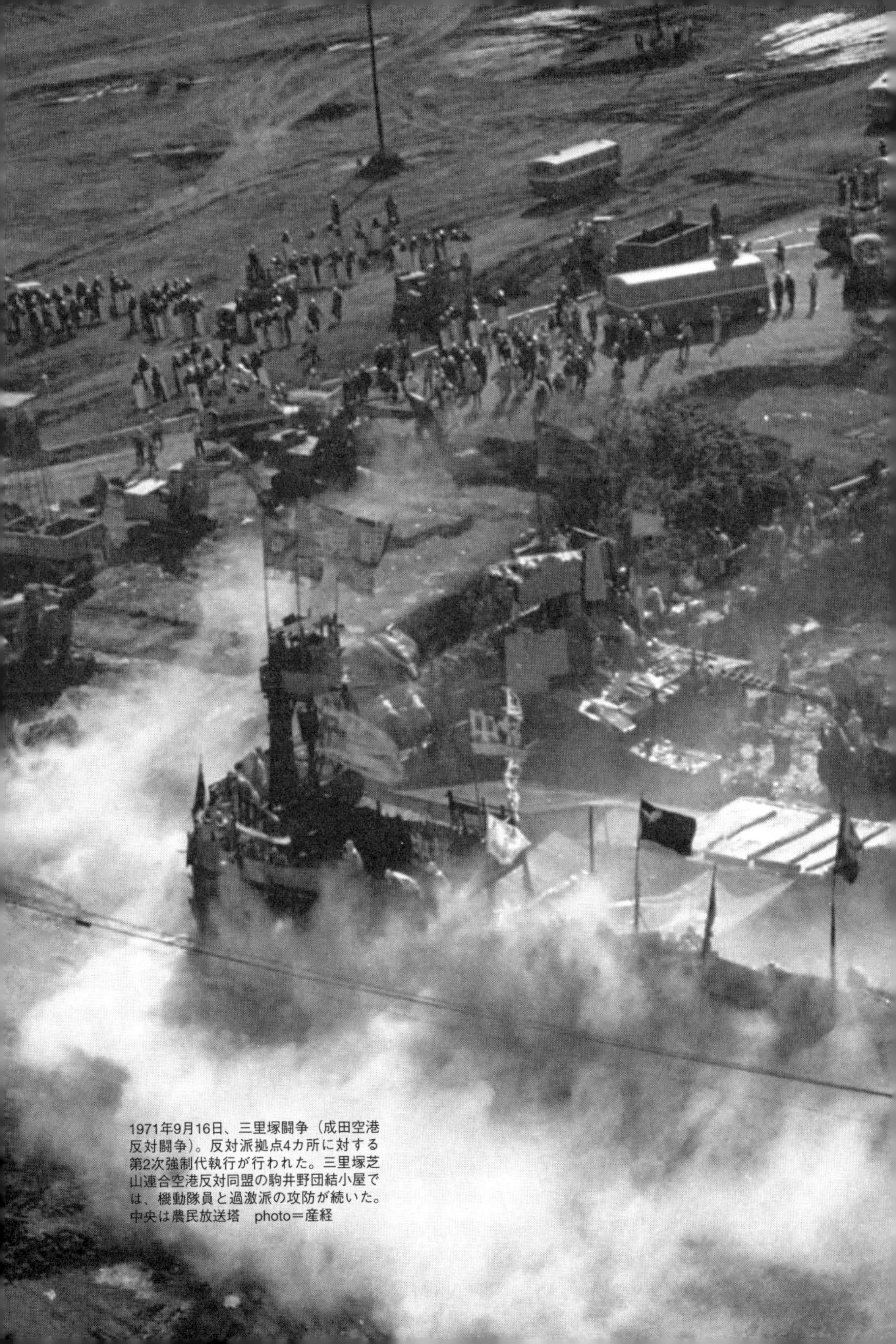

1971年9月16日、三里塚闘争（成田空港反対闘争）。反対派拠点4カ所に対する第2次強制代執行が行われた。三里塚芝山連合空港反対同盟の駒井野団結小屋では、機動隊員と過激派の攻防が続いた。中央は農民放送塔　photo＝産経

山岳ベース略図

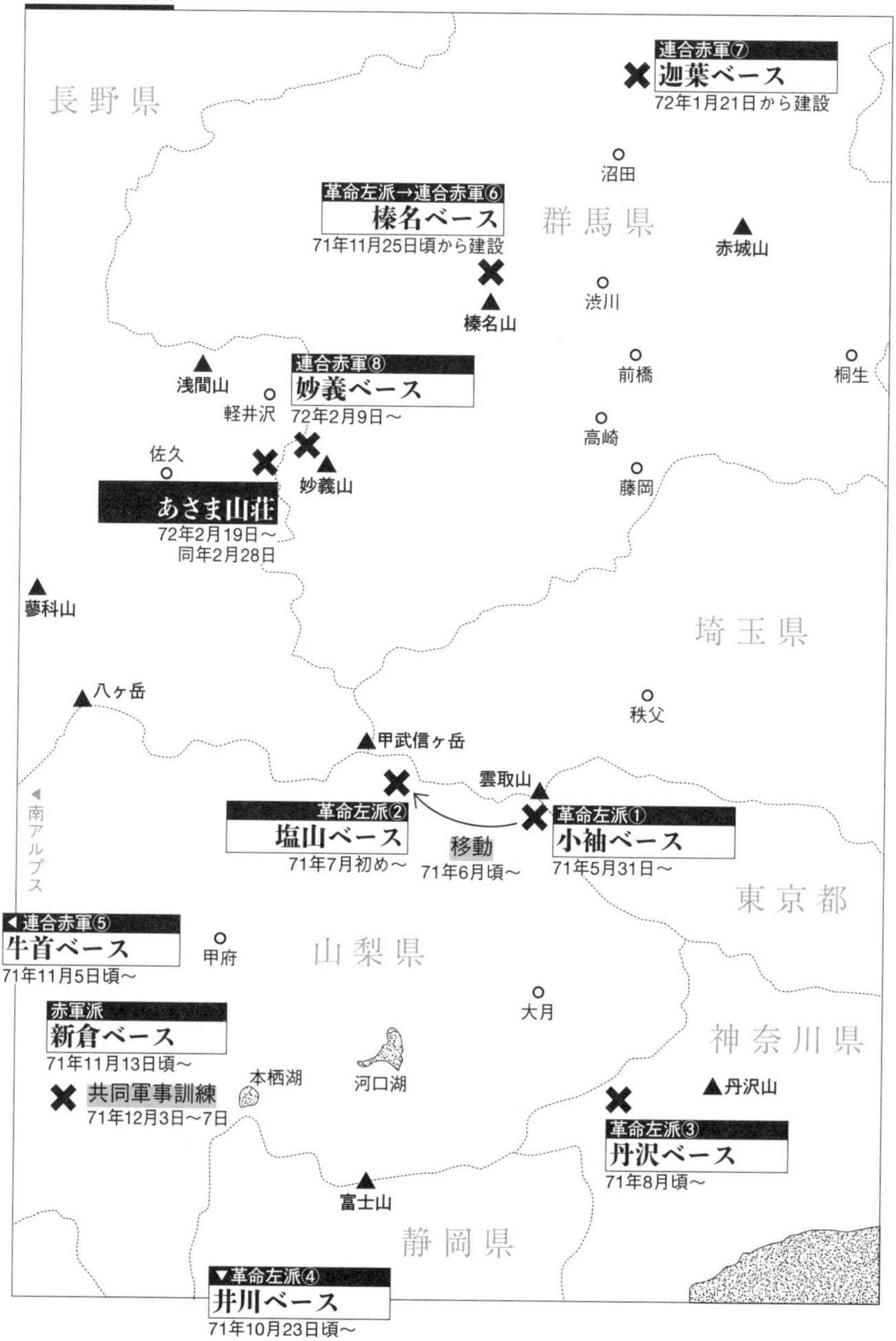
長野県
連合赤軍⑦
迦葉ベース
72年1月21日から建設
沼田
革命左派→連合赤軍⑥
榛名ベース
71年11月25日頃から建設
群馬県
赤城山
渋川
榛名山
前橋
桐生
浅間山
連合赤軍⑧
妙義ベース
72年2月9日〜
軽井沢
高崎
佐久
妙義山
藤岡
あさま山荘
72年2月19日〜
同年2月28日
蓼科山
埼玉県
八ヶ岳
秩父
甲武信ヶ岳
雲取山
南アルプス
革命左派②
塩山ベース
71年7月初め〜
移動
71年6月頃〜
革命左派①
小袖ベース
71年5月31日〜
東京都
連合赤軍⑤
牛首ベース
71年11月5日頃〜
甲府
山梨県
大月
赤軍派
新倉ベース
71年11月13日頃〜
神奈川県
本栖湖
河口湖
丹沢山
共同軍事訓練
71年12月3日〜7日
革命左派③
丹沢ベース
71年8月頃〜
富士山
静岡県
革命左派④
井川ベース
71年10月23日頃〜

3

連合赤軍の成立と「総括」

死に至る総括の過程と森・永田らの逮捕

1971–1972

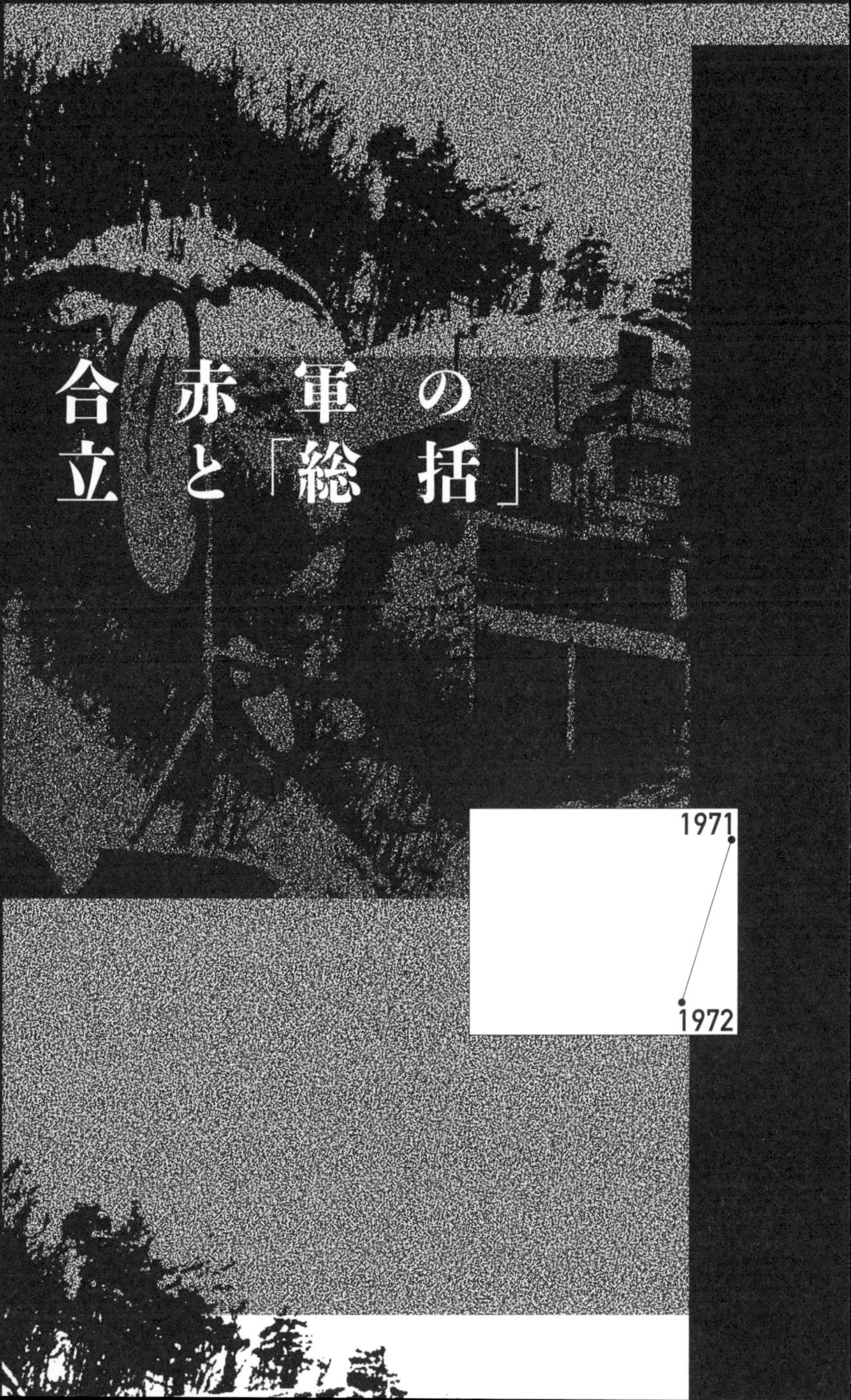

共同軍事訓練へ

11月30日 赤軍派との共同軍事訓練のため、まず革命左派の大槻節子、杉崎ミサ子が赤軍派の新倉ベースに出発。

植垣康博は赤軍派と革命左派の軍事訓練参加メンバーを新倉鉄橋まで迎えにいく。

12月1日 赤軍派合法メンバー遠山美枝子、行方正時、青砥幹夫が植垣と合流。植垣は軍に入るという女性が遠山であることを知り、やっていけるのか不安に感じる。

革左の本隊7名(永田、坂口、寺岡、吉野、前沢、岩田、金子みちよ)が出発。高崎で先発隊から身延駅などの安全を確認し、八ヶ岳の山小屋で1泊。

12月2日 革左の本隊、小淵沢→甲府→身延と電車を乗り継ぎ、さらにバスで2時間かかって、迎えの植垣と合流。植垣は「水筒を持ってきましたか？」と詰問。さらに2時間歩いて尾根まで出て宿泊。植垣の水を沸かし食事に。水なしでどうするつもりだったかと問われ、吉野は革命左派は沢づたいに動いていたので水の用意はいらなかった、と答える。植垣はトランシーバーで水を持ってきてくれるよう、ベースに依頼。

水筒問題で赤軍派が革左を非難

12月3日 森は、水や食料を持っていく進藤、青砥らに、水筒問題で革命左派を批判するよう指示。

両派の訓練部隊は、水を持ってきた赤軍派の山崎順と進藤隆三郎に合流。進藤は初対面だったが挨拶もそこそこに「何で水筒を持ってこなかったんだ」と批判。山崎も加勢し、気まずい雰囲気となる。昼頃、やはりトランシーバーで植垣が依頼した昼食を持って青砥が迎えに来る。青砥も開口一番、水筒の不携行を批判。

午後、小屋に着いたときも、森をはじめ赤軍派は水筒問題で革命左派を激しく批判。この追及について坂口は、森が共同軍事訓練のヘゲモニーを握るため下部にも批判させたのだろうと推測している。結局、永田の自己批判によりけりがつくまで、共同訓練は中

12月3日 第3次印パ戦争始まる。

止せざるをえないかとさえ思われるような気まずい雰囲気が続いた。

夕食後、初めての全体会議。赤軍派の出席は森恒夫、坂東國男、山田孝、青砥幹夫、行方正時、遠山美枝子、植垣康博、進藤隆三郎、山崎順の9名。革命左派も同数だった。両派の代表挨拶は、坂東と永田。坂東の長い挨拶を、ここでも永田は「何をいっているのかよくわからなかった」。

▼永田は遠山の決意表明に注目したが、それは「私は革命戦士になるんだ。今はそれしかいえない」というだけのもので、女性問題に強い関心を持ち、また赤軍派の女性兵士という存在に興味を抱いていた永田は失望した。また他人の発言中にブラシで髪をとかしたり、唇にクリームを塗ったり、ねそべったりする態度を苦々しく思った。「とはいえ、私は苦々しく思っただけで、それを批判する意図は毛頭なかった」。

遠山批判の始まり

12月4日　午前中、簡単な銃の使用訓練。ただし森の要請で永田は残り2人で会議。森はうって変わったような笑顔を見せ、赤軍派9人の評価、M作戦で警察に銃を奪われたことの自己批判、銃の譲渡の要請などを行なう。永田は銃の要請を保留し、遠山の革命戦士としての資質について疑問を表明する。内容は、合法時代と同じ指輪をしている（＝革命的警戒心が足りない）。赤軍派では幹部の夫人が特別扱いされているので、森も遠山（赤軍派幹部・高原浩之夫人）には、ものが言いにくいのかと感じていた。

午後はストーブにくべる薪作り。新倉ベースは高い山に囲まれた谷間にあり、雪が少し積もっていた。小屋のそばに水量豊かな沢があり厚い氷が張っていた。水はこの沢から汲み上げていたが、寒さのためすぐ凍ってしまい、使用する度に水を汲んでこなければならなかった。

夜、全体会議。森は革命左派の12・18上赤塚交番襲撃闘争と、2・17真岡銃奪取闘争を理論的に位置づけて評価し、自派の米子M作戦でその銃を失ったことを自己批判。ついで青砥に革命左派の女性との恋愛問題、植垣に丹沢ベースでの痴漢行為問題を自己批

12月4日　国会で「土地強制使用法」ほか沖縄関係国内法案が審議される中、翌年に予定される沖縄返還後、米軍撤退後の用地の一部を自衛隊が引き続き使用しようとしていることが明らかに。瀬長亀次郎議員は自らの体験から沖縄県民がどんな屈辱を受けたかを説きながら、土地強制使用法案は県民に対するさらなる差別を生むと訴えた。

異色のTVドラマ『お荷物小荷物・カムイ編』放送開始。脚本・佐々木守。2月開催の札幌オリンピックを踏まえ、好評だった前作に続いて、中山千夏がアイヌ集落の首長の娘を演じ、アバンギャルドな番組展開は「脱・ホームドラマ」と呼ばれた。

『お荷物小荷物・カムイ編』

判させた。その後、革命左派に瀬木の脱走問題と是政での大量逮捕の総括を要求。永田は、都市アジトと山岳ベースの結びつきによって克服するなどと述べる。

▼**12月5日**　朝から大雪のため、小屋内で銃の肩付け訓練と柔軟体操。

▼夕方、全体会議。森は前日の瀬木脱走と是政大量逮捕問題の総括をむし返す。永田も同じように答えるが、森は納得せず、気まずい雰囲気が支配。

▼夕食後、永田は、遠山が相変わらず指輪をしていることを批判。他の革命左派メンバーも遠山に「なぜ共同軍事訓練に参加したのか？」を問い始める。森は坂東、山田、青砥の3人と相談の上、「革命左派の批判は方法の問題として学び、作風・規律問題として解決していく」と表明。しかし指輪を取らせるわけではなかったので、批判は続いた。曰く「山と都市との位置づけが曖昧」「合法時代と髪型、同じ偽名を使っている」「会議での態度が革命戦士にふさわしくない」等々。これが一連の総括要求の発端となった。

遠山問題で赤軍派自己批判

▼**12月6日**　朝、赤軍派だけが独自に会議。森は赤軍派メンバーに、革命左派が山を離脱した2人を殺害したこと、および革命左派の山での相互批判―自己批判の様子を教え、以下のことを意思一致した。①山岳根拠地論を軽々しく批判しないこと②遠山批判は赤軍派全体に対する批判として受けとめること③遠山自身が積極的に受け入れ、行動的な面から改めること④そのため遠山が自己批判すること⑤メンバー全体で責任を持って解決すること。

▼その後、革命左派に向かい「遠山さんが総括できるまで山を降ろさない。山を降りる者は殺す」と宣言。永田は「どうせ言葉だけだ。しかし、そういう気持ちで頑張って欲しい」と考え、坂口は「われわれの2人の処刑を念頭に置いている……本気でそんなことをするはずはあるまい……」と思いつつ、衝撃を受けた。

▼森は続いて「作風・規律の問題こそ革命戦士の共産主義化の問題であり、党建設の中心的課題」「革命左派の相互批判―自己批判は自然発生的な共産主義化……それを評価す

▼**12月6日**　韓国で朴正熙大統領が、国家非常事態を宣言。

るとともに、目的意識的なものに高めあげ、その観点から各個々人の革命運動に対するかかわりあい方を問題にしなければならない」と表明。永田は遠山批判が受け入れられたことに満足し、また自己批判を目的意識的な共産主義化に高めるという森の主張に、2・17真岡銃奪取闘争後の課題であった思想問題を解決できると思い、大きな期待を寄せた。

午後は射撃訓練。永田は初めての実射だったが、何とかこなした。夕食後、全員が実射訓練の感激をこもごも語る中、腹を打ったと訓練途中で戻った遠山に両派から批判が続出。森が、それを今までの遠山の活動批判へと広げ、高原との結婚の理由などまで激しく問いつめた。途中で帰る遠山を送ろうとした行方にも総括が要求された。

12月7日 共同軍事訓練最終日。「論理的なものにひかれて革命運動に入った」という山田に、森は「活動を楽しいと思ってきたか？」と問い、「楽しいと思ったことは一度もない」という答えに「共産主義的人間性を求めて入るべき」と言う。植垣は物理を通して革命運動に関わったと発言。両派の代表による射撃競争の後、全員が決意表明。森は生い立ちから第2次ブントの総括まで長時間にわたって語るうち、感極まって泣き出す。もらい泣きするものも出、坂口も胸をジーンと熱くした。永田はその涙の理由をよく理解できず。終わりに革命左派が赤軍派に猟銃を1丁渡す。

主体の「共産主義化」論

12月8日 永田、坂口は引き続き留まり、森、山田と指導部会議。森は銃による殲滅戦論を展開。その中には「銃による殲滅戦は、銃を握る主体の共産主義化を党建設として目的意識的に行なうことによって始めて勝利できる」等の内容もあり、永田は従来の自派の「銃を軸とした建党建軍闘争」をより一層理論化したものと思い、森に信頼の気持ちを持つ。坂口は「森のペースで怪しげな理論が作られていくことに不安を募らせていた」と著書に記している。植垣も「理論としては明快だが、そこまで単純化していいか不安も残った」と書く。

12月9日 森は行方、遠山、進藤たち（3人とも赤軍派）への批判を継続。行方へは「雑

12月7日 ソ連の「火星3号」が初の軟着陸に成功（打上げは5月28日）、とタス通信が発表。

12月8日 米国の女優ジェーン・フォンダほか反戦活動を展開する自由劇団（FTA）24人に対して入国を拒否した羽田の入管事務所が、仮上陸を認めたものの、入国不許可を通告した。一行は法相に対し異議を申し立てた。

水俣病認定患者ら及び「水俣病を告発する会」が東京丸の内のチッソ本社と自主交渉を要求しすわり込み開始。10日には排除のために機動隊が出動した。

新潮文庫の新刊棚に高橋和巳『邪宗門』が並ぶ。260円。今月の新刊、ほかには『暗い旅』（倉橋由美子）、『国盗り物語』（司馬遼太郎）、『京の川』（水上勉）。

談はするが討論には加わらない、行動力がない、自主的な判断力に欠ける」など。進藤へは「愛人の女性持原の逃亡問題に組織の責任を云々するが自分自身の問題として総括していない、個人主義的な行動が多い」など。

12月12日　永田、坂口、榛名ベースに戻る。山本順一が入山していた。合計16名。

ベースに小屋が完成

12月15日　木立に覆われた山の斜面に小屋が完成。斜面を削って整地し、丸太や板を使った山小屋風のもので縦約7メートル、横約5メートル。屋根はトタンにし、廃屋になっていた旅館の雨戸やガラス戸をうまく使っていたなかなかのものだった。

永田に女性たちが不満を訴える。小嶋は「逃げることを考えていると言ったのは、自分の中にブルジョア思想が入ってきたから。これと闘って山で頑張る」。杉崎ミサ子は「(寺岡や吉野に)寺岡に頼って自立していないと批判された。割り切れない」。金子「お腹の子どもにひびくといけないと実射させてもらえなかったことを批判したら、逆に批判された」など。

12月17日　尾崎が帰山し、12・18政治集会が京浜安保共闘と革命戦線の共催でなく、革命左派と赤軍派の主催になっていると報告。アピール集を見ると川島豪の影響が感じられ、永田は問題視して、岩田と大槻に反対アピールを持って集会に派遣。

12月18日　さらに再修正のアピールを持って前沢ら2人が政治集会に出発。

永田はラジオで、土田國保警視庁警務部長の自宅に届いた小包が爆発し夫人が死亡したニュースを聞き、爆弾でなく銃なら他人を巻き込むことなく目的を達することができる、つまりテロリズムの克服が銃による殲滅戦であると考える。

新党の協議

12月20日　新党の内容を協議するため、森と坂東が榛名ベースに来る。指導部会議で森が小嶋をはじめとして革命左派メンバーを批判。永田の反論で女性論に移るが、「女性

12月12日　東アジア反日武装戦線の大道寺将司、片岡利明ら3人による興亜観音像等爆破事件。

12月16日　第3次印パ戦争でインドが圧勝し、バングラデシュ人民共和国が宣言される。

12月18日　警視庁・土田警務部長宅に爆弾小包が配達される。夫人が即死、四男が重傷。

12月19日　大阪市長選挙で、社会党、公明党、民社党推薦の大島靖氏が当選。全国初の社公民首長、社公民推薦の「革新首長」と言われた。

の性そのものを否定した女性蔑視の観点を女性の革命戦士化の問題として持ち込む……私たち以上に極左的なもの」だったと永田は回想する。その後は、中国革命の歴史的評価とそれを通じた共産主義化などについて全面展開。永田は、自分たち以上に毛沢東思想を理解していると畏敬の念を抱く。だが坂口は、「そう思ったのは永田1人だったろう」と、著書に書く。

12月21日　引き続き指導部会議。極左的実践路線の限界に直面していた永田は、森の革命主体の共産主義化論に「すがりついた」。そこで森と永田は「われわれになった立場から共産主義化を追求」していくことを確認。路線問題を切り捨てたまま、新党の結成が決まった。

▼「われわれになったこと」は革命左派の全体会議で公にされた。坂口の経過報告、永田と森の挨拶の後、一人ひとりが発言。早岐と向山の処刑に関する小嶋の発言を森が聞きとがめ批判。森の革命左派メンバーに対する最初の批判となった。

夜、是政で逮捕された加藤能敬が不起訴となりベースに戻る。加藤は12・18集会への指導部の対応（主催から革命左派の名を外すように要求したことなど）に、岩田とともに意見書を提出。永田は、集会を準備した合法部（京浜安保共闘）の方に非があり、意見書には事実誤認があること等を告げると、加藤らは納得し自己批判。

加藤は、取り調べ時の刑事との雑談を自己批判するよう求められる。また集会に革命左派を代表して行った尾崎は、帰路に尾行され山の者が全員逮捕されることに備えて、合法部に銃の隠し場所を教えたことを批判される。

山本、妻と生まれたばかりの子どもを連れて来る。

指導部会議、続く。加藤に総括要求

12月22日　前夜から未明まで、森が60年代の階級闘争の追体験が必要と語り始める。永田はスターリン全面批判に戸惑う。

午後、指導部会議再開。被指導部が歌を歌い出すと、森は「歌は力強く歌うべきで、あ

12月20日　ナイジェリア内戦中のビアフラに派遣されたフランス人医師たちを中心に「国境なき医師団」が創設された。

12月21日　官公庁のトップを切って、愛媛県が１９７２年春から隔週週休２日制を決めた。

川崎市の公害病認定患者数が８２０人となり、四日市市の認定患者数８００人を越えた。ちなみに横浜市の認定患者数は１１５人。

12月22日　国連総会は新事務総長にオーストリアの国連大使クルト・ワルトハイムを任命する。ワルトハイムは81年12月まで事務総長を務める。その後、戦前のオーストリアでナチス突撃隊に所属していたという事実が公表されたものの、86年、オーストリア大統領に当選する。

のように楽しく歌うならやめさせろ」と指示。

夕食後、全体会議。森が加藤能敬に対し、逮捕前後の行動を問いつめ批判。

12月23日　赤軍派の山田孝が榛名ベースに来る。

夜、指導部会議。このときから森、山田、坂東（以上赤軍派）と永田、坂口、寺岡、吉野（以上革左）の7人で構成。森、ブントの闘争史を語る中から、赤軍派は上からの党建設を追求できたが、革命左派は下からの党建設主義であり、自然発生的な自己批判―相互批判しかできなかったと総括。

森への屈服

12月24日　午後、指導部会議。森、60年代階級闘争の総括の続き。69年の4・28沖縄デー闘争でブントが共産主義突撃隊を作り、爆弾闘争を組織したことを強調。永田はこれを聞き、4・28に参加すらできなかった自派は遅れていると思う。坂口は黙っていたが、顔では納得していない様子を隠さず。吉野は淡々と話を聞く。寺岡は森の内容に積極的に同意し始める。永田はその同意は、自分たちに銃による殲滅戦の理論的支柱がないことが原因と感じていた。

▼また川島批判の中で、川島が打ち出した路線を「永田さんが打ち出した」と強引に決めつけ、革命左派指導部は沈黙する。

▼60年代階級闘争の総括は、69年7・6の内ゲバ（赤軍派がさらぎ議長に暴行）から森が離脱したところまできて、森の独白に近いものが展開され進まず。その展開も、主に山田や坂東に向けて語ったもので、革命左派にとっては不得要領のものだった。

12月25日　加藤能敬と小嶋は、総括のため作業から排除されノートを広げて話し合う。

指導部会議では、森が革命左派の歴史を問い、川島豪の偽装転向について、本当に気がおかしくなったのだと激しく批判。60年代の追体験を終わらせようという永田に、森は共産主義化の問題をしっかり把握するために加藤と小嶋の総括が行なわれているので、

12月23日　映画会社の大映が不渡手形を出し、倒産。

12月24日　新宿・追分派出所でクリスマスツリーに偽装された爆弾が爆発し、警官、通行人ら死傷。

12月25日　フジテレビ『ママとあそぼう！ピンポンパン』から「ピンポンパン体操」（作詞・阿久悠、作曲・小林亜星）がシングルリリースされる。1か月後には50万枚の売上げ。

そちらが先と主張。

▼夕刻、森は加藤と小嶋を別々に総括させろと席を離し、2人の闘争歴を永田に尋ねる。また、夕食抜きで総括が命じられる。

12月26日　森が、自然発生的にではあれ永田が共産主義化をかちとってきた理由を明らかにしようと生い立ちを問い、永田は典型的な労働者の家庭に生まれた（父は工員、母は看護師）ことを強調する。また山本順一夫婦の子どもがベースで育てられていることを評価し、自分も妻子を呼ぶと発言（実現せず）。

▼同日、赤軍派の新倉ベースでは、植垣と一緒に風呂に入った進藤が「どうしても死ということを考えてしまう」ともらす。

▼植垣、新党結成の話を聞き、とまどう。

▼新倉ベースで、進藤は前夜をまんじりともせずに明かす。眠れなかったのかと問う坂東に「自分を信用して欲しい。山から逃げないから」と答える。しかし「不安が大きい」とも述べた。

森、革命左派に川島との分派を迫る

26日夜の指導部会議で、森は、革命左派の「下からの党建設」を否定し、「上からの党建設」として、遅れている川島との訣別↓分派し新党の結成、を迫る。永田は綱領問題など未解決のままの分派に不安を抱くが、森の共産主義化論の前に自主性を失っていたため、強く反論できなかった。寺岡も同じような反応を見せ、坂口は分派に抵抗がある様子を見せた。

永田が示した暴力的総括への嫌悪感と、坂口の反応

▼この会議中、中座した永田に小嶋が「加藤が夜、変なことをする」と訴える。加藤と小嶋に腹を立てた永田は、指導部会議に報告（小嶋へは「加藤の隣に寝たあなたにも問題がある」と腹を立てた）。坂口も、加藤に怒り。森は「総括要求されている加藤がそれ

12月26日　米軍200機が大規模な北爆。出動は延べ1000機。

を隠しているのだから、もっと聞き出すために殴ろう」と提案。さらに「革命左派は暴力的分派闘争の必要を考えてみなかったから、指導として殴ることが考えられなかった」「指導として殴ろう」と理屈付けた。永田は、それによって共産主義化を勝ちとることができるならと、殴ることに同意した。しかし同意の瞬間、平静でいられず、こたつの中の手がブルブル震えた。隣にいて、その震えを知った坂口は永田の「手を握ってくれた」。以後、しばらく永田は手が震える事態が来ると、坂口の手を求め、坂口もそれに応えた。

▼なお、坂口、吉野、坂東の証言では、永田は指導部会議に「嫌なものを見た。加藤と小嶋が接吻をしていた。神聖な新党の場が汚された」と訴えたとなっている。

加藤能敬・小嶋への暴力的総括が始まる

森は、中央委員に殴る手順を指示する。山田は「今一度、殴ることとの意味を確認させてくれ」と要求。森「新しい指導として殴る。共産主義化をかち取らせるため」と答え、既に寝入っていた被指導部を起こさせる。加藤、小嶋を除いて7人のメンバーが起きてきて、加藤の周りを取り囲んだ。27日の未明になっていた。

12月27日 「何か隠していることがあるだろう！　それを言え！」と森が殴り始めると、だんだん他のメンバーも「総括しろ！」と同調しだした。他のメンバーにとっては、総括を求められている最中の加藤がなぜまた総括に値する行為をしたのか、という無念さが動機となったようだ。

▼小嶋については女性が殴ろうと思っていた永田だが、混乱してしまい、坂口と坂東に小嶋への殴打を促した。

▼総括要求が続く中、加藤と小嶋は様々な〝告白〟を行なう。その中には単なる思いを述べただけのもの（女性の胸を触ろうとした）や、トラウマとなっている出来事（レイプされた）など色々なことがあったが、総括は終わらなかった。永田は、加藤の2人の弟が手を出していないことに気付き、「兄さんのためにも、自分のためにも殴りな」と声をかける。上の弟（倫教）は涙を流しながら「兄さんが闘い始めた理由を総括しなければ

12月27日 群馬県白根山草津スキー場でスキーヤー6人が有毒ガスで死亡。

いけないんだ！」と4～5回殴り、みんなの輪から出ていった。下の弟（元久）はしばらく殴れずに体を硬くしていたが、結局、同じようにした。明るくなり始めた頃、加藤への追及が終わり、加藤はそのまま縛られた。

▼森は、殴ったことが「同志的援助」であることを全体会議で確認せよと指示。みんなは「気抜けしたようにボンヤリしてい」た。このとき吉野が急に発言を求め、自分には自己批判するべきことがあると、声をふりしぼるように自己批判。加藤へ厳しく当たった以上、自分もと思いあまってのことだった。

●昼頃、大槻ら3人がベースにもどる。

新党の成立

●午後の指導部会議で、森は永田らに川島との訣別―分派闘争を再び迫る。永田らは「同志を殴ったのだから銃の観点を持たない川島にはもっと激しく当たるべき」と分派に同意。この時も永田の手は震え、坂口がそれを握った。森は「分派するなら新党結成を考えるべき。加藤、小嶋を殴ったことに責任を持たねばならない」と新党を宣言。「川島は私にとって巨大な存在」という心情の坂口は、なかなか同意できなかったが、永田、寺岡、吉野が賛成に回り「断崖絶壁に立」たされた心境となり、ついに決心する。このときは坂口が永田の手を求めた。2人が互いの手を探りあうのは、この時が最後となる。

▼森は、これまで永田を特別視しており、共産主義化の視点から問題となることでも、永田に対しては追及しなかったが、この日以降、坂口をも特別視することとなった。

永田の責任

▼後に永田はこの時点の新党結成を振り返って、各人の共産主義化という方法論で一致はしたものの、路線問題は捨象されていたため、反米愛国という革命左派の立場は放棄されていなかった。したがって森の指導的立場は不安定で、その強化のためには不断に暴力的総括要求をしなければならず、ここに12名の同志「殺害」に至る必然性があったとし、路線問題を曖昧にしたまま新党結成に同意した自分の誤りと責任は重大と述懐する。

連合赤軍

●夜の指導部会議で、南アルプス新倉ベースにいる赤軍派6人を榛名ベースに呼び寄せることを決定。

尾崎充男への総括要求始まる

●**12月28日** 森が、小嶋を縛って拘束するよう指示。ガラス戸から外を見ているのは逃げようとしているからだ、というのが理由だった。

●永田が全体会議で赤軍派の残りのメンバーの合流を報告。森は（総括経験などによって）、ここにいる者の方がはるかに進んでいるので、彼らを指導して欲しいと発言。また永田が、指導部が60年代の階級闘争の追体験をしていることを話すと、被指導部メンバーは興味を抱く。

●坂口に不整脈が出て、寝込む。川島との訣別、新党結成などの葛藤と重圧が招いたものと永田は思った。

●夜、全体会議。加藤・小嶋に対する総括要求に関連して全員が自分の問題点を切開。森は以下のように尾崎を問題にする。①加藤問題を各自が内なる問題と自己批判して殴るべきなのに「よくも自分を小ブル主義（プチブルジョア主義）者と言ったな」と発言したのは個人的な恨みから殴っただけ。②銃の隠し場所を合法メンバーに漏らしたのは問題。その前提に山のメンバーが逮捕される事態を想定している。森の追及が続くうち、合法活動時代に行動をともにしていた岩田や大槻節子が、尾崎批判を引き継ぐようになり、「12・18（上赤塚交番襲撃闘争）で日和り（＝参加せず）、柴野さんを死なせてしまった」と発言。森は「そんなお前がコタツの中に入っている資格があるのか！」と一喝。尾崎はすぐコタツを出て板の間に正座する。森は日和見主義は敗北主義・投降主義に転ずると激しく批判。

尾崎に格闘を命令

●**12月29日** 尾崎の日和見主義の克服のため、12・18闘争を再現して警官と闘わせることになる。警官役は坂口が立候補。この格闘はすさまじいものになった。本気で突っ込む

社会状況および注

●**12月29日** 警視庁「極左暴力取締本部」が、爆発物取締罰則、強盗傷人などで指名手配されている「過激派」26人を逮捕するため、都内アパート・ローラー作戦を開始。

尾崎に対して坂口も殴り返す。尾崎はほとんど一方的にやられるが、森や山田は倒れる尾崎を引き起こし、「そんなことで総括できると思ったら大間違いだぞ」「起きあがらなくても権力は遠慮しないぞ！」などと怒鳴りながら、何度も何度も飛びこませた。永田は耐え難い思いで見ていたが、正視することが自己の共産主義化に必要なのだと思い、「頑張れ！」と言うだけだった。縛られていた加藤も涙声で「頑張れ！　頑張れ！」と声をかけ、小嶋も「(警官を)殺すのよ！」と叫んだ。

▼この格闘がどのくらい続いたのか、誰も具体的に書いていない。永田の著書には「相当長い間」「えんえんと続く」、坂口本には「非常に長く感じられ、小1時間も経ったか」とある。それでも終わらなかった。永田の提案で、坂口は15分ほど殴られっぱなしにするが、森が元通りにしろと指示。約15分後にやっと終わると、尾崎は森の前に両膝を折り頭をたれ両手を差し出して「おやじさん、ありがとう」。森は尾崎の肩に手を置いて「よくやった。しかし、これで総括ができたと思うなよ」と答えた。永田は尾崎に「甘えるな」と批判。

▼森は金子に、格闘の途中で席を外した理由を聞く。金子は「あんなことをしても尾崎君が立ち直るはずがないから」と答えた。金子は以後、総括には賛成しても暴力にはきわめて消極的になる。この時以降、森は金子に批判的になった。

▼格闘の評価に対する指導部会議で、森は尾崎の「ありがとう」発言とその後のみんなへの態度を批判。総括要求が終わったと誤解している尾崎をシュラフに休ませるのは誤りと断罪し、立ったまま総括しろと命令。

▼夜、全体会議。出かけているメンバーが多く、在ベースは5人の指導部、縛られて総括中の加藤と小嶋、立たされて総括中の尾崎の他、下部メンバー8名の合計16名。

▼杉崎ミサ子が「自立した革命戦士になるため」寺岡と離婚すると表明。金子も同じく吉野雅邦との離婚を表明するが、永田はケースが違うと取りなした。

▼会議中、尾崎が何度も休ませてくださいと懇願するが、森は聞き入れず、徹夜の総括を命令。吉野を見張りにつける。

▼熊本水俣、チッソ本社で被害補償のため17日間すわり込みを続けた水俣病認定患者と家族らが会社側と交渉。乱闘騒ぎで物別れに。

▼静岡県島田市のタイル業を営む一家4人が殺害され、針金で縛られたうえ柱に結びつけられて発見される。いわゆる未解決事件である島田一家殺人事件。

尾崎を縛る

12月30日 午前の指導部会議で吉野が「尾崎は何度も横にならせて下さいと来るなど、全く総括する態度ではない」と報告。森は「加藤や小嶋と違うと思っている」から、厳しく総括させるために同じように縛ろうと提案。戸口の横に立ったまま縛る。

午後、加藤の様子を見た森が「手に水泡ができた」と動揺。しかし山田と相談した後、たとえ腕の1本や2本なくなっても革命戦士になった方がよい、と再び態度を硬化。

夕方の指導部会議で、永田は60年代階級闘争の追体験の続きを要求。森は塩見孝也が共産主義化を提起したことを強調し、今なら塩見の過渡的綱領で一致できるはずと提案。

夜、新たに中村愛子が入山。永田が各自の共産主義化の位置づけを手短に説明。永田は尾崎の見張りに付くことを申し出、塩見の「民民革命論（民族民主革命論）の検討」を読むことにする。読後、同書は毛沢東思想の評価や日米複合権力論の点で革命左派の主張に近いと感じる。

12月31日 永田は下部メンバーに、「塩見の日米複合権力論により共産主義化の地平で新しい政治路線が獲得できる。これは新しい反米愛国路線で、川島のは古い反米愛国路線だ」と話す。森は不機嫌そうに、反米愛国路線という言葉を使わないように迫る。これは以後、守られた。「この事態で森はますます路線論争は避けないと新党は成り立たないと理解した」と永田は述懐する。

夕方、尾崎の「すいとん、すいとん」という発言に森は激し、もっと分からせようと、指導部で膝蹴りを交えて殴打。はじめ呻いていた尾崎は、やがて蹴られるままになった。

ここに、坂東と山本順一が赤軍派の3人（遠山美枝子、行方正時、進藤隆三郎）を連れて戻ってきた。加藤は座ったまま縛られ、小嶋は横に寝かされて逆エビ状に縛られ、尾崎は立ったまま鴨居に渡したロープに繋がれていて、張りつめた空気がただよっていた。坂東は驚き（28日の午後、赤軍派残留部隊を迎えに出発するときには尾崎は普通に行動していた）、遠山らは初めて見る異様な光景に圧倒されていた。

12月30日 日米合同委員会、東京にある米軍調布飛行場の返還を決定。

12月31日 『知床旅情』で加藤登紀子が日本レコード大賞・歌唱賞を受賞する。

尾崎充男、死亡（ベースで最初の死者）

▼夜、吉野が「静かにではあったが驚いた様子で」尾崎が死んでいると報告。永田「目がまわり自分の体がどこまでも沈み込んでいくような不安に襲われた。……突然のことで尾崎氏の死が実感として感じられなかったし、「殺害」したという感じさえしなかった。……こんなことで動揺してはならないと思っていた」。坂口「頭の中が空白になった。やがて動悸が始まり、大変なことをしてしまったと思った。自分のイニシアチブでこの重大な事態を収拾しなければなどとは思いもよらなかった」。

▼森は山田と少し話し合い「尾崎の死は、共産主義化の闘いの高次な矛盾、総括できなかった敗北死であり、政治的死である。共産主義化しようとしなかったために、精神が敗北し、肉体的な敗北へと繋がっていったのだ。本気で革命戦士になろうとすれば死ぬはずがない。革命戦士の敗北は死を意味している」と総括（坂口の述懐）。他の指導部メンバーはこの論理を受け入れ、全体会議で尾崎の死とその総括を明らかにした。尾崎の死には全員が「シーンとした」が、敗北死という総括と、永田の「私たちは命をかけて共産主義化を獲ち取らなくてはならない」「加藤、小嶋の2人を必ず総括させよう」という発言に「異議なし！」と答える。

▼全体会議中、加藤と小嶋は内容を聞かれないよう小屋の外に出し、山田と岩田が見張りに付いた。また坂東、吉野、前沢の3人は尾崎の遺体を埋めに行った。

▼夕食は永田の発案でベースでは贅沢品だったパン、コンビーフ、コーヒーを出した。

▼新倉ベースで、進藤は前夜をまんじりともせずに明かす。眠れなかったのかと問う坂東に「自分を信用して欲しい。山から逃げないから」と答える。しかし「不安が大きい」とも述べた。

1972

進藤批判、始まる

▼**1月1日** 全員の決意表明が終わった零時過ぎ、森は激しく進藤批判を始める。ルンペ

▼この年、不況下の物価高（スタグフレーション）が問題に。ボウリング・ブーム。スマイル（ピース）バッチ流行。

ン的という批判に 対し進藤は、山谷で生活をしていて闘争に関わったと述べる。「山谷物語を聞いてるんじゃない！」と遮る森に対し、進藤は「でも僕が革命運動に関わるようになったのは山谷だから」と反論。坂口は進藤が森に反論したことに、強い印象を受けた。

▼進藤は問題に一つひとつ重苦しい感じで答えていった(六本木の芸者だった女性を金目当てに活動に引っ張り込んだこと、その女性と組織抜けを考えたこと、赤軍派への加入もM作戦の金が目的だったこと、新倉ベースでも逃亡を考えたこと等々)。

夜明け頃、進藤は「縛ってくれ、自分はその中で総括する」と言う。森は「要求は拒否する！　我々はお前を指導として殴り縛る！」と宣言。女性や金問題で進藤に怒りを高めた他のメンバーも、進藤を取り囲み、殴打が始まった。指導部の男は、気絶させようと腹を集中的に殴った。気絶から蘇生することで、総括できるという論理(？)が共通認識されていた(→227頁)。当初進藤は殴られるたび、「分かりました」「総括します」などと答えていたが、次第に「こんなのが総括なのか」「ちょっと待ってくれ」(永田)、「革命戦士になるために何でこんなことが必要なのか！」(坂口)と言い始めた。森は「何が総括か自分で考えろ！」と続け、下部メンバーにも殴らせた。女性が殴ると進藤は「ありがとうございます」と一人ひとりに頭を下げた。

▼行方と遠山はベースに来たばかりで、殴打は未経験だった。森に促され行方がまず殴ったが、明らかに弱々しい殴りだった。遠山は「私には殴れない」と躊躇したが、森は「殴れ」と強い口調で言い、遠山も必死の面もちで数回殴った(坂口の著書では、みんなで遠山に対し「だらしない！」と非難したとなっている)。

▼殴打中、進藤は2度失禁。外で縛ることにすると、進藤は「自分で歩けます」と言う。

指導部会議で進藤の総括。逃亡は重大な反革命行為と認識されていたので、進藤への批判は決定的だった。

進藤隆三郎の死(2人目の死者)

会議中、進藤の見張りをしていた岩田が小屋に駆け込んできて「進藤がもうダメだと言っ

1月1日　テレビドラマ『木枯し紋次郎』放送開始。原作は笹沢左保の股旅物時代小説。それまで準主役級の俳優だった中村敦夫が抜擢され、シリーズ演出は市川崑。この番組から「あっしには関わりのないことで」が流行語になる。

NHKテレビ「少年ドラマシリーズ」の第1作として、筒井康隆『時をかける少女』を原作としたドラマ『タイムトラベラー』放送開始。

て死んだ」と報告。永田はびっくりしたと書いているが、坂口は、自分も森も冷静だったと記す。これも森は敗北死と説明し、全体会議でも誰も異議を唱えなかった。

小嶋和子の死（3人目の死者）

全体会議の後、降雨。加藤と小嶋を床下（人が少ししゃがんで入れるほどの高さ）に入れる。加藤が床下の柱に頭を何回も激しく打ち付ける。驚いて理由を聞くと「総括に集中するため」。それを聞いて森は、満足そうに加藤を小屋内に入れた。

小嶋の様子が急変したとの知らせで、森や山田は人工呼吸などを施すが、遅かった。指導部会議は重苦しいものになった。山田が「死は平凡なものだから、死を突きつけても革命戦士にはなれない。考えてほしい」と森に意見。2人は互いの目を見て鋭く対峙したが、そのうち森は「いや、そうではない。死の問題は革命戦士にとって避けて通ることのできない問題だ。従って、精神と肉体の高次な結合が必要である……」「精神と肉体の高次な結合が勝ち取れていれば、死ぬことはない」と断固とした調子で主張。山田も他の指導部メンバーも最後は森に同調した。

全体会議も3人の「敗北死」に重い雰囲気。遠山は落ち着きを失い、行方も緊張感に圧倒されていた。

遠山批判、始まる

1月2日 午前中の指導部会議で、森は遠山と行方を批判。

午後、植垣康博と山崎順が榛名ベースに到着。永田は2人とも元気だったと見たが、植垣は森や指導部の威圧的な雰囲気に圧倒されそうな思いを抱きつつ、かろうじて踏ん張っていた。「山田氏や坂東氏も、それまでの気楽に話せる親しさがなくなり、威圧的な態度をみなぎらせていた。永田さんも、以前にはよく被指導部の人たちと一緒に話していたのに、指導部のこたつに収まっていて、すっかりよそよそしくなっていた。指導部の一人ひとりの性格まで変わってしまったかのようだった」と植垣は第一印象を著書に記している。

1月2日 午前、札幌オリンピックの国内聖火リレーが東京・国立競技場からスタートする。

▼これで旧赤軍派すべてのメンバーが集結。中央委員＝森恒夫、坂東國男、山田孝。被指導部＝青砥幹夫、遠山美枝子、行方正時、植垣康博、山崎順（進藤隆三郎が既に死亡）。旧革命左派は、中央委員＝永田洋子、坂口弘、寺岡恒一、吉野雅邦。被指導部＝前沢虎義、金子みちよ、大槻節子、杉崎ミサ子、伊藤和子、寺林喜久江、岩田平治、加藤能敬、加藤倫教、加藤元久、山本順一、山本夫人、中村愛子（尾崎充男、小嶋和子は既に死亡）。

夕食後の全体会議で植垣は、進藤の死、M作戦、丹沢での痴漢行為などを自己批判した後、「共同軍事訓練の時、大槻さんを好きになった。結婚したいと思っています」と明言。永田は「大槻さんには渡辺（かつての革命左派メンバー）との関係の総括、向山（処刑）との関係の総括が問われているのだから、これらを抜きに当面結婚は考えられない」と発言。大槻は自己紹介に続いて「植垣君にはヴァイタリティがあります。申し出を素直に受け止めたい」と恥ずかしそうに言った。その後、永田が小嶋の死について説明。植垣は他にも死者がいたことに驚くとともに、「敗北死」という初めての言葉を理解できなかった。

引き続き森が遠山批判。「革命戦士になって頑張ると言うだけでは総括にならん。どう革命戦士になろうとするのか」。他のメンバーも口々に「黙っていないでなんとか言え！」と言い立てる。ただ前沢や青砥は批判を理解できず。ついに遠山は「小嶋のようになりたくない。……死にたくない。……どう総括したらいいのかわからない」「死にたくない」と答えることしかできなくなる。永田は森のやり方ではダメだと思い、実践活動で総括させようと「小嶋の死体を埋めさせることで……総括させよう」と提言。遠山が決意をあらわに立ち上がると、行方もやると表明。

「小嶋の死体を埋めることで総括せよ」

1月3日　森と永田は加藤の総括を聞くため残り、他のメンバーは遠山と行方について全員が出かける。午前1時頃だった。植垣は動揺の様子がないメンバーに驚き、坂東に「こんなことやっていいのか？」と問い質す。坂東は「党建設のためだからしかたがないだろう」と答えた。以後、植垣は「党建設のため」という思いを前面に押し立て、同志へ

1月3日　パキスタンでブット大統領が、前年8月に死刑判決を受け軟禁されていたアワミ連盟のラーマン党首の釈放を発表する。

の暴力や激務に邁進していくことになる。

死体をなんとか所定の場所まで運ぶと穴を掘り、死体を裸にした。遠山は死体に馬乗りになり「私を苦しめて」「私は総括しきって革命戦士になる」と言いながら、その顔面を殴った。このとき寺岡が「これが敗北者の顔だ……こんなやつが党の発展を妨げてきたんだ。こいつを皆で殴れ」と命令。3時頃、小屋に戻る。山田や坂口から報告を受けた森は、寺岡にこの殴打命令を詰問。「小嶋の死は反革命（者）の死だと思ったからだ」と寺岡。森は「敗北死は反革命の死として処理することはできない……」などと寺岡を批判。後に永田は、寺岡は赤軍派を迎えに新倉ベースに行ったあと東京にまわっていたので、敗北死の規定を知らなかったのだろうと回想するが、このときはその事情は考慮されず、寺岡は批判された。

「自分で自分を殴れ」

戻った遠山に、森が再び総括を求める。答えが次々と否定されるにおよび、ついに遠山は顔面を蒼白にして沈黙するだけとなる。森は「今までは殴って総括を援助してきたが、自分で総括するというなら自分で自分を殴れ」と命令し小屋の中央に立たせた。遠山は泣きそうな面もちで立っていたが、やがて腹をそして顔を自分で殴り始めた。動作が止まると、森や山田だけでなく、杉崎ミサ子や大槻節子、寺林喜久江も罵声を浴びせた。植垣や青砥、山崎らベースに合流したばかりの旧赤軍派メンバーは、事態の急展開に傍観するばかりだった。30分ほど続き、遠山がふらふらになった頃、森がストップをかけた。顔面はふくれあがって正視に耐えなかった。森は遠山も縛らせた。

朝食後、徹夜明けだったが、被指導メンバーはたきぎ拾い。指導部は会議。遠山を着替えさせ、毛布を掛ける。

昼食後、指導部は会議。永田は中断していた路線問題の詰めを要求。このことを知らなかった寺岡は関心を示すが「社会主義革命ですっきりする」と表明。反米愛国路線を放棄していなかった永田は腹を立てる。森は「（みんなが）分散するときのことを考えて、各自の共産主義化獲得に集中すべき」と主張。被指導部は小屋の修理、まき作り、洗濯など。

▼夕食後、指導部会議で中央委員会を結成。従来の指導部の7人(森、山田、坂東の旧赤軍派に、永田、坂口、寺岡、吉野の旧革命左派)が就任。政治局員は森、永田、坂口。永田はナンバー2の位置を「森氏に依存していける立場」と感じた。

▼全員の意見表明で、森は行方の発言を問題視して追及し、最後は行方を縛るよう命令。会議終了は深夜の3時になっていた。

加藤能敬の死(4人目の死者)

▼**1月4日**　朝、森が今朝までの加藤の態度を「逃げようとしていたのだろう?」などと追及。そして「総括していると思ったが、小屋の中に入れてからは元に戻ってしまった。加藤を立たせて縛れ、逃げられないように髪を切れ」と言い置いて中央委員会に。しばらくして土間で縛られた加藤が死亡。永田は動揺して泣き叫びたかったが「私が泣くのは許されないと思って必死に耐えた」。加藤の2人の弟は茫然としていた。永田が「今は泣きたいだけ泣いていい。兄さんの死を乗り越えて、兄さんの分まで頑張って革命戦士になっていこうよ」と言うと元久(三男)は「こんなことをやったって、今まで誰も助からなかったじゃないか!」と泣き叫んで外に飛び出していった。倫教(二男)は永田の肩に顔を埋めて泣き出した。

▼森は中央委員会で「加藤は逃げようとしたことがばれてしまい、絶望して敗北死した」とまとめ、永田は被指導メンバーにそう説明した。植垣はこのとき初めて敗北死という規定が正しいのだと確信した。

▼午後、被指導メンバーはまき作りなど。この頃、食事は「缶詰の鶏肉や野菜の入った雑炊が多かった。昼は作業、夜は全体会議という状況の中ではおいしく感じられたが、大きな釜でかなりの量を作っても、人数が多いので一人当たりの量は多くなかった。しかも縛られている者には食事が与えられないため、常に気まずさがつきまとい、楽しく食事をすることができなかった」と植垣は記す。

▼6時頃夕食。食後、遅れていると再三指摘されていた青砥、植垣、山崎(いずれも後か

らベースに合流）は、それまでに死亡した4人（尾崎、小嶋、進藤、加藤）の総括問題について、大槻節子と金子みちよから話を聞く。9時の就寝前、大槻が植垣に「（共同軍事訓練の時）渡辺に似ていたので、あなたに甘えてしまった。自己批判する」と話しかける。渡辺は大槻の以前の恋人。植垣「今でもそう思っている？」。大槻「あなたは渡辺とは全然違う。渡辺との関係は、ブルジョア的なかわいい女でしかなかった」。植垣「ありがとう」。

中央委員会で4人の死体を別の所に埋め直すこととし、地図で選定。森は前沢、岩田、寺林、植垣、青砥を党員候補に考えていると表明。

死体の埋め直し

1月5日　早朝、山田、寺岡ら6人は死体を埋める場所の調査に出発。森は青砥を呼び、6・17明治公園爆弾闘争で青砥が手榴弾を投げなかったことの総括を求め、「ビビッタからではない」と否定する青砥との間に険悪な雰囲気が漂う。

青砥と岩田は担架つくり。この時点では用途は知らなかった。森が植垣と山崎に、行方を縛っているロープが緩いと締め直しを指示。「納得できなくても、決定した党の方針には従え」とも付加。

夜9時頃、3人一組で4組が、死体を掘り出す作業。死体をライトバンに積み込むと、山田ら6人が埋め直しに出発。そのとき山本順一が人に見つかったと言いだし、全員ナイフやアイスピックを片手に息を殺すが、何事もなかった。

1月6日　埋めに行った山田らは朝方に戻る。寺岡が、山田の空騒ぎを批判。昼、被指導メンバーは洗濯など。植垣らは着替えを持ってなかったので、逮捕まで1着で過ごす。これによる悪臭が逮捕の一因になった。

夜、森は行方の「他の所に移される時に逃げようと思ってました」という答えに「逃げられないように、肩胛骨と大腿部の裏側を思いっきり殴れ」と指示。山田、寺岡（まきで殴打）の中央委員の他、青砥、植垣、山崎も殴った。植垣は「大変な任務は指導部だけにさせ

1月5日　モスクワ市裁判所が、ソ連の人権運動リーダーの一人、ブコフスキー氏に、自由剥奪7年と流刑5年の刑を言い渡す。

長野県下諏訪町で、札幌オリンピックの聖火リレーに伴奏した中学2年生が、自宅に帰宅した後、急死する。

1月6日　佐藤首相とニクソン大統領、日米首脳会談がカリフォルニア州サン・クレメンテにおいて始まる。

ておくべきではない」という思いだった。殴打が終わると、逆エビに縛った。

遠山は立たされたり、座るのを許されたりしたが、座っているとき膝を崩していると、永田は「まだ女を意識している」と非難した。行方が殴られている最中、遠山は「お母さん、美枝子は革命戦士になって頑張るわ」「お母さんを幸せにするから待っててね」と何回も繰り返した。森はそれも問題にし、また追及の過程で、遠山がいつも指導的なメンバーを好きになることで自分の地位も高めてきたなどとも批判し、行方と同じように殴って縛れと命令。植垣ら被指導メンバーが殴り、縛ろうとしたとき、森が「足の間にまきを挟んで縛れ」。寺岡が「男と寝た時みたいに足を広げろ」。これに笑い声が起こったが、永田は「そういうのは矮小よ!」と叫ぶと、笑いはやんだ。

▼行方と遠山に対する激しい殴打・緊縛に、植垣はそこまでやらなければならないのか、とたじろぐ反面、どうして総括を放棄するような態度をとるのか、とも思っていた。

岩田、前沢、寺林が党員に。森は旧赤軍派内では坂東、次いで植垣を信頼していたが、なぜかこのとき植垣ははずされた。

遠山美枝子の死(5人目の死者)

1月7日 午後4時から全体会議。5時頃、永田が遠山の異変に気付く。火を焚き、必死の人工呼吸も実らず、遠山が死亡。この最中に、永田と坂口は激しい喧嘩となった。直接のきっかけは遠山を蘇生させるための酒の瓶の仕方等だったが、「薄情だ!」「できることはみんなしたわよ」など罵りあいとなった。森が永田を擁護し、永田が「謝れ!」と迫ったので、坂口は中央委員を辞任すると表明。森が取りなしたので、この件は沙汰止みになった。植垣は、仲がいいと思っていた2人の激しい喧嘩に戸惑った。その後、また何事もなかったかのように話している2人にも戸惑った。

夜の全体会議で、「死んだ5名との共産主義化の闘いを踏まえて殲滅戦を具体化する」と森が宣言。青砥はそれを聞き「もう総括はないだろうと希望を持った」(公判の証人尋問)。

1月7日 佐藤首相とニクソン大統領との会談で、沖縄復帰を5月15日とすることが合意、発表された。

1月8日 青砥と前沢は黒ヘル（ノンセクト）グループの奥沢修一（慶応大）をオルグしに東京へ。その他、岩田、山崎など8名が任務を受けてベースを離れる。「みんなの雰囲気は重苦しいものから活気あるものに変わりつつあった」（坂口）。坂口は永田に「もういやだ。人民内部の矛盾じゃないか。このままでは駄目だ。一刻も早く殲滅戦を戦うべきだ」と訴えるが、永田は「総括は必要」と答えた。

森、金子を主婦的、大槻を女学生的と批判。金子を会計係から降ろし、永田が代行。

行方正時の死に誰も驚かず（6人目の死者）

行方の衰弱がひどくなり、童謡を口ずさむなどする。夜、震え出す。

1月9日 午前1時頃、行方が死亡。森は総括もしようとせず、全体会議で報告しても誰も驚かなかった。

昼間、被指導メンバーはまき作り、洗濯、かまどつくりの相談など。植垣は銃の手入れ。この頃から、被指導メンバーの中では植垣が指揮を執るようになる。夕方、山崎らが戻る。

午後9時頃から、山田ら中央委員4人が遠山、行方の死体を埋めに行く。

森、植垣に山岳調査と党員への移行を申し渡し。植垣は、山崎を元気づけるため一緒に調査に行くつもりだったので、意外な人選に戸惑う。また一緒に党員になるのが前沢ら3人であることを聞かされ、彼らを評価していなかったので、不満を抱いた。

新たな山岳調査

1月10日 中央委員会で、新たなベース候補地を群馬県沼田市の迦葉山方面と赤城山に決め、調査隊の人選。榛名ベースが道路に近いことを気にしたため。夕食後、全体会議で、調査隊員が決意表明。森は6人の死を「政治的に孤立し軍事的に劣勢の我々が……銃による殲滅戦を押し進め、その波及力によって、自然発生的な反米軍国主義の闘争を目的意識的な革命戦争に発展させ……るうえで回避することのできなかった高次な矛盾」と総括。

1月9日 国立大学授業料を3倍にする大蔵省原案を文部省、自民党が了承。この年、私立大学106校で値上げ。国公私立120校で反対闘争。

ロックバンド頭脳警察が京都府立体育館でコンサート。最初のレコードとすべくライブ録音したものの発売が中止となり、幻のファーストアルバムとなる。

▼植垣はこんなことでいちいち決意表明させる指導部に「合わないもの」を感じる。

1月11日　未明、迦葉山調査に行く植垣組（植垣と杉崎ミサ子）、吉野組（吉野と寺林喜久江）が山本順一の運転で出発。初めての雪になる。坂東・寺岡隊も日光方面の調査に行くことになる。森は寺岡を、政治的傾向が官僚主義的スターリン主義であると批判、調査中に総括するよう言う。寺岡「そう思っていた」。植垣組、迦葉山近くの林道でテントを張り野営。

1月12日　森、永田、坂口は総括のレジュメ作りの準備。永田は毛沢東の「星火燎原」を読む。「毛沢東が革命運動から離脱を希望するものに路銀を渡して、いつか革命の目となるよう願った」というくだりに反発を覚える。後に永田は著書で「（こんなにまで）おかしくなっていた」と回想。

植垣組、高手山付近を踏査。

1月13日　森と山田が長い話し合い。言に反して女房と子どもを山に呼ばない森に対して、山田は批判を強めていた。

植垣組、高手山の西側の山を調査。

1月14日　森が電話連絡のため下山。中央委員は永田と坂口だけになったが、何も会話せず。夕方戻った森は、車の運転をミスし電話連絡に間に合わなくさせた山本を非難。山本は激しく反論。

青砥、金子らは鉛を溶かして石膏の型に流し込む改造弾つくり。青砥、金子は総括が終ると思い労働歌をハミング。「総括を求められている者の態度か」と森にとがめられる。

森、寺岡批判を根回し

夜、寺岡問題が議題に。森は、2・17真岡銃奪取闘争以来の活動歴を求める。永田は、①寺岡が中国行きや銃問題に反対した、②150名による前段階武装蜂起を打ち出した、③自分を党と軍の指導者にする改組案を出した、など話す。森は分派主義と断定。

1月11日　東ドイツとブルガリアが「バングラデシュ」を承認。日本は翌月10日に承認。

1月12日　バングラデシュでアワミ連盟のラーマン党首が首相に就任する。

1月14日　エジプト・アラブ共和国で、シドキ副首相が首相に就任。

植垣組、高手山（1300メートル）の頂上へ。1メートルの積雪があった。谷川連峰、八ヶ岳、富士山などが一望に。素晴らしい眺めだった。

1月15日　森は夕方戻った山田に、寺岡の総括の必要性を主張し了承を得る。

植垣組、前日とは一転した激しい降雪に難渋。杉崎は足手まといにならないよう必死に植垣についた。テントの中で家族の話、大槻の話などおしゃべりを楽しむ。

1月16日　夕方、吉野組が戻る。吉野も寺岡批判に同調し、問題点を列挙した（2・17闘争で弱腰だった、向山の処刑では自分で手を下さなかった、札幌から永田・坂口を上京させたのは安全かどうか確かめるためだった等々）。

山岳調査中の寺岡は、夜はもの思いに沈み込みがちで、坂東が話しかけるのもはばかれる雰囲気だった。この夜、寺岡は杉崎との離婚問題などについて質問、また「総括ということがよく分からないんだよ。坂東さんはどんなふうに考えていますか？」とも聞き、一晩中考え込んでいたようだった。

植垣組、雪が小やみになったので、谷を下る。腰まで雪に埋もれた。

死刑へ至る寺岡への総括要求

1月17日　植垣組、バスで沼田へ戻り高崎へ。「都会（高崎）を歩いていると、別の世界に来たような……感覚におそわれ……同志たちを死に追いやったことが夢のようだった」と植垣は回想。

夕方、坂東・寺岡組も帰着。森による寺岡批判が始まる。追及内容は①小嶋の死体を殴らせた、②杉崎ミサ子の離婚表明の受け止め方、③遠山を縛るときの「足を開け」発言等から始まり、答えからまた問題点をえぐるという方法で長く続いた。夕食を取らずに続行。ある時点で寺岡は「殴ってほしい。恐れる気持ちがあるから、克服し、総括したい」と発言。森は冷たく「指示は受けない」とさらに追及。永田のもはや中央委員内部の問題を超えているという指摘で、全体会議で追及することになる。森「お前のような傾

1月17日　ローデシア（現在のザンビア・ジンバブエ）で英国の白人政権に対し、黒人暴動が広がる。

向と最後まで戦い抜くぞ！」。

●**1月18日**　午前1時頃、被指導部メンバーを起こし、寺岡問題を永田が説明。だが被指導部メンバーから発言がなく、吉野が補足説明。被指導部メンバーにとっては、寺岡と他の中央委員の指導に大差があるとは思えず、何も言えなかった。ついに坂東が「お前らひとごとのような顔をしているが、寺岡は革命を売ろうとしたんだぞ、永田さんや坂口さんを敵に売ろうとしたんだぞ」と怒鳴る。だんだん寺岡への怒りが高まり批判が出て、寺岡はみんなの前に引きだされる。植垣をはじめ被指導部メンバーが殴る。森の追及に寺岡は「坂東さんと調査に行ったとき、ナイフで殺して逃げようと思った」などと答え、ますますみんなの怒りが高まり、そのたびに殴打も激しくなった。

●森は権力（国家権力。具体的には公安警察や機動隊を指すことも）との関係を追及。9・4羽田闘争で寺岡に執行猶予が付いたことまでを問題にする。寺岡は関係を否定。森は永田に「寺岡の足にナイフを刺して追及する」と言い、大腿部にナイフを突き立てた。寺岡は呻いたり、上体をよじらせて耐えた。

▼永田「驚いたがしっかりしなければならないと思いこの追及に加わることにした」。

▼植垣「そんなことしたら、このあとどうするつもりなんだと思ったが、それだけ激しく追及する必要があるのだろうと考え……」。

●寺岡はあくまで権力との関係を否認。森は坂東にも腕にナイフを突き立てさせた。血が敷いたシートに溜まった。

「革命戦士として死ねなかったのが残念」

●森は改まったように大きな声で「おまえの行為は反革命といわざるを得ない。これまでと違う根本的な総括を早急にやる必要があるが、おまえにそれを期待することはとうていできないので死刑だ」と言う。「異議なし」とみんなが応じた。寺岡は目をつむり、じっとしていて動揺した様子は見せなかった。森「最後に言い残すことはないか」。寺岡「革命戦士として死ねなかったのが残念です」。

●**1月18日**　自衛隊の沖縄配備と米軍に提供する軍用地確保のため現地に乗り込んだ野呂防衛庁政務次官らは、屋良首席ら現地首脳から会談を拒否される。

寺岡恒一の死（7人目の死者）

▼森、寺岡のセーターの胸をはだけ、アイスピックで心臓を突く。寺岡は絶命せず、森は次の刺突者を求めて全体を見回した。植垣が「どのみち殺されるなら早く殺してしまった方がいいと考え、また、このような誰もやりたがらない任務は党のために率先してやるべきだと思って」アイスピックを受け取り、刺した。2度、3度刺して絶命に至らず、青砥が代わる。延髄も刺すが事態は変わらず、結局、サラシを持ち出して、数人で首を絞めた。寺岡は7時頃にようやく絶命。すっかり明るくなっていた。死体は床下に移され、みんな一言も発せず、血をふき取った。

▼植垣「大変な闘争をやりきったのだという奇妙な充実感があり、青砥氏や山崎氏と「大変な闘争だったなあ」といい合った」。

▼朝食後、全体会議。永田は「寺岡との闘争で共産主義化は、これまで6人との闘争より、さらに新しい段階、つまり敗北主義との闘いからテロリズムとの闘いに到達した」と説明。続いて森が話し、各自に総括発言を求める。その中で山崎順が「死刑の時、皆の後ろでウロウロしていたがあれはどうしてか？」と森に聞かれ「自分の問題が寺岡と似ていたので、自分も殺されると思った」と答えた。山本、大槻、金子、植垣も問題点ありとされた。

山崎への追及

▼**1月19日** 午前中、被指導部はまき作り。植垣は大槻に「総括しないとピンチ……永田さんみたいに（女であることを意識せずに行動するように）なれ」と忠告。あまり話しかけると、大槻の立場を損ねるという配慮で、2人はあまり会話しなかった。

迦葉山に移動を決める

▼午後1時頃、名古屋に行っていた伊藤和子が戻り「岩田が逃げた」と報告。森が評価していた人物だった。ラジオで坂東隊の一員としてM作戦に関わっていた女性の逮捕を

▼**1月19日** 黒人住民の暴動が広がるローデシアで、警官隊が黒人居住地区を封鎖する。

知り、迦葉山にベースを移すことを決める。

▼午前中から山崎は森から追及を受けていたが、岩田平治逃亡のニュースが伝わり、追及が中断すると監視を受けることになる。作業から戻った植垣は、山崎が縛られていたのでビックリする。岩田の逃亡について森は「警察に出頭すればあいつも死刑になるから出頭はない」「我々も捕まれば死刑になる地平に来てる」。

▼午後、山崎は、総括の真偽を確かめるための死刑宣告を受け、「先の7人のように醜い顔をしないで死んでいきたい」と言う。

▼夜11頃、坂口ら4人は寺岡の死体を埋めに倉淵村に向け出発。

山崎順の死（8人目の死者）

▼**1月20日** 引き続き山崎が総括要求を受ける。坂口が足にアイスピックを刺す役目を引き受け、何度も逡巡のあげく、実行。山崎は次々と追及され「逃亡を考えた」などと言いだし、青砥や植垣も激高。山崎は「殺してくれ」と懇願。森は死刑を宣告。山崎はアジト情報の申し伝えをしようとするが、森が遮ったので、最後に「革命戦士として死にたかった」と言う。今回もアイスピック、ナイフでは絶命せず、絞殺となる。

▼中央委員会と全体会議で山崎問題の総括で意思一致。大槻、金子らが森や永田から批判を受ける。金子への批判は「森に取り入ろうとしている」「主婦のように自分の権威を守り、下部を支配しようとしている」「子どもがお腹にいることをいいことにして、総括しようとしない」というものだった。吉野雅邦も「僕の方から離婚する。もう金子さんに足を引っ張られたりはしない」と発言。この追及は、深夜におよび森などが眠ってしまったため、途中で終わる。

▼午後11時頃、山田が新メンバーとして奥沢修一（慶応大ノンセクト）を連れて戻る。

迦葉山ベースへ移動

▼**1月21日** 迦葉山への移動の準備。建設部隊として植垣ら7人を選ぶ。その他、必要な

▼**1月20日** 第66回芥川賞が決定。在日朝鮮人としての苦渋を清冽な文体で支える李恢成の『砧をうつ女』、基地沖縄の問題を描いた東峰夫『オキナワの少年』が受賞。

▼**1月21日** よしだたくろうシングル『結婚しようよ』発売。この楽曲の大ヒットによって、それまで反体制のシンボルだったフォークソングはその後のニューミュージックやＪＰＯＰへと変貌していく。

ものの買い出しなど。大槻と金子はベース建設に参加できず、残って総括を言い渡される。

森は奥沢に入山入軍の決意を改めて求める。

1月22日 ベース建設のために9人が迦葉山に向け出発。金子は出発する吉野の世話を焼き、森に「あれは女房の態度」と見とがめられる。残留の中央委員4人はレジュメ作成のための読書。

建設部隊は、雪深い中でテント泊まり。

1月23日 中央委員4人はレジュメ作成のための読書。迦葉山へ坂口派遣を決める。

夜、坂口ら5人は山崎の死体を埋めに行く。

建設部隊は、ベース建設地を決め、植垣の指揮下、杉木の伐採や斜面削りなど。1メートルの雪の中での敢行だった。4張りのテントに寝起き。

1月24日 朝、ベースに戻る坂口らの車が路肩の溝に落ちる。運転は山本。レッカー車を頼み、山田と奥沢が高崎まで故障を直しに行く。夜、坂口ら4人は迦葉山へ。

建設部隊は、本格的作業に入る。小屋の大きさを横7メートル、縦11メートルに。

大槻と金子への総括要求

1月25日 永田はレジュメ化のためのノート取り。赤軍派の歴史的総括も急がねばと思い森に要請したが、森は無反応。

大槻と金子は必死に作業。金子は出産が近かったが、山の斜面でまき拾いも行なった。森は夜、2人を順番に追及。大槻へは、60年安保闘争に関する敗北の文学を好んでいたこと、渡辺や向山との関係など。「脱走した後の向山と会い、肉体関係も持った」という話に永田は驚く。金子へは、尾崎に格闘させたことを批判したこと、妊娠中なのに食事を皆と同じ量にしたこと、吉野との離婚を安易に宣言したこと、永田に反発し男を利用して自分の地位を確立しようとしていることなど。金子は反論し、批判を認めなかった。

1月22日 第17回岸田戯曲賞に井上ひさし氏が決まる。授賞作は『道元の冒険』。

1月24日 グアム島で元日本陸軍兵士横井庄一が発見される。

1月25日 ソ連のタス通信が、ソ連の「バングラデシュ人民共和国」承認を発表した。

よしだたくろう『結婚しようよ』

建設部隊に坂口ら男性4人が加わり、作業がはかどった。夜、坂口が、車の事故について山本に総括を求め、激しく言い争う。これまでの闘争について山本は「山崎の首を絞める時、物理的に手伝っただけだ」「CC（中央委員）の決定通りにしてきただけだ。これからもそうする」などと言い、みんなの怒りを買う。坂口は榛名ベースに報告に戻る。

大槻、金子、山本を縛る

1月26日 昨夜からの追及は明け方におよび、森は遂に大槻と金子の緊縛を決定。

午前中、坂口が車の脱輪に端を発した山本問題を中央委員会に報告。森は縛って殴るべきと指示。

大槻は自分なりの総括を森に否定される。金子は「今の私じゃだめということですか」と森に。

建設部隊は屋根、床、壁の骨組みを終え、屋根にトタンを張る。

夜、坂口、坂東、吉野が山本を囲んで総括要求。すぐ暴力になり、被指導メンバーも総括しろと山本を殴る。終了後、逆エビに縛る。山本は無抵抗だった。

植垣にも総括要求

坂口が榛名ベースの状況を報告。大槻のことで、植垣に総括要求。植垣は「8名との闘争にかかわり、死刑や殴打を率先して行ってきたのであるから、それだけきびしく総括要求されなければならない……大槻さんが縛られた以上、私も縛られるべきだと思い、そのまま指導部のテントで正座していた」が、坂東が「寝ろ」と言うので横になった。明け方まで眠れなかった。

1月27日 迦葉山へ移動の準備。山田が高崎で銭湯に入ったことが、危険な行為として問題になる。

森「金子が子どもを私物化することを許してはならず、……子供を（腹から）取り出すこ

1月26日 アントニオ猪木が新宿京王プラザホテルで「新日本プロレス」設立会見を行う。

とも考えて置かねばならない」と言う。

▼植垣は作業に出るのをためらうが、他に指揮できるものがおらず、再び建設部隊のリーダーに。屋根のトタンばりなど危険作業を総括のつもりで必死にやる。しかしメンバーとの間に溝ができたように感じる。

金子を殴る

▼**1月28日**　金子への殴打が始まり、永田も参加した。金子は「何をするのよ！」と抗議。「私は山に来るべき人間ではなかった」とも。森がベースを移動するとき逃げるなと言うと「はい」と答えた。

▼夜7時頃、青砥を残して出発。運転、奥沢修一、助手席には縛られている山本の妻、森、後ろのシートには永田、坂口、坂東。大槻と金子はライトバンの荷台に寝かされた。山本夫妻の子供は坂口が抱き、銃はゴルフバッグに入れた。

極左と否定された殲滅戦の決意

▼奥沢の落とした運転免許証を地元の猟師が拾ってテントに届けてくれる。その際、小屋の建設の様子を見られる。丹沢ベース跡を発見されたニュースがちょうど流れていたので、通報される可能性が高いと判断。吉野らは森たちが来るまで、警察が来たら銃による殲滅戦を闘うと決意。

▼森ら迦葉山ベースに到着。殲滅戦の方針に対し、森は極左(的方針)と一言のもとに否認。死守は無意味で移動すればいい、人民を誤射したら大変という批判だった。

迦葉山のベースに入る

▼**1月29日**　テントを引き払い、一部未完成の小屋に移動。高床のガッチリした山小屋風だった。縛られている3人(山本、大槻、金子)は皆で担ぎ、小屋の床下の柱に繋いだ。山本夫人が「総括してよ、総括してよ」と夫の胸に顔を埋めて泣いた。永田が総括しろ

▼**1月29日**　徳島県穴吹町で、横井庄一さんの真似をしてほら穴遊びをしていた小学生7人が生埋めになる事故。

と声をかけると、大槻はハイと答え、金子は無表情で全身で拒否を顕わにした。床下は寒かった。

山本順一の死（9人目の死者）

1月30日　午前1時前、山本が死亡。中央委員の所に呼ばれた夫人は号泣しつつも、「私は闘っていくよ」。中央委員が総括と死について説明。中央委員ではまた敗北死と確認されたが全体会議では説明なし。「同志の死に対しての感覚が麻痺していた」（永田）。

大槻節子の死（10人目の死者）

朝から大雪。被指導メンバーは午前中はトタン張り、午後はまき作り。床下の大槻と金子は寝袋に入れられているとはいえ寒そうだった。

午後、森は迦葉山に来てから大槻が総括の態度を放棄していると言い出す。永田も同意し、植垣や、大槻と仲の良かった杉崎にも「ちゃんと殴らせなければ」と提起。

それを聞いた植垣は一瞬驚いた顔をしたが、「そのことから逃げることができないのなら先頭に立ってやろうと決意を固め」た。皆で床下に行くと、大槻は既に瞳孔が開き、コンタクトレンズがずれていた。森は「激しく総括するといったのが聞こえたショック死」と断定。

▼植垣の回想＝「心の中に大きな空洞ができ」「新党が一段と味気ないものになり」「肉体的疲労が重なり」「殲滅戦が戦える日が一日も早く来ること……を待つしかできない人間になってしまった」。

山田への追及1

1月31日　東京から山田が戻る。森は自動車のカンパなどの獲得目標が得られなかったこと、高崎で奥沢を連れて銭湯に行ったことなどを追及。

金子のお腹の子どもの様子を、看護学生だった中村、伊藤、経産婦の山本、医学部の学

1月30日　前年のベオグラード国際演劇祭でグランプリを獲得した「天井桟敷」の芝居「邪宗門」（寺山修司作・演出）が国内でも上演される（東京・渋谷公会堂）。

北アイルランド・ロンドンデリーで血の日曜日事件。カトリック系住民とイギリス軍が衝突し、住民の死者13名。3月24日、北アイルランド自治政府の停止、イギリスの直轄となる。

現在のロンドンデリー（北アイルランド）

生青砥が調べる。

被指導部は床作り、まき作り、資材の買い出しなど。

2月1日 坂口、坂東らは山本と大槻の死体を埋める場所を探しに行き、穴も掘った。しかし途中、警官がたくさん出ており、森、永田、坂口の手配ポスターが至る所に貼ってあったので、埋めるのを延期。

被指導メンバーは小屋を完成。植垣はソリ作り。

金子と子供の問題

森は「(金子は)お腹の子供を楯にとって総括しようとしていない。……組織の子供として金子から取り返さねばならず、いざとなったら子供を取り出す」と言う。吉野は思い詰めた表情で聞いていたが、森、永田の「いざとなったら私が取り出す」という発言に対し「僕もする」と表明。永田の提案で、子供のためにも金子を小屋に入れ、食事を与えることにした。

山田への追及2

中央委員会で森が山田に総括を要求。赤軍派時代の話が多く、永田には理解できなかった。6カ月前には山田の復帰を喜んでいた森だったが、追及は厳しく、山田は中央委員の辞任を言うが、森は「我々が君を除名するのだ。一兵士としてマイナスの地平からやり直すべき」と通告。

2月2日 植垣、青砥、奥沢らはほこりが立たないよう、土間に丸太を敷く。

山田は丸太敷きの倉庫へ行って正座する。午後、山田は寒さに弱いから雪の上で克服させようと、雪台の上での正座を指示される。

森は山田の処置を永田に相談。永田は殴打・緊縛の決断を求められていると思い、ショックを受ける。代わりに実践活動による総括に「〇・一パーセントの可能性をかけるべき」

2月1日 静岡県裾野市の東名高速道路でトラックやバスが連続追突する事故。7台が炎上、2人が焼死、22人が重軽傷。

2月2日 元日本陸軍兵士横井庄一(57歳)が帰国。「何かのお役に立つと思って恥をしのんで帰ってまいりました」「恥ずかしながら生きながらえておりました」と発言。NHKで放送された報道特別番組『横井庄一さん帰る』は、41・2%の高視聴率。

と主張。森は翌日、食事抜き、水一杯飲むだけで、まき拾いするよう命令。

●**2月3日** 山田は朝、コップ一杯の水を飲むと、雪に覆われた山の斜面でまき拾いに入るが、植垣のように勝手が分からず作業は遅かった。その上、坂東が見に来たときは態度が一変したので植垣は不快に感じた。結局、山田の実践には相変わらず官僚主義があらわれているなどの批判のもと、総括したとは認められず、皆で殴打の末、逆エビに縛られる。

金子みちよの死（11人目の死者）

●**2月4日** 大雪。朝、金子の死が発見される。永田はその死を「金子は自分の行動を権力欲、しかも男性に依拠してそれを獲得する、という女性蔑視的な批判に屈せず、縛られても抗議の態度を貫いた」と回想する（大意要約編者）。

●中央委員は、金子に子供の私物化を許したのは自分たちが躊躇したからと自己批判。山田を土間に入れ、食事を与えることにする。

●吉野がはじめて山本夫妻の赤子を抱く。「吉野氏は金子さんの死に誰よりも打撃を受けていたのであろう」（永田）。

部隊が3つに分かれ、それぞれの途へ

●夜10時、活動資金と車のカンパ要請に森と永田が上京。留守部隊は坂口が責任者になった。

●夜11時、坂東ら金子の死体を埋めに行く。

●**2月5日** 吉野、坂東、植垣ら11人で榛名ベースの解体に。吉野、奥沢は荷物を持って迦葉山へ車で戻る。

●森、永田はシンパのマンションに。

●**2月3日** 札幌で冬季オリンピックが開催される。冬季オリンピックとしてはアジアで初めての開催だった。35か国・地域から1128人の選手が参加。

●**2月4日** 英国など西欧9カ国とイスラエルが「バングラデシュ」を承認。

●**2月5日** 忌野清志郎をリーダーとするRCサクセションの3枚目のシングル『ぼくの好きな先生』が発売される。

山本夫人の脱走

2月6日　朝10時頃、山本夫人脱走。坂口は警察に駆け込み子供を取り返しに来るのではと考え、数丁の散弾銃を組み立てる。山田に問うと「闘う」と言うので縛りを解き銃を与えるが、両手両足は激しい凍傷におかされ全く自由がきかず、銃さえ取り落とした。

午後、警察は現われず、見込み違いに気付いた坂口は迦葉山ベースを捨てることに。榛名ベース解体部隊との連絡に、中村愛子に赤子を背負わせて向かわせる。深夜0時を過ぎていた。

榛名では小屋を解体し終わり、板や柱を焼却。その火が望見されベース発見の糸口になった。

前沢虎義の脱走

2月7日　坂口は沼田に出て、東京の森に電話するが、2、3時間試みてもつながらなかった。青砥と奥沢と合流。ベースの荷物を近くの窪地に移す。坂口らは前橋でレンタカーを借りようとするが、店員に怪しまれて失敗。

解体部隊が榛名から戻る途中、ベース周辺、渋川や沼田などのあわただしい動きに不審感を抱く。渋川のバス停で前沢が姿を消す。

▼解体部隊の9人のことは、榛名湖畔から渋川へ行くバスの運転手に強く記憶された。それは彼らが放つ悪臭のせいだった。

午後7時、坂口ら残留組と吉野らベース解体部隊が合流。迦葉山からは山本夫人が脱走し、解体部隊からは前沢が逃亡、榛名へ異常を知らせに行ったはずの中村も行方不明と分かる。青砥と奥沢は東京でレンタカー調達に出発。坂口、吉野、植垣らは山田を連れて小屋を捨て、近くにテントを張る。ここでも小屋の廃材を燃やしたが、不審火として見られていた。

▼中村はタクシーで榛名湖畔まで行ったが、泣き声ひとつ立てない赤ん坊と生気のない

2月6日　札幌オリンピック、スキージャンプ70m級で笠谷幸生が金メダルを獲得。銀メダルの金野昭次、銅の青地清二と共に表彰台を独占し、日の丸飛行隊と呼ばれた。

2月7日　第四次防衛計画の予算先取り問題をめぐり政府が四次防大綱を決定。社会、公明、民社の野党3党がひとまず審議に応じることに。

疲れている様子に母子心中者と間違われ、警察に保護される。身元が判明し、前日の榛名の不審火は連合赤軍のベースと知れる。

2月8日　朝、森と坂口がやっと電話連絡。森は坂口が山田の縄をほどいたことを批判。同時に「坂口君はこれまで永田さんに庇護されてきた」とも。永田は坂口に共産主義化を理解させるためには、離婚した方がいいのかと考えはじめる。「仲の良い闘う夫婦と思っていたので、坂口氏との離婚を考えることに大変な苦痛を感じた」（永田）。

午後3時、小型トラックを借りて青砥らが戻る。坂口の妙義山への移動案に対し、植垣は同一県内でなく福島の阿武隈山脈を提案するが、連絡を取り合える場所としては前に調査に行ったところがよい、と坂口は群馬県の妙義山に決定（↓240頁）。洞窟が多いという調査結果も理由の一つだった。午後6時、青砥ら4人は汽車で。坂口、吉野、植垣らは車で出発。

裏妙義に移動

2月9日　朝7時、車の部隊と電車の部隊が妙義湖畔で合流。周辺を調べ、裏妙義の籠沢の洞窟をベースと定める。坂口は安中に行き、公衆電話で森に報告。

▼（この日の森と永田の行動については、永田の著書には記述なし）。

2月10日　洞窟に移動。入口は座ってやっと入れる程の狭さだったが、中は10人くらいが楽に入れる広さ。ただし天井は低く、中では座っていなければならなかった。

森と永田はシンパに会い、大口のカンパの約束を得る。テレビ、トランジスタラジオ、トランシーバーなどを購入。偶然、東急百貨店本店の側でブントR・G派の竹内と合い、喫茶店で話し。3人とも指名手配の出ている身だった。

山田孝の死（12人目の死者）

2月11日　終日、洞窟の土を掘り出す。夕食後、山田の容態が悪化。

2月8日　建設が進められている成田空港と東京、65キロを結ぶ「成田新幹線」計画を日本鉄道建設公団が、運輸大臣に申請。沿線地元の猛反発を呼ぶ。

2月10日　関東甲信越地方に大雪、都心で4センチ、八王子市内で17センチの積雪。

この日発売の月刊誌「文芸春秋」3月号では芥川賞受賞2作品の掲載、司馬遼太郎、花森安治らの寄稿で特価200円。「中央公論」3月号ではユージン・スミスが手記「私もチッソを訴える」、特価270円。「朝日ジャーナル」2月18日号はダッカからの特派員報告、ほかにレヴィ＝ストロース寄稿など、定価80円。

2月11日　台湾の宜蘭県政府が行政院の許可を得て、尖閣諸島を同県の管轄に編入。

森は新聞や雑誌を読む。永田はレジュメ作成を要請するが、はぐらかされた。

2月12日 午前2時頃、山田が死亡。「総括しろだって、畜生！」が最後の言葉。坂口は横川のドライブ・インから森に電話で報告。

森は電話で山田死亡を知るが、坂口が悲しそうに伝えてきたと批判。しばし論争になり、森は自分と妻との関係を「闘争を媒介にしていたとはいえない。共に闘う者同士が結婚するのが正しいのだ」と総括。「僕と永田さんが結婚するというのが一番正しい」と言う。永田はそれなら早く坂口に言うべきと主張。

永田、坂口と離婚し森と結婚すると表明

2月13日 坂口ら3人が上京。坂口が森・永田に会う。森は、山田の緊縛を解いたのは誤りと批判。

永田は「坂口さんと離婚し森さんと結婚することにする。これが共産主義化の観点から正しいと思う。山田の縄をほどいた問題を必ず総括してほしい」と言う。坂口は「前から永田さんに助けられてきたが、もうそういうわけにはいかないことはわかっている。僕は頑張っていく」と答える。

▼警察が、新宿区の赤軍派救対「もっぷる社」、港区の革命左派の救対「東京水産大学朋鷹寮×号室」などを捜索。

2月14日 坂口は永田に「片腕をもぎ取られたような激しい痛みを覚える」という。永田「本当はあなたが好きなの」。坂口「そういうことはもう許されないのだ」。その後、坂口は離婚について2人で話したいと森に断る。坂口は総括への疑問を表明。永田はあわてて「権力との攻防関係の激化の中で……共産主義化は必要」と答える。また坂口は、寺岡をスターリンと同じと死刑にしたことに疑問を表明し、「死刑の理由を確認させてくれ」。永田は「寺岡は分派主義……」と答える。離婚についての話は出ないまま2人は別れた。気持ちはすれ違いだった。永田は「私が共産主義化の闘いに盲目的になっていることがわかったうえ、坂口氏自身もまた森氏の総括要求に反対を表明できるだけのも

歌手の西郷輝彦と辺見マリが長野県軽井沢町の教会で結婚式を挙げた。

クリント・イーストウッド主演のアメリカ映画『ダーティハリー』が日本で公開される。

『ダーティハリー』新聞広告

2月12日 前日のベルギー、アイルランドに続き、フランスが「バングラデシュ」を承認。

2月13日 冬季オリンピック大会、札幌で閉会式。

人気テレビドラマ『おれは男だ！』最終回。

2月14日 ソ連が「ルナ20号」を打上げ。

のがなかったため」と回想する。

坂口、妙義に戻る。

ベース発見の報道

2月15日　朝刊に、榛名ベースが発見され警察が捜査網を敷いたことが報道される。森と永田は、他のメンバーと合流すべく、高崎を使わず小海線利用で大回りして妙義へ向かう。

妙義ベースでは、朝、吉野と奥沢が山田の死体を埋める場所を探しに行く。坂口を中心に全体会議が開かれるが、疲労が重なっていて低調に終わり、昼も眠りこける。夜11時頃、吉野ら4人で、山田の死体埋めに出発。この日、ベース隊は警察の動きを全く把握していなかった。

吉野らは午前2時頃、下仁田山中に到着。植垣の足の凍傷は悪化しており、死体を運ぶとき、一足ごとに激痛が走った。地面は石ころだらけで掘り下げるのに時間がかかり、終わったときはすっかり夜が明けていた。帰路、新聞で榛名ベース、迦葉山ベースが発見されたことを知り驚く。ベースの廃材を燃やした火がきっかけになったこと、自分たちが登山姿で歩いてたこと、などが載っていた。「不思議と不安感はなかった。むしろ、反対に、それまでのやる気のない気分が急速に吹っ飛んでいくような気持ちだった」(植垣)。

朝、森と永田、軽井沢の駅に着く。軽井沢は警官の姿が目立ったが、横川にはなかった。横川から妙義山ベースへ向かい、昼頃妙義へ入る。妙義湖畔で車に見とがめられ、2人の男に尋問を受ける。明らかに私服刑事で森は胸のナイフに手を伸ばした。しかし永田が「ダムを見に来た」と言い抜けると、刑事は住所を聞いて去った。永田は直ちにベースに向かおうとしたが、森は山の中に逃げ込んだ。上空をヘリコプターが飛び始めた。結局山の中からはベースにいけないので、山に入った地点に戻るが、すでに車が増え道路に出ていけなくなっていた。

2月15日　全国一万人の指名手配者を追い、前日夕方から警察庁が4万4000人を動員し全国24万か所を一斉捜索。

2月16日　福岡県陸上自衛隊築城基地沖で自衛隊機同士が接触墜落事故。

静岡地裁で、金嬉老に死刑求刑。

東京地裁で、71年10月の沖縄国会で佐藤首相が演説中に傍聴席から爆竹を鳴らし、建造物侵入、威力業務妨害罪に問われた沖縄出身の青年3人の公判が開かれた。裁判長による「標準語を使いなさい」という命令に反し〝ウチナーグチ〟で押し通し退廷させられる。

刑事との遭遇

朝8時頃、坂口ら洞窟に戻る。緊急避難を主張する植垣に対し、坂口は移動先に調査隊派遣を決定。植垣ら4人が調査隊に決まり、1時過ぎ、森に電話連絡に行く坂口を乗せて車で出発。妙義湖畔で2人の刑事に「アベックをみかけなかったか?」と聞かれる(これは森と永田のことだったが、気づかなかった)。植垣が答えようとすると、坂口は、停めずに行けと指示。奥沢はあわてて発進。刑事たちは車で追ってきた。カーブではぬかるみに突っ込み動けなくなる。この時点で刑事はやっと工事現場に電話を借りに走った。坂口は、指名手配になってない奥沢と杉崎には、このまま車で東京行きを指示。自分たちは洞窟に戻った。

山越えルートを選択

撤退ルートは山越えしかなかった。東の雪がない方は警察も警戒しているだろうと、西の尾根沿いに佐久市へ出るコースを選ぶ。リュックに銃、拳銃、食料2日分、磁石、5万分の1の地図、毛布など最小限度の物を入れた。坂口、坂東、吉野、植垣、青砥、加藤兄弟、寺林喜久江、伊藤和子の9人だった。「やっと目に見える敵が現われ、共産主義化の重圧、とりわけ多くの同志の死に耐えてきた苦痛から解放され、多くの同志を死に追いやった責任をつぐなえると思った」(植垣)。

▼警察は洞窟から尾根に向かう登山道を捜索したが、とてもこの先へは行けないと判断した。9人は登山道よりもっと険しい道を取ったのだった。従って、群馬県警は彼らはまだ妙義山中にいて、道路を押さえておけば、長野県には逃げ込めないと考えていた。

奥沢と杉崎ミサ子は、駆けつけた松井田署の警官に取り囲まれながら、車のドアを開けず籠城。警察は指名手配が出ていなかったので、手が出せなかった。缶詰を食べたりインターナショナルを唱い、カーラジオを聴き、杉崎は小便も車内でするなど約9時間立て籠もり、ついに森林窃盗罪で逮捕される。

山岳ベースで死亡した連合赤軍メンバー
(享年・旧組織〔下部組織を含む〕・死亡日時)

尾崎充男(22・革命左派・71年12月31日)
進藤隆三郎(21・赤軍派・72年1月1日)
小嶋和子(22・革命左派・72年1月1日)
加藤能敬(22・革命左派・72年1月4日)
遠山美枝子(25・赤軍派・72年1月7日)
行方正時(25・赤軍派・72年1月9日)
寺岡恒一(24・革命左派・72年1月18日)
山崎順(21・赤軍派・72年1月20日)
山本順一(28・革命左派・72年1月30日)
大槻節子(23・革命左派・72年1月30日)
金子みちよ(24・革命左派・72年2月4日)
山田孝(27・赤軍派・72年2月12日)

▼永田洋子の『十六の墓標』の題名の由来は、以上の12人と、70年12月18日、革命左派の上赤塚交番闘争で死亡した柴野春彦、71年8月に革命左派の「処刑」の対象となった早岐やす子、向山茂徳、そして73年1月1日、東京拘置所で自死した森恒夫の16人のことである。

尾根伝いに逃避

9人は、警察犬につけられないよう沢や岩場を、時には一人ひとりロープで引っ張り上げながら、尾根を目指して進んだ。急峻な岩場をなんとか乗り越え、6時頃、尾根に出る(標高1100メートル)。北側には横川の町並みと国道18号線が見下ろせた。国道から妙義湖への道路にパトカーがたくさん止まっていた(奥沢と杉崎の車を取り囲んでいるものだったが、それとは知らなかった)。パンを食べてすぐ出発した。先頭は登山経験の豊富な植垣、しんがりは坂口だった。尾根にも塔のような奇岩が続き行く手を遮ったが、植垣の懸命なラッセルで少しずつ前進した。奇岩を迂回するときは吹き溜まりの雪に腰まで埋まった。9時頃、ラジオで奥沢と杉崎の逮捕を知る。

植垣の登山靴の底が半分はがれ、歩きづらくなった。凍傷による激痛も続いていた。懐中電灯を頼りに進んだ。何とか大遠見峠の標識を見つけたときは、一同ほっとした。

森と永田の逮捕

2月17日 朝、森と永田は見計らって道路におり、妙義ベースの洞窟に向かうが、近づくにつれ、衣服、黒色火薬、トランシーバーなどほっぽり出されていて、皆があわてて移動したことを悟る。8時30分頃、ヘリ、警官、警察犬が迫ったので、闘うことを決意。森「もう生きてみんなに会えないな」。永田「何を言ってるのよ。とにかく殲滅戦を闘うしかないでしょ」。この時の森を永田は「弱気の発言や消極的な態度に直面して、私は暴力的総括要求の先頭に立っていたそれまでの森氏とは別人のように思えた」と書いている。機動隊に発見され、ナイフを振りかざして突入するが、4、5人の機動隊が拳銃を一斉射撃。威嚇射撃だったが、永田の耳の横を、銃弾の音がかすめた。「恐ろしさはなかった。妙にとぎすまされた精神のみがあった」(永田)。

2人は警丈で殴り倒され、たくさんの機動隊員が馬乗りになった。「永田だな。あの男は誰だ。世話をかけさせやがる」という言葉が投げつけられたが、実際、森の正体は警視庁の面割担当が来るまで分からなかった。森の手配写真は学生風のひ弱さが残ってい

2月17日 群馬県警は午前8時から警察官350人、警察犬15頭、警視庁のヘリコプター2機の規模による大捜索を開始。

たが、捕まった森の風貌は（土建屋の）おやじさんという愛称そのものだったのだ。

▼逮捕された2人＝森恒夫（大阪市立大卒後、活動専従など。27歳）、永田洋子（共立薬科大卒後、労働運動を経て党活動専従。27歳）。

▼カンパ活動で得た金のうち、343万円を森が、46万円を永田が持っていた。

▼森と永田の同時逮捕と、アジトから発見されたたくさんの文書から、警察は初めて両派が一体化していることを知った。

山道の入口まで連行されるとマスコミがたくさん来ていて、一斉にシャッターが切られた。永田には「絶望などは全くなく……今後の闘いを全力でしていこうと思った。しかし……この逮捕はこれまでと比較にならない絶望と混乱に満ちた困難な闘いの始まりであった」。

坂口ら9人は、朝6時半まで歩き続け、明るくなったので岩場の陰の洞穴に隠れた。朝9時のニュースで森と永田の逮捕を知る。指導者として信頼を寄せていた森の逮捕にメンバーは動揺したが、必ず彼らを奪還して殲滅戦をやり抜こうと意思一致した。坂口は永田との離婚・森と永田の結婚を皆に報告。つらい報告だった。ヘリコプターの姿と洞穴を爆弾で破壊しているような音（実際はガス銃を撃ち込む音）が響いてきたが、いずれも遠かったので捜索圏外に脱出していると思った。

▼午前中の捜索で、群馬県警は洞窟を発見。鉄パイプ、黒色火薬、空薬莢、寝袋、生活用品など4000点を押収。この中に、両腕、両足、脇腹などが切り裂かれた下着やセーター、および糞が付いた男物のパンツがあったことから、殺人事件担当の刑事は誰かが殺されていると断定。

夕闇が迫った5時頃、洞穴を出る。岩をよじ登ったり、崖を這い下りたりの困難な歩行を、皆やり遂げる。銃をひもで肩からつるしていた。11時頃、前方眼下にチラチラ灯りが見え、谷急山の尾根に出たとわかり、皆歓声を上げた。そこから尾根を下り、沢の水をむさぼり飲んだ。山道に出て歩行は楽になったが、植垣の足の激痛は増すばかりで、他のメンバーに後れをとった。和美峠に近づいたとき、ライトバンが停まっていたので林の奥に待避し、夜明けまで休息した。

地図になかったニュータウンに困惑

2月18日　朝8時頃、進行方向に20名ほどの機動隊が検問を敷いていることが分かり、午前11時頃、別の沢を登って待避を開始。和見峠を見下ろすと検問体制が敷かれていた。午後1時半、尾根に登ると妙義山が見えヘリコプターが何台も旋回していた。権力の包囲網を脱したと思い、喜び合った。尾根沿いに進み、夕方一休みして、暗くなってまた歩くと、前方に街の灯らしきものが見えてきた。佐久市と思って進んでいくと、きれいに街灯が並んだ道路にぶつかった。地図にない道だったが、佐久市への道と思いこんで進む。すると目の前に奇妙な光景が現われた。道路が整然と整備され、水銀灯が一定間隔で煌々と照っていたが、家は1軒もなく、人っ子ひとりいなかった。別荘分譲地という看板があったので、佐久市に近いとますます思いこみ、疲労困憊もあり、そのニュータウン（レイクニュータウン）の道路上に雪を集めてかまくらを作り、休息した。夜11時になっていた。

植垣らの逮捕

2月19日　朝5時、植垣、青砥らの4人が佐久（と思っていた）へ買い出しに向かうが、別荘地に入り込みウロウロする。7時、商店や交番のある別荘地の入り口に出る。バス停があり、軽井沢駅行きだった。権力の包囲網の真ん中へ飛び込むことになるが、人の目もあり引き返せなかった。当初は軽井沢駅より一つ手前の停留所で降りるつもりだったが、そこが「警察前」だったのでやむなく終点まで行った。駅には警官がいず、とりあえず小諸に脱出し佐久から仲間と合流しようと考え、待合室に。

▼しかし風呂に1カ月も入ってなく、髪は伸び放題、山越えで服はぼろぼろの4人は、

2月18日　モスクワで行われていた日本とモンゴルの国交樹立交渉が合意に達する。

東京・大丸デパートで「横井庄一さんグァム生活展」が始まる。28年間を支えた90余点の生活用が展示される。

2月19日　ニューヨークのジャズ・クラブで、ジャズトランペッターのリー・モーガンが年上の愛人（内縁の妻）に拳銃で撃たれ死亡する。

満座の注目の的になった。

▼列車には男2人、女2人と別れて乗ったが、売店の女性の通報で、警察が列車のデッキやホームを固めた。知らぬ顔をして新聞を読む植垣と青砥に近づいてきて、仕事、現住所、名前などを職務質問。「下りてくれ」としつこく言う警官に対し、2人はついに腰を上げデッキに出たとたん、反対側に飛び出そうとしたが抱きつかれ失敗。8時5分、ついに逮捕された。女性2人も逮捕。

▼植垣は「これでは何のために12人の死にかかわり、それに耐えてきたかわからない……坂口氏たちを危険な状態にし、せっかくの山越えを失敗させることになる」と残念に思う。反面、「激しく疲労した自分のガタガタの体をやっと休ませることができる……長い困難な獄中生活が続くであろうが……新たな学習によって、消耗しきった気持ちを克服していくことができる」という期待もあった。

▼逮捕された4人＝植垣康博（弘前大・23歳）、青砥幹夫（弘前大・22歳）、寺林喜久江（市邨学園短期大学卒・23歳）、伊藤和子（日大付属高等看護学院生・22歳）

▼軽井沢署に「連合赤軍軽井沢事件警備本部」、長野県警本部警備第一課に「連合赤軍軽井沢事件本部連絡室」設置。

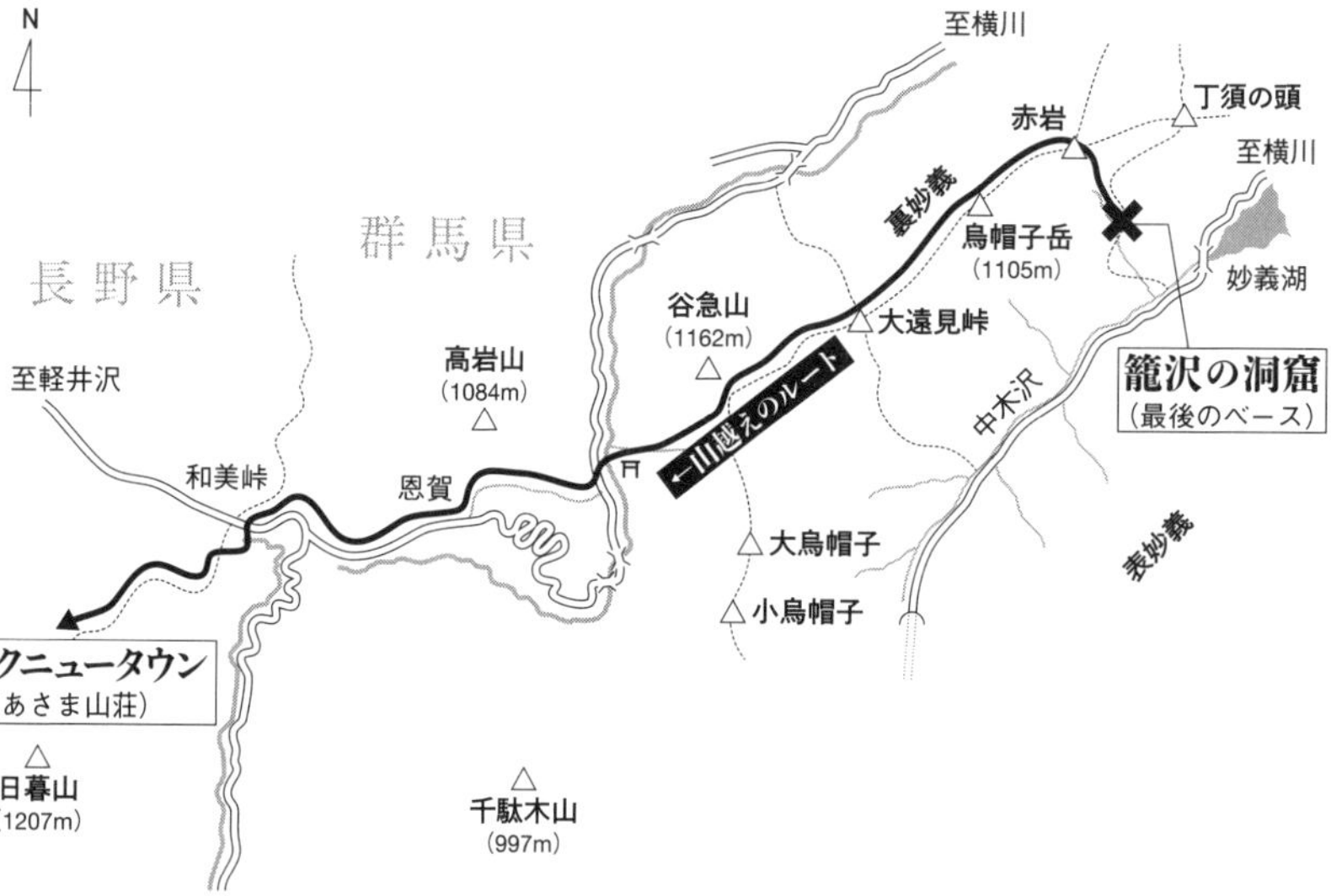

「あさま山荘」へと至ったルート(上)と妙義山のスケッチ(下)。ともに植垣康博作成

4

あさま山荘の10日間

銃撃戦の多角的な検証

1972

1972

坂口ら、さつき山荘に

坂口らは朝9時のニュースで植垣たちの逮捕を知ったが、なぜ軽井沢駅で捕まったのかわけが分からなかった。長距離トラックを奪って包囲網を突破しようと考えたが、誰も運転できる者はいなかった。坂口は4人に10万円ずつ渡し、次の落ち合う場所を茨城県大子町の袋田の滝と決め、雪のかまくらを出た。近くの別荘地の中の1軒（さつき荘）に潜んだ。植垣たちが悪臭やボロボロの衣服で怪しまれたことを知って、入浴し荘内の服に着替えた。

あさま山荘に侵入

午後3時頃、かまくら跡から足跡を追ってきた長野県警の機動隊がさつき荘に来た。機動隊員は5人で、中から散弾銃を撃つと4方向に散った。初めてここで銃撃戦となった。15分くらい対峙したが、これでは取り囲まれるばかりだからと5人（坂口、坂東、吉野、加藤倫教、加藤元久）は脱出を試みる。成功してまた走って逃げ、600メートル離れた別荘に飛び込んだのが、あさま山荘だった。

中には女性がひとり（管理人夫人牟田泰子・31歳）いた。坂口は銃を突きつけ別荘の様子を聞き出し、夫人を縛った。吉野は夫人の拘束に異議を唱え、車で山中への逃げ込みを主張したが、坂口・坂東は夫人を人質にとって森・永田の釈放と自分たちの逃走を要求する策を取ることにした。

坂口はバリケード作りに北側のバルコニーに出たとき、初めて山荘が崖に建っていて、道路側だけ防御すればいいことに気づいた。1階から3階まで、雨戸を閉め切り、テーブル、イス、テレビ、布団などを積み上げバリケードを築く。3階のベッドルームを拠点にすることとし、生活用品や食料を運び入れた。6人の客が滞在予定でもあり、おでんが用意されていた。

警察は人数を把握できず

警察は午後3時40分にはあさま山荘の包囲に取りかかったが、何人が立て籠もっているのか、つかめなかった。しかし、さつき荘で採取した指紋の中に吉野のものがあったのが判明していた（翌日、坂東の指紋も確認された）。

夕方、久しぶりの白いご飯に皆、生気を取り戻した。夫人に身分を明かし、たまたま逃げ込んだだけであなたは人質ではないと説明。夫人は「手足を自由にしてください。ここから出ていってください」と繰り返した。坂口はこの後、この説明に制約されて「人質を利用して逃亡する案」を放棄する方向に傾いた。

テレビで情報収集

テレビの7時のニュースを見る。あさま山荘、森・永田の逮捕姿、発見された迦葉山アジト、軽井沢駅で逮捕された植垣らの姿もあった。迦葉山アジトの映像に坂口は「わずか2、3週間前 に、そこでメンバーにリンチを加え、床下の柱に縛り付けたり、死体を雪の中に埋めたりしたことを思うと、正視に耐えなかった」と回想する。

坂東は夫人の用便には、ドアを開けたまま自分は後ろを向いて応じた。夜は坂口と加藤元久が眠り、坂東が夫人の見張り、加藤倫教と吉野が外を見張った。

2.20

あさま山荘侵入2日目

山荘の表の道左右と、裏の崖下の道左右に、警察の特型車(特殊な装甲車)があるのを見つける。

徹底抗戦の方針を固める

坂口、坂東、吉野が方針協議。夫人を逃走や森・永田解放の取引材料に使うことも考えたが、前日、人質ではないと説明したことが自縛となり捨象。またベースでの同志殺害の件もあり、犠牲者への償いとして警察との銃撃戦を挑む方針が上回る。吉野は徹底抗戦なら夫人を解放すべきと主張するが、坂口は却下した。

食料品をすべてベッドルームに運び込む。米20キロをはじめ小麦粉、砂糖、味噌、コンビーフ、ミカン10個、カステラ、ウィスキー2本、ビール50本などがあった。坂東は1カ月は持つと目算。

警察は夜7時、10時半、11時半、11時50分に高性能スピーカーで数分の短い説得活動を実行。山荘周辺には338名の警官を動員、鉄道や主要道路などに263名など、計742名が警備に就いた。警視庁も独自に狙撃班5名を送り込んだ。

朝6時、警察が呼びかけ。「こちらは軽井沢警察署長です。山荘内の学生諸君、いつまで卑劣な行為を続けるのだ。銃を捨てて出て来なさい」。警視庁第9機動隊156名、神奈川県機動隊106名が到着(坂口本)。その後、22日、23日、25日、26日と警視庁を始め近県から応援部隊が現地入りし総勢1400名もの動員態勢となる。しかし東京や神奈川などの部隊は、経験のない寒さから、体調を崩す機動隊員が続出した。

誰かが報道のヘリコプターに散弾銃を撃つ。ヘリの騒音は「いたずらに緊張を煽り、われわれの敵意を掻き立て」(坂口)た。

夫人の縄を解く

午後0時前、坂口が夫人の縄をほどく。人質ではないという表明を一貫したかったためと、ベースでの同志の緊縛姿と重なって、罪悪感を覚えたためだった(坂口本では夫人の縄を解いた後、夫の呼びかけがあったとある)。

畳やスノコでバリケードを補強。夜、吉野が屋根裏の換気口を見つけ、銃眼に細工。

夕食に遅れた加藤元久が炊きあがった電気釜のふたをすぐ取ろうとしたのに対し、夫人が「少しそのままにしておいた方がおいしいよ」と教えるなど、少し会話が交わされるようになった。

2.21

あさま山荘侵入3日目

坂口が、夫人や盗聴器に対する警戒から、偽名の使用を提起。あさま山荘にちなんで、全員、山の名を名乗った。

午後4時頃、ラジオニュースで心理学者3人が来て意見を述べたと聞く。3人とは宮城音弥(東京工大名誉教授)、島田一男(聖心女子大教授)、町田欣一(警視庁科学警察研究所長)。

管理人が呼びかけ

午前11時すぎ、管理人がスピーカーで呼びかけ。「元気かー。聞いているかー。体の具合はどうなのだ。元気な姿を見せてくれ」。夫人は涙を流してじっと聞いた。

坂口「警察にいわれてやっているだけだよ」。午後にも、夫人の父や親戚の呼びかけがあった。

前夜から夜明けまで、警察は説得活動を14回、繰り返した。

午後3時、警視庁第9機動隊長が山荘玄関前に、夫から管理人夫人への果物カゴと手紙を置く(坂口らはこれに気づかなかった)。

この日も管理人の親族による呼びかけが行なわれる。特型車の接近等がなかったため、坂口らは1発も銃撃はしなかった。

坂口と吉野の母親の呼びかけ

午後5時29分から56分まで、坂口の母・菊枝（58歳）と吉野の母・淑子（51歳）が現場にて説得活動。坂口らは全員ベッドルームで開く。坂口の母「潔く武器を捨てて、Mさんの奥さんを出して……。代わりが欲しけりゃ、私が行きますよ。……」。振り絞るような涙声だった。坂口は「何も感じないということはなかったが、親の情を警察が利用したとの怒りが強く、また、機動隊の特型車のマイクを使用したことがたまらなく嫌で、早く終わることのみ念じていた」。そして夫人には「実家は花屋をしている。田舎だから村八分にされていると思う」と話す。

続いて吉野の母が立った。「まあちゃん、もしいるなら聞いてちょうだい。……」「あんたたちのいちずな気持ちが誤解されるのはつらいんです。……社会のために身を犠牲にしてやるつもりだったんでしょう。本当に犠牲になるつもりなら、銃がありながら弾丸がありながら、みんなの前に立派に出てきてちょうだい」「出してあげるときは、目に布を当ててやってください。外は一面、雪ですから」。

米大統領の訪中のニュースを茫然と見る

午後7時、テレビでニクソン米大統領訪中の様子を見て、ショックを受ける。旧革命左派の革命論が毛沢東に負う部分が多かったため、自分たちの武装路線が根底から覆される思いがした。

午後7時30分頃、1人の男が山荘に近づこうとして逮捕される。新潟のスナック経営者田中保彦と名乗った。人質の身代わりになるつもりだったと供述。人質の身代わり志願者は日に日に増えていたが、この日警察は田中を厳重注意で帰す。これが翌日の田中被弾につながることとなった。

吉野の涙

朝9時、吉野の母・淑子の説得中に銃声。「お母さんが撃てますか」と淑子が言うと、また発砲があり、銃弾は淑子の乗る装甲車の車体に当たり跳ね返った。母親の説得を聞いていられなかった吉野が、早くやめてほしいと撃ったものだった。吉野の目は潤んでいた。

沈黙

警察は玄関先にトラメガを置いて政治的主張を訴えるよう要請。〝人質を取りながら何も要求してこない連合赤軍の不気味な沈黙に、警察は戸惑っていた。吉野は訴えるよう主張するが、坂口は「黙って抵抗していくことがわれわれの主張になる」と拒否。しかし内面は、政治的主張と現在の状況に乖離を感じていたこと、同志殺害が早晩暴かれることは必至とみて、ひたすら徹底抗戦することが左翼的良心の発露と思っていたこと、が理由だった。しかし敵から政治的主張を言えといわれたことで「政治的敗北をヒシヒシと感じざるを得なかった」。

民間人の負傷

正午近く、玄関先に妙な男が現われ「赤軍さん、赤軍さん。私は文化人です。あなた方の気持ちは分かります。私は、××さんの身代わりに来ました」などと言いながら徘徊。坂口は私服刑事ではないかと疑いながら監視。男は玄関先の果物カゴを持ち上げたり、ドアを開けたりした。吉野が散弾銃を天井に向け1発撃って脅すが、後退せず。

吉野は聞けば聞くほど警官の偽装と思いこんだ。坂口も機動隊にウィンクするなど男の挙動に不審なものを感じ、遂に拳銃で狙撃。男はいったん倒れたが、すぐ立ち上がり、フラフラしながら歩き、大楯を持った機動隊員に保護される。ラジオが「撃たれたのは新潟市内でスナックを経営する田中保彦」と放送。

警察が「山荘の学生諸君。この人は警察官ではない。民間人だから撃たないように」と呼びかける。

田中は軽井沢病院に運ばれる頃から意識をなくし始め、上田市の病院で3月1日に死亡。

機動隊員の負傷

午後2時30分頃（久能靖『浅間山荘事件の真実』では3時30分ともいわれる）、特型車の後ろに7、8名の機動隊が隠れながら接近。吉野が散弾銃やライフルでそのうちの1人の足や、救助に来た別の機動隊員の首筋に命中させた。

夜8時10分、電源が切られテレビが消え、部屋が真っ暗になった。以後、電気はずっと切られていたが、ガスと水道は止まらなかった。テレビがこの時点で消された理由について、高橋檀は、山荘にいる「過激派」に、日中国交回復を見せようという意図だったのではないかと述べている。さらに、警察は山荘内部状況はあらかた把握できるにもかかわらず、10日間の時間をかけたことについても、日中共同声明を見せつけるためという解釈をしている。

坂口は直径1ミリそこそこの散弾粒を溶かして、2、3センチに作り替える作業に従事。

民間人を含めて1日に3人もの負傷者が出て、警備本部は重苦しい雰囲気に包まれた。

警察の強力な投光器に、あさま山荘が浮き上がった。夜11時16分、東側の投光器が山荘から撃たれ、レンズが砕け散った。相当な射撃の名手がいると考えられた。

2.23

あさま山荘侵入5日目

擬音作戦と睡眠妨害を意図した投石作戦の開始

朝の気温は零下14度に。

坂口がベッドルームでトランジスタ・ラジオによる情報収集と夫人の監視、坂東と加藤倫教が屋根裏の監視、吉野と加藤元久は玄関ホール、管理人室、2階、1階の監視。

午後4時30分頃、催涙ガス弾が2階風呂場の窓ガラスを破る。3階ベッドルームにもガスが充満。坂口は夫人にレモンとクリームを渡し、レモンは目の廻りにつけ、クリームを皮膚の露出部分に塗るよう教える。夫人は従った。

この日の発砲は3発。警察の狙いが偵察であることを察知して、弾の無駄遣いを避けた。

午前7時をもって国内の人質事件の最長時間87時間を過ぎた（従来の記録は静岡県の寸又峡の温泉宿に13人の人質を取って立て籠もった金嬉老［41歳］の事件→68年2月）。

警察は重装備の強行偵察を実施。午後2時と3時の2回にわたって、東西両方向から特型車と機動隊30名（拳銃所持）をあさま山荘玄関に近づけた。4時、2名の機動隊員が屋根裏の換気口そばの銃眼に向け催涙ガス銃を発射し始める。

朝5時と6時に、管理人、夫人の父と弟、計3人が呼びかけ。夫人は「夫を安心させたいんです。ちょっとでもいいですから、バルコニーに立たせてくれませんか？」と哀願するも、坂口は「そうしたら警察の勝ちになる」と拒否。夫人「電話でもいいんです。電話をかけさせてください」。坂口「あんたが大丈夫なことは、盗聴器を使って、警察はとっくに知っているよ。旦那にああ言わせているのは世論工作のためだよ」。このとき坂口は、「同志殺害の途方もない過去を背負って、……ひたすら警察と闘うことのみが、左翼の良心を示す唯一の方法だと」思っていたので、要求や取引には一切応じないことにしていた。これは後の取り調べや公判などにおいても貫かれ、弁護士やマスコミ、一般人の一定の賛同は受けた。しかし革命左派としての論争やかたくなな態度などは、公判を通して、永田や植垣との対立を生むことになる。

午前9時30分、坂東の母が希望して説得に来る。坂東は表情を変えず、黙って聞いていた。

この頃、坂口は風邪を引きベッドで横になる。他のメンバーの許可を得て半合ほど日本酒を飲んで体を温めた。あさま山荘で酒を飲んだのはこの時だけだった。

放水が始まる

午後0時、特型車8台が接近。坂口らも、昨日とは違う本格的なものを感じ、応戦体制に入る。玄関先、裏手に発煙筒が投げ込まれ、坂口らは散弾銃で特型車のフロントガラスめがけて発砲。運転手の顔が見えたが、動ずる気配はなかった。

坂口らが緊張して待つと、放水があった。水圧で玄関のドアが破られ、バリケードとして積み上げられた椅子や箱、布団の一部が吹き飛んだ。放水の合間に大楯で防御した機動隊が玄関前に近づき、銃眼めがけて催涙ガス弾を発射した。坂口らは散弾銃で応酬。散弾が大楯にドスッドスッと当たるたびに大楯は押されて後退。はずみで後ろにひっくり返る機動隊員もいた。

午後4時、警察「君達が抵抗する限り、われわれも武器を使用する」と警告。30分後に放水開始。

盗聴器の問題

- 盗聴器が仕掛けられているのを予想し、大事な話は筆談で行なうこととした。坂口は後に新聞記事で、数百個の盗聴器があったこと、警察は夫人の声をキャッチしていて、身の安全を心配していなかった、と載っていたのを読む。ただし『連合赤軍「あさま山荘」事件』（佐々淳行著、文春文庫、以下佐々本）には「指向性集音マイクをつけた竿をあさま山荘の窓に近づけたり、屋根に登って煙突からコードにぶら下げた秘聴マイクをたらしたりやってるのだが、××さんらしき声はとれてない」と記述されている。

2.25　あさま山荘侵入7日目

- 坂口らは午前と午後の警察の強行偵察の際、警備車の助手席に上級職らしき風貌の人物を見、敵愾心を燃やした。
- 放水とガス弾、発煙筒の攻撃が続く。
- 警察側は新たに、警視庁特科車両部隊を投入。また、玄関先に土嚢を積み上げた。
- 警察側、心理的揺さぶりを狙って2つの新作戦。その1は午前0時30分と5時に行なった「擬音作戦」。ブルドーザーや自動車のエンジン音、機動隊の号令や駆け足などを大音響で流した。

2.26　あさま山荘侵入8日目

- 前夜から朝まで、濃い霧が発生。吉野は霧に乗じて脱走をすることを提案し、排水管や浄化槽の位置などを確認するが、いずれも利用できるものではなかった。
- 警察の新作戦（擬音作戦　下段参照）は30分ほど続いたが、坂口らは「子供だましの真似をしやがって」とせせら笑った。この後もくり返されたが「またか」と意に介さなかった。新作戦の2つ目は、山荘の屋根への投石だった。ベッドルームの屋根は絶え間なくガンガンと響き、「こたえた」。この日からメンバーは睡眠不足に陥る。
- 朝からの粉雪の中、土嚢の積み上げは続き、高さ2メートル、幅は20メートルを超えた。

夫人との約束

9時30分、管理人夫妻の両方の親族が代わる代わる呼びかけ。夫人はまた「顔だけでいいから出させて下さい」と頼むが、坂口は拒否。午後、夫人は「死にたくない」ともらす。坂口は夫人も警察の強行突入が近いと感じているのだと思う。また夫人は「私を楯に……しないでください」「あとで裁判になった時、私を証人に呼ばないで下さい」と言う。坂口は両方とも約束し、後に彼の弁護人が夫人を証人申請しようとするのを、検察側の調書に同意してまで、拒んだ。

寺岡の父の呼びかけ

夕刻、寺岡恒一の父が呼びかけ。5人全員がベッドルームに集まって耳を傾けた。ベースで死刑にした寺岡（↓1月18日）の両親を目の前にして坂口は「言いようのない胸の圧迫感を感じた」（後に寺岡の遺体が発掘されたとき、寺岡の父は「恒一があさま山荘にいなくて良かった」と語ったといわれる、と坂口は著書で明らかにしている）。

夫人に中立を誓わせる

夜、坂口は夫人に「あなたを決して傷つけない、警察側にも我々の側にも立たず、中立の立場に立ってほしい」と話す。夫人は中立を守ると言ったが、「言葉だけのもので、内実が伴っているようには見えなかった」（坂口）。坂口の狙いは、夫人に自分たちの立場を説明することで、闘い続ける論理を明確にしておくことだった。

坂口、板東、吉野、互いの反目

夜、吉野が「任務中に坂東が菓子をつまみ食いした。妙義山に移った頃から坂口と板東には反発を感じている。警察と闘うときにこんな状態ではいけないと思うので」と討論を要求する。坂口は腹を立てて「君はまだ金子みちよの総括ができてない身なのに」。坂東は戸惑っていたが「任務中に間食したことを自己批判したい。………信頼を高め合って最後まで戦い抜こう」と表明。吉野は納得いかない顔をしていたが、とりあえず矛を

坂口、吉野、寺岡の3家族が軽井沢の旅館で話し合い。

収めた。坂口は著書で「吉野君とは特にフィーリングが合わず、ものの感じ方の違いに驚く場面が少なくなかった」と告白している。

2.27

あさま山荘侵入9日目

異変を感知

朝はみぞれ。擬音の騒音や投石は前夜もあったが、比較的眠れた。この日も、吉野の両親、寺岡の父の呼びかけ。午後、ラジオからあさま山荘関連の放送がなくなる。「連合赤軍事件に関する取材・報道協定」が警備本部とマスコミ各社との間で結ばれたことによるものだった。

26、27日と警察の接近行動が形ばかりのものになった。そのため夜、全員で警察の出方を協議。結論は出なかったが、明日はこれまでにない接近活動があるだろうと予測。夜通し、激しい投石があり、全員眠れなかった。

早朝、警察は山荘周辺に融氷剤を散布。特型車、機動隊員のスリップを防ぐため。この日の警備部隊は1635名(うち警視庁の応援部隊548名)、その他特型警備車9輌、モンケン(ビルの解体に使う大型の鉄球。この日のものは1トンの重さがあった)を装備した10トンクレーン車1輌、高圧放水車4輌。このうち直接山荘を攻撃するのは警視庁第2機動隊(2機)第9機動隊(9機)、第7機動隊レンジャー部隊、特科車輛隊、長野県警機動隊の計382名だった。

2.28

あさま山荘侵入10日目

朝5時、投石がやむ。夫人と加藤兄弟は眠ったが、坂口は極度の寝不足にもかかわらず、眠れなかった。

投降勧告は繰り返し行なわれたが、そのたびに語調が激しくなったので、坂口らは警察の強行突入を察知。坂口は急いで雑炊の朝食を作り、「今日は総力戦だ。……頑張っていこう」と檄したのち、配置に付く。坂口はベッドルーム、坂東と加藤倫教は屋根裏の銃眼、吉野と加藤元久は管理人室と厨房。坂口は他の4人に鉄パイプ爆弾とマッチを手渡した。

銃撃戦の開始

10時7分、管理人室の銃眼からこの日初の発砲。前進する機動隊員の大楯に当たった。一斉にガス弾が応酬。銃撃戦が開始された。

モンケン攻撃の威力

坂口「ものすごい衝撃音と同時に、ベッドルームがグラッ、グラッと横揺れした。……モンケンがぶつかる度に床が大きく傾いで、立っていられない。……玄関横の壁は、わずか5分で破られた。間髪を入れず、穴めがけて放水が行われた。放水中もモンケンを使った破壊作業は続行された。玄関横の壁はほとんど壊された。管理人室とベッドルームが分断される恐れが出てきたため、吉野君と加藤元久君の二人が、ベッドルーム入り

朝9時、警察は投降勧告。「山荘に牟田さんを監禁して立てこもっている犯人たちに告げる。……君たちは人民のために闘っていると言っているが、牟田さんを監禁していることは凶悪犯と何ら変わらないではないか……警察はもう待てない」。

最後通告

午前9時55分、警察「間もなく部隊は牟田さん救出のため、君らに対して実力を行使する。君たちが銃を持って抵抗すれば、警察はやむを得ず必要な措置をとる」と最後通告。

10時、野中本部長が攻撃命令。「各部隊は現時点をもって規定方針通り所定の行動を開始せよ」。マイクでの呼びかけは「ただいまから実力をもって牟田さんを救出する。無駄な抵抗はただちに止めなさい」。

10時48分、クレーン車が山荘正面に近づく。山荘からの銃弾がカキーンカキーンとクレーン車の装甲板に当たって跳ねた。54分、モンケンによる破壊攻撃開始。玄関脇の階段めがけて、2度3度と1ト

口の手前に後退してきた」。

放水の水が、ベッドルームの坂口の「くるぶしから脛へみるみるうちに嵩を増し、足元で鍋、箱、花瓶がぷかぷかと浮かびはじめた……奇妙な光景であった」。

11時6分、階段は完全に破壊。モンケンは屋根を壊しはじめ、数分で「青空が覗くようになった……直径50センチ程の鉄玉……威力の割に小さいな、と思った」。

突入命令

ラジオで情報収集に当たっていた坂口も、突入命令の発令を聞く。

銃撃

坂口はラジオで1人の被弾を聞き、吉野や屋根裏の坂東に「1人やったぞー」と伝える。坂口には誰が狙撃したかわからなかった（結局公判でも特定されず）。

開いた穴めがけ、激しい放水と催涙ガス弾の打ち込みが交互に繰り返される。坂口らはガスが薄れるのをじっと待った。

ンのモンケンがぶつけられた。モンケンがめり込むと、直径1メートルほどの穴が開いた。白いモルタルの壁はたちまち破壊され、穴がどんどん拡がった。開いた穴へ激しい放水を実施。

強行突入

11時10分、「各隊は隊長の判断で行動せよ」と突入命令が出、警視庁2機、9機、長野県機（県警機動隊）の突入部隊125名が一斉に行動開始。

11時17分、2機の決死隊、3階管理人室から山荘内突入に成功。同24分、9機中隊、1階に侵入。

高見警視の被弾

11時27分、放水車に狙いなどを指揮していた警視庁特科車両隊の高見繁光中隊長（42歳）が頭に被弾。土嚢からわずかに頭が出た瞬間だった。仰向けに倒れた中隊長の下で、白い雪が真っ赤に染まった。高見警視は1時間後、上田市の病院で死去。

11時40分、長野県機が2階の壁を破壊して侵入に成功。

坂口「坂東君がライフルで狙い撃ちしたようである。しかし、彼は、狙撃の模様を詳しく報告してくれなかった。私を信用していなかったためかどうか知らないが、大津巡査の時も私は報告を受けていない」。

管理人夫人、必死の叫び

高見警視撃たれて重傷のラジオ放送に接した夫人は「銃を発砲しないで下さい！ 人を殺したりしないで下さい！ 私を楯にしてでも外に出て行って下さい」と叫ぶ。

大津巡査、被弾

11時47分、2機の伝令大津高幸巡査（26歳）が左目に被弾。2機の突入班が玄関に入っているので、自分も行こうと土嚢を乗り越えた際の被弾だった（左眼球および左側頭部貫通銃創の重傷で左目は失明する）。これまた発砲者は裁判で特定されなかった。

内田隊長の被弾

11時54分、警視庁第2機動隊隊長・内田尚孝警視（47歳）が頭に被弾して倒れる。2枚重ねの大楯の横から顔を出していた。大楯のそばには隊長旗が掲げられ、内田は指揮者を示す白線が3本入った防弾ヘルメットを被っていた。そのため屋根裏の銃眼のライフルが常に狙っているのを、特務隊員が再三警告していた。特務隊員は山荘正面の小高い山上から銃口を監視する任務を負っていた。内田隊長は午後4時1分、上田市の病院で死去。

3階で上原勉中隊長、被弾

11時56分、3階の厨房に侵入し指揮していた2機4中隊の上原勉中隊長（警部・38歳）が頭を散弾銃で撃たれる。警備無

坂口は上原中隊長の狙撃を、法廷で開くまで、まったく知らなかった。

5人全員、ベッドルームに退却

午後0時30分過ぎ、警察の作戦行動が休止したため、5名全員がベッドルームに集まった。開いた穴に布団、箱、ベニヤ板、冷蔵庫などを積み上げ応急処置を施し、ご飯とコンビーフの缶詰の食事をとる。放水の水が引かないため、立ったまま食べた。食後、それぞれ決意表明。坂口は「この戦いを新党として、これまでの総括の闘いを踏まえそれを深化させるべく断固闘う」と発言。

線「犯人は談話室から銃撃。屋根裏部屋に通ずる非常梯子あり、屋根裏からも狙撃……犯人の抵抗が烈しく膠着状態続く。以上、どうぞ」（佐々本）。

モンケン攻撃、突然の停止

午後0時30分頃、突然クレーン車のエンジンが停止。警察情報は「エンジンに放水の水がかかったため」。佐々淳行著『連合赤軍「あさま山荘」事件』でもこの説を引用しているが、元日本テレビアナウンサー久能靖は著書『浅間山荘事件の真実』で、クレーン車を運転した白田弘之社長とモンケンを操作した義弟の白田五郎に取材し、「いい加減にも程がある」という警察批判を引き出している。「クレーン車は雨の中でも作業する。原因は水ではない。狭い操縦席に指示すると乗り込んできた機動隊員が、バッテリーのターミナルを蹴とばしたようでコードがはずれてモンケンが動かせなくなった。隊員がどけば修理できるが、数メートル先から銃で狙われていたため、動けなかった」（大略）。「五郎は、〝水が入ったことにしておこう〟という警察側の無線でのやりとりを今でもはっきり覚えているという」（前掲書）。白田兄弟はＮＨＫテ

拳銃使用の許可を聞く

▼午後0時40分頃、ラジオで「警備本部は、拳銃を使用して犯人を逮捕せよ、との命令を出しました」と聞くが、坂口はこのニュースについて他のメンバーと話し合った記憶はない。「私も他のメンバーも威嚇射撃だろうと思っていたためと思われる」。

レビ「プロジェクトX」でも、同様の説明をしている。

▼警察庁から警備本部に「なぜ鉄球による破壊作業をやめるんだ」と電話。全国のテレビ視聴者からも同趣旨の抗議電話が何十本もかかる。

拳銃使用の許可

▼午後0時38分、警察庁が拳銃使用の許可。「適時適切な状況を判断し、適時適切に拳銃を使用せよ」。現場指揮の石川統括（警視庁警視正）は「E、Fの銃眼からライフルを発射している対象に対しては射角を考慮し、拳銃を適正に使用し、これを制圧検挙せよ」「談話室で散弾銃を所持している対象に対しては、状況により（以下同文）」と命令。

▼日本テレビ・久能アナウンサー「12時46分、今度はライフルの使用が許可されました」。

夫についての報道

▼日本テレビ・小早川アナウンサー「家族や親戚十四、五人が集まってテレビを見ていますが、牟田さんだけは河合楽器の同僚八人と……テレビを見ています……

報道陣に発砲

午後0時45分頃、坂口は破壊された穴から外を見ると、右側に望遠レンズで山荘を狙っている大勢の報道陣を発見。「人が命がけで闘っている時になんということだ」と拳銃を一発発射した。左側にも2発撃った。約5分後、「信越放送の記者がライフルで撃たれて負傷しました」というラジオ放送に驚く。

13年後、坂口は小林カメラマンに謝罪の手紙を送り、母も弁護人と共に自宅に侘びに行く。両方とも「こころよく応じて下さった」。

画面には目がいかず、ただ音声を聞いているだけ……放送が始まってからひと言も話をしないということです」

現場の停滞

日本テレビ・久能アナウンサー「泰子さんは依然として判りません。現場はますます冷えこんできました。山荘にも外気が直接流れ込むようになったため、泰子さんの安否が心配です。表の動きはまったく止まってしまいました」。

弾は小林忠治カメラマンの右足関節下を貫通、「全治3カ月の診断だったが、足は曲がらなくなった」

警察作戦会議で28日中の決着を決める

「各隊は攻撃を一時中止し、現場を確保せよ」との命令が出る。本部車で野中本部長以下、幕僚や部隊指揮官が集まって作戦会議。会議は約1時間、強行突入をこの日中に貫徹することを確認。既に山荘は水浸しになっており、破壊されて外気にさらされているため、中止すると犯人も人質も凍死する恐れがある、犯人側に態勢を立てなおす余裕を与える、隊員

- この間に、坂口らベッドルームの入口に冷蔵庫などを移動し、バリケードを補強。作戦停止時間が長くなったので、突入は順延か、など甘い観測をする。

機動隊の撤退

鉄パイプ爆弾を投擲

- 午後2時40分、厨房に機動隊がたむろしているから爆弾投擲のチャンスだという吉野の進言で、坂口は鉄パイプ爆弾を手にベッドルームを出て食堂ホールへ入る。放水の水が凍り付いていて、ミシッ、ミシッと鳴る。ホールと厨房の間の配膳口はジュラルミンの大楯で防御されていた。管理人室から「誰かこっちに近づいてくるぞ。拳銃、拳銃を取れ」と声。かまわず近づくと、穴が開いていた厨房の天井へ鉄パイプ爆弾に火炎ビンで着火して投げ込む。「うひゃー」「爆弾だ」の声。坂口がベッドルームまで逃げ込んだ途端、ズドーンと低くて腹にひびく爆発音。
- 坂口は結果を知らなかったが、後に「中村氏の怪我は……治療に5、6カ月かかり、その後も長く後遺症に悩まされたと証言しておられた。しかし、法廷でも、また自宅に私の謝罪の手紙をお送りした後、母がお詫びに上がったときも、『気にしていない』といわれ、驚かされた……この言葉に自責の念を一層強めた」と書く。

の士気を翌日高め直すのが難しい、などの理由だった。

- その他、夫人救出のため4人の特別決死隊の編成。2機の攻撃正面を1、2階に、代わりに9機を3階に変更、などを決定。2機は隊長以下数名が撃たれ指揮系統が寸断されたため、交代となった。
- 午後1時40分、山荘1、2階から監視要員15人を残して機動隊が撤退。
- 警備無線「至急、至急、現場1から統括。状況報告。3階厨房室を確保していた2機部隊に対し食堂方向から爆弾1発投げられ、中村巡査部長他 5人重軽傷。救護班を要請する。以上、現場1」(佐々本)。
- 日本テレビ・久能アナウンサー「中でまた負傷者が出たのではないでしょうか。今、急いで担架が前の方に運ばれています。……山荘の中から一人、隊員が運び出され……狙撃される恐れがあるため、楯を持った機動隊員たちが懸命に掩護しています。……屋根裏に向かって再び放水がはじまりました」(久能本)。

警察、行動を再開

午後3時30分、屋根裏に放水を受けてベッドルームにまた水が溜まる。10分後、ガス弾が撃ち込まれ催涙ガスが充満。

午後4時30分にも烈しいガス弾。また拳銃も6発撃たれた。ベッドルームは橙色や白色の煙に包まれた。窒息死するのではないかと思った瞬間、放水が行なわれ、ガスが拡散して息をすることができた。坂東が夫人を攻撃の反対側のベッドの下段に連れて行き、窓を開けて外気を吸わせる。坂口と吉野も、ほどなく窓に駆け寄り、息を吸った。

警察、拳銃を発射

午後4時52分、また夥しい数の催涙ガス弾が撃ち込まれ、呼吸困難になった坂口は窓ガラスを破り、顔を突きだして息をする。そのとき初めて眼前に浅間山が聳えていることに気付き、あさま山荘という名に納得する。

2機4中隊の中村欣正分隊長(30歳)は右腕を砕かれ重傷。その他4人は鼓膜をやられ聴力を失う。

「急速に気温が下がり……足下から容赦なく寒さが上へ上へと忍び寄ってくる」(久能本)。

放水とガス弾で攻撃している間に、決死隊の4人や9機が厨房に進出。至近距離からの弾が当たるたびに、楯は衝撃で倒れそうになる。少しずつバリケードを撤去した9機は、ついに食堂を制圧。

午後4時35分、警察は拳銃を6発発射(坂口本)。結局10日間で警察が使用した拳銃は22発で、内訳はさつき荘で長野県機6発、あさま山荘で警視庁16発(威嚇射撃)となっている(佐々本)。

日本テレビ・浅見アナウンサー「会見場の動きも慌ただしくなってきました」(久能本)。

同・倉持アナウンサー「救急車が到着しました。もうすでにエンジンをふかしています。真新しい担架とピンクのタオルケット2枚、真っ白い枕が外に出されています。……前線本部前にロープが張られ、機動隊員が報道陣に整列するように

数メートル先の機動隊

▼午後5時過ぎ、ベランダに機動隊が進出し、ガス弾を撃つ。坂口は拳銃で応戦しようとしたが、不発。

▼同じ頃、ベッドルームの入口に機動隊が少しずつ迫る。ガス弾を援護射撃に、大楯で弾を避けながら、バリケードを少しずつ排除して近づいてきた。

ベッドルームの壁が破られる

▼同じ頃、ベッドルームの壁が破られ、30、40センチの穴が開く。坂口らはその壁穴に向けて散弾銃を発射。ガス弾を撃たれると呼吸ができないので、ガスが薄まるまで発砲しなかった。

▼午後5時50分頃、ホールから放水。坂口の体に激しく当たる。震え上がるほど冷たかったが、ガスが拡散して、呼吸は楽になった。水よけにベニヤ板を持ったが、放水ではじき飛ばされ、坂口らの体に直接放水される。部屋は真っ暗で、壁穴の向こうの機動隊の姿は見えなかった。

▼壁穴から金属音と怒号が迫ってきた。坂口「ああ、これで終わりか、と思った瞬間、ベニヤ板に大きな圧力がかかった。来たな、と思った瞬間、グシャと潰され、私はベニヤ板の下敷きになった。……機動隊員の1人が私の両手から散弾銃を取り上げようとする。……私は指先に渾身の力をこめて抵抗した。……機動隊員は、私の指を一本ずつ散弾銃から切り離しにかかる。……その機動隊員は……手錠を私の右の手首にはめた」。

管理人夫人、救出

▼坂口「下段ベッド東北隅に坂東君に守られるようにしていた夫人は、私が下敷きになっ

指示しています。こちらは準備万端整いました」(久能本)。

▼決死隊4人はベッドルーム入口から突入をはかるが、冷蔵庫が妨害していて入れない。冷蔵庫と壁のわずかな隙間は木材で固められている。それを鳶口で1本1本崩すが、中からの射撃でままならない。

一斉に突入、検挙せよ

▼午後6時5分、9機大久保隊長「一斉に突入、検挙せよ！」の命令。遠藤正裕隊員（24歳）が穴から「わぁーッ」と喊声を上げ、大楯を構えて穴からベッドルームに突入。ドンと銃声がひびき、遠藤隊員は右目を撃たれた。

▼冷蔵庫の陰で機をうかがっていた仲田小隊長は、2発連続発射して弾が切れたときをみすまして、ベッドルーム奥にうずくまっている犯人に突進。大楯を振り下ろし、散弾銃とライフルを払いのけて、犯人に馬乗りになった。

▼仲田小隊長は夢中で目の前の手首を掴ん

ていた時、既に機動隊員に救出されてベッドルームから出ていったようだった。ああ、牟田さんは連れて行かれるな、と何かわびしいきもちになった」。

ベッドルーム内は28人の機動隊員が、坂口らに折り重なるように馬乗りになり、銃を手からもぎ取ろうする者、蹴られながら足を懸命に押さえる者、首を抱え込む者など。隊員たちは、同僚を2人も殺された恨み、憎しみがあり、気持ちを抑えきれない彼らの激しい拳が飛んだ。

218時間の闘争

ベッドルームにはおびただしい数の空薬莢と、22口径ライフル1丁、散弾銃4挺、38口径拳銃1挺、実包591発、鉄パイプ爆弾3発、現金75万1615円が残っていた。催涙ガスや硝煙の匂いと、5人の体と衣服が放つ悪臭も残されていた。

で引き出し、手錠をかけようとすると、手首が細い、体重が軽い。「私、ちがいます」と声。とっさに、その女性に覆い被さっていた男に手錠をかけた。

決死隊の1人、目黒巡査部長は管理人夫人と思われる女性を背負って脱出。そのまま救急車に向かおうとするが、山荘内に入っていた佐々淳行警察庁・警備局付警務局監察官が「待て…確かに牟田泰子なのか確認しろ」。皆初対面なので戸惑い、懐中電灯で顔を照らした。「その女性は長時間水のように冷たい放水を浴びて全身ビショ濡れ、髪はざんばら髪で真青な顔色でブルブル震えている……よし、本人に聞くしかない……貴女は牟田泰子さんですか……その女性はうなずいてかすかな声で答える「はい、牟田泰子です」」（佐々本）。

午後6時15分、現場情報班報告「人質救出。本人に確認した。牟田泰子さんに間違いなし。以上。現場一」（佐々本）。山荘を取り囲んだ数百の機動隊員、1000人を超える報道陣からドッと歓声があがった。事件発生以来218時間たっていた。

報道陣の前を連行

▼坂口「直ちに山荘から外へ連れ出された。……投光器の光に照らし出された……体をくの字に曲げて歩かされた。……途中考えたことは、ああ、植垣君らもこの道を通って軽井沢駅に行ったのだな」。

▼軽井沢署、坂口は留置所の房の中で、目をつむって正座した。坂口の回想「どんな形であれ、われわれは銃撃戦を闘ったのだ、という思いだけで気持ちを高ぶらせていたようだ。もちろんそれが「総括」から逃れる、ある種の自己満足であったことは否定できない」。「こうしてあさま山荘籠城事件は幕を下ろした。だが、われわれ連合赤軍の事件はこれで終結したわけではない。この後、しばらくして、山岳ベースでのリンチ殺害事件と印旛沼殺害事件の二つの大事件が発覚して、日本中を一大センセーショナルの渦に巻き込むのである」。

▼管理人の回想「（強行突入決行の）了解を求めにこられた時からは、みっともないことだけはしてはいけないと……この後、関係者にはどうやってお礼をして廻ればいいのだろうか……ヒステリックになった方がいいのか、それとも泣きわめかなければいけないものなのか……およそ当事者らしくないことを考え……待機している間に、なぜか気持の上で空白な時があり、強い孤独感を感じた。その時、これは泰子のためのことでなく、戦争だなとフッと想えて、これは何なのだと憤懣やるかたない気持でいっぱいになった」（久能本）。

▼佐々淳行警視正「私的な制裁を禁ずる。これから報道陣の前を連行するがゆっくり歩け。報道陣にシャッターチャンスを与えろ」（佐々本）。

▼5人が山荘の玄関から出てくると、一斉にカメラのフラッシュが炊かれた。報道陣や機動隊員から「人殺し！」「なんでおめおめ出てきたんだ！」と罵声。放水でずぶ濡れの彼らの体からは湯気が立ちのぼっていた。足下は裸足かびしょびしょの靴下だけ。

▼ＴＢＳ公安担当記者・田近東吾「（5人は）あらゆる物を拒絶しているというか、何も寄せつけない感じの厳しい顔をしていた。極限を経験すると人間はこんな顔になるのか」（久能本）。

坂東の父が自殺

午後6時過ぎ、朝からテレビを見ていた滋賀県大津市の坂東の実家では、坂東逮捕が伝えられると、父親（51歳）は席を立った。しばらく後、首を吊って死んでいるのを家族が発見。遺書には「人質にされた方には心からおわび致します。……残った家族を責めないでください」などと記されていた。実家にはこの日も、嫌がらせの電話がかかっていた。

午後6時45分、日本テレビは9時間にわたる生中継をおえる。最後に映ったあさま山荘の軒先からは、放水の水が早くも氷柱となって下がりはじめていた。

同6時45分、軽井沢病院で夫人と母、夫が10日ぶりの対面。夫人は母に「心配かけてごめんね」。「国中の皆さんが大変心配してくださったんだよ」という夫にも「皆に迷惑をかけてごめんね」と答えるのが精一杯。冷え切った体に体温が戻らないため、7人の看護師が交代で頭の先から足の先までマッサージを続け、2時間後にやっと体温がもどり、顔に赤みが差した。

テレビの視聴率は89・7%

この日、テレビの視聴率はNHK、民放合わせて史上空前の89・7%を記録。

33

2月19日、午後3時40分すでに警察側はあさま山荘の包囲に取りかかったが、そこに何人が立て籠もっているのか、つかめてはいなかった　photo＝産経

2月28日、10時7分、銃撃戦が開始された。機動隊はクレーンで吊り下げた重いモンケン（鉄球）と高圧放水車で攻撃する　photo＝産経

5

その後の「連合赤軍」

裁判とそれぞれの総括

1972

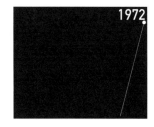

永田から森へ、口止めの伝言

▼**2月19日**　永田洋子は弁護士に対し、山で大変な闘争があったが、誰にも話してはいけないことで、弁護士にも話せない。ただ、森が話してしまわないか心配なので「森さんにあのことは言ってはいけない、と伝えてほしい」と依頼。

▼森恒夫はそれを聞いて、黙っていてなんの反応もなかった。

▼この時、弁護士は警察官から「あの事件はひどいですね。死体がごろごろ出てきて」と話しかけられた。弁護士は大久保清事件のことかと思い、適当にあいづち。警察の探りだったようだ。

管理人夫人への報道被害

▼**3月2日**　管理人夫人が記者、カメラマンの3人による代表インタビューを受ける。

Q＝犯人は脅すようなことは言ったでしょうか？

「いいえ」。

Q＝あなたを人質だと言っていましたか？

「私は人質だと思っていましたが、向こうに言わせれば、そうでないようなことを言っていました」。

Q＝退院したら、まず何をしたいですか？

「みんなと一緒に遊びたい」。

Q＝夢を見ることはありますか？

「怖いです。ごめんなさい。もう……（声を出して泣き出す）」。

▼これが報じられると、夫人に対する世論が一変した。「遊びたいとは何事だ」「お前のために警官が死んでいるのに」。その世論報道を受けて、夫人は精神的に不安定になり、「眠れない」と訴えるようになる。

▼**2月21日**　ニクソン米大統領、訪中。北京で毛沢東主席らと会談。

▼**2月28日**　米中共同声明（ニクソン大統領と周恩来首相が平和5原則の共同声明）発表。

自供の開始

3月5日　奥沢修一は「同志に暴行を加え、外に放置したところ死亡した」と自供。

3月6日　加藤元久（当時未成年）が、山岳ベースで12人の同志を総括として殺害したと話し始める。この自供を他の逮捕者につきけると、加藤倫教（当時未成年）や軽井沢駅での逮捕者も認めた。

森、裁判所に上申書を提出

3月7日　森は黙秘していたが、切り裂かれたシャツと遺体の写真を見せられ動揺をみせる（これは久能本による。一方、高橋檀は、いくつかの状況を組み立てて、森の自供はもっと早かったのではという推測のもと、〝同志殺し〟を知っていた警察は、あさま山荘に籠もった連合赤軍を「権力の敵から国民の敵」へとキャンペーンする機会をうかがっていたと推定する）。

3月8日　森、前橋地方裁判所に「上申書」を提出。4項目の箇条書きで、一、「（12名の）元同志の死について指導者としてのわたし自身の責任を明らかにすると共に、彼等のなきがらを一日でも早く、その家族の人達に手渡したい」。二、「元同士達の死について……それらの闘いの全てを法廷において、明らかにしようと考えています」（三、四は省略）。

上申書の影響

森の「上申書」をきっかけに、黙秘していたメンバーも次々と自供することになった。

永田「いかなる自供も許さなかった『共産主義化』に反することであった……（共産主義化への）確信の何かがその上申書を見てすぐガラガラとくずれ落ちるように感じ」た。

坂口「権力に対する森君の屈服とみなし、総括を主導した人物の重大な裏切りとみなした」。

3月7日　連合赤軍山岳ベース事件で妙義山中を山狩り中の警官隊が最初の遺体を発見。25日までに他所を含めて14の遺体が発見される。

植垣「森は遺体を埋めに行ってないから、埋葬場所がどこなのかは知らない。それなのに遺体を家族に返すと言ってるんだから、私たちに自供しろと言ってるようなものなのです」。

山岳ベースから逃亡した3名も、森の上申書提出が報道されると、警察に自首。

森は上申書を、警察や検察庁ではなく、裁判所に宛てたことで、自供や屈服とは思っていなかったため、これがきっかけに同志の自供や自首が続いたことに困惑する。

3月7〜13日 12人の遺体が次々に発掘される。

管理人夫人、2度目の記者会見

3月11日 車椅子での会見だった。「トイレ以外、一歩もベッドルームから出られず、トイレもロープで縛られたままでした。また銃でいつ殺されるか分からない状態でした……それを自由だったように言われてとても残念です」と泣きじゃくる。

自供と手記

3月15日 金子みちよ、および自分と金子との間にできた胎児の写真を見せられた吉野は、完黙中だったが、「この子は死んでいない。どこかで生きている」と叫ぶ。

3月24日 吉野が、アジトから逃亡した2人を殺害したという上申書を提出。

坂口の手記

4月7日 坂口は中央委員の吉野まで自供したことで「連合赤軍の良心を守っていく決意を獄内外の心ある人々に伝える」ため手記を執筆。逮捕されている連合赤軍と革命左派の全員に読ませることが条件だった(検察はこれを守らなかった)。

▼手記の骨子は闘争の誤りの切開と森・永田への批判。「誤りの根本原因は……政治路線抜きの目先の軍事行動の統一のみに走った連合赤軍の結成」。

3月21日 奈良・明日香村の高松塚古墳で壁画発見。

4月4日 外務省「秘密漏洩」事件。沖縄返還に関する極秘公電を外務省事務官が新聞記者に漏らしたとして、事務官と記者がこの日逮捕された。74年に執行猶予付きの有罪判決。「国民の知る権利と報道の自由の侵害」として話題に。

永田の自供

4月11日　永田、自供を始める。検察官の「同志殺害は精神異常者の犯行ではなく、革命の問題だという主張をするために統一公判を要求しないと」という論理にのせられ、統一公判要求の供述書を書いたことがきっかけだった。

永田は共産主義化のために行なった坂口との離婚についても誤りだったと感じ、坂口に離婚宣言を謝罪し、「共に総括と公判を闘っていきたい」と手紙を出す。坂口は離婚宣言については何も触れず、頑張ってくださいという内容に留めた返信を出す。

坂東の自供

3月中旬、取り調べで「卑怯だ」と言われた坂東は、「苦いものを口に入れたように顔をしかめて横を向いた」。初めて黙秘以外の反応を見せた瞬間だった。

4月20日　坂東が4月3日にメモを要求し、この日、供述書を完成。「敗北が党建設と党の共産主義化実践の敗北なのか、さらに根底的には自らの思想(社会革命から人間革命)理論実践の敗北なのか…私のことで死を選んだ父親のことを考えますと残された肉親の方々の悲しみがどんなにかと思い、お詫び致します」。

黙秘と自供

「黙秘していたのは坂口さん一人……それができたのは、何よりもあさま山荘銃撃戦を闘ったから……その闘いが取り調べに対する強い意思を与え……同志殺害に対する罪悪感を和らげることにもなった……実際、同じように闘った吉野さんは、この時手記は書いても自供はしていなかった。坂東さんも自供はしたとはいえ、形だけの調書の範囲を出なかった」(永田)。

森、膨大な自己批判書を書く

4月13～25日　森、「自己批判書」第1、2部を書き始める。両方で400字詰め原稿

4月16日　川端康成が自死。享年73。

「観光名所」となったあさま山荘

あさま山荘のあったレイクタウンは、2000本のポプラ並木は薪にするため切られ、道路は穴だらけ、飲料用の水はなくなるなど大被害。長野県警は迷惑料として100万円を払った。

あさま山荘は観光名所となり、観光バスのコースにも入るほどだった。別荘地への侵入騒ぎや、観光客のゴミ処理など、10年間、騒ぎは収まらなかった。

その後の連合赤軍

用紙500枚。坂口はこの「自己批判書」について、共産主義化など自分の指導の役割を忘れ、その結果永田に責任の一端を転嫁している、暴力の出所を把握していないなど「内容については承服できないが……森君の誠意は認めない訳にはいかない」。

▼自己批判書は、7月20日まで書き継がれ、『銃撃戦と粛清』（新泉社 1984年）として刊行。

▼後に森は、7月まで書き重ねたこれらの自己批判を全面撤回する（↓72年10月31日）。

坂口、痛苦の第2手記

▼**5月5日** 坂口は取り調べで、金子みちよと胎児が横たわった遺体のカラー写真を見せられ、「あまりの惨たらしさに、思わず目を逸らした……ここで私は黙秘を維持できなくなった」。

▼**5月6日** 坂口、供述調書の作成は拒否し第2の「手記」を書くが、「これは体面を守るためでしかな」く、「検事の取り調べに屈服したもの」だった。

坂口、武装闘争路線に疑問

▼**5～7月** 坂口は5・15沖縄返還協定の発効、沖縄県の発足、田中内閣発足などの新情勢から、「武闘の条件があるようには見えず、新しい時代に入ったことを感じざるを得なかった」。

▼しかし坂口は、この時点では武装闘争に賛成していた。革命左派が武装闘争路線を取り、武闘清算派と論戦していたからだ。坂口は革命左派の準メンバーに復帰していた。

社会状況

▼**5月15日** 沖縄本土復帰、沖縄県発足。

▼**5月26日** 米ソ戦略兵器制限交渉（SALTⅠ）調印。

日本赤軍の闘争

▼**5月30日** PFLP（パレスチナ解放民族戦線）と連携する日本赤軍系の3人が、イスラエル・テルアビブのリッダ国際空港で自動小銃を乱射、手投げ弾投擲。乗降客ら26人死亡、73人が重軽傷。パレスチナ人虐殺に対する報復だった。奥平剛士（27歳）と安田安之（25歳）は銃撃で死亡、岡本公三（24歳）は捕らえられ、7月17日にイスラエル国防軍の特別軍事法廷で終身刑になった。しかし1985年のPLOとの捕虜交換で釈放。

「リッダ空港襲撃」の根拠

▼重信房子は連合赤軍の「粛正」を知ったとき「床がぐらぐら揺れている」ような衝撃を覚え涙を流した。「今、この時、自分たちのとるべきはどんな行動か。真の闘いと、真の死を、すべての人たちにわからせる作戦とはいったい何だろうか。そのくやしさから私たちは、闘争を組織しなければならないという感覚を掴

みとっていったのです。これが、最初の戦士たちがリッダ空港襲撃作戦に向かう根拠でした」。

▼その他の日本赤軍の起こした事件

73年7月20日　ドバイ闘争（日航ジャンボ機ハイジャック）

74年1月30日　シンガポール闘争（ベトナム戦争の燃料基地＝精油所を攻撃）

74年9月13日　ハーグ闘争（オランダのフランス大使館占拠）

75年8月4日　クアラ闘争（クアラルンプールの米領事館、スウェーデンの大使館占拠）

77年9月28日　ダッカ闘争（日航機ハイジャック）

▼**7月**　連合赤軍公判対策委員会、正式発足。世話人に丸山照雄（日蓮宗僧侶）、小沢遼子（埼玉ベ平連）、蔵田計成（評論家）など。

▼**7月7日**　田中角栄内閣誕生。

▼**9月5日**　ミュンヘン五輪の選手村にパレスチナ武装組織「黒い九月」メンバー8人が侵入。イスラエル選手団の11人を殺害。

10月13日 分離公判の中村愛子に懲役6年（10・13）、奥沢修一に懲役7年（10・31）、前沢虎義に懲役16年（12・6）、寺林喜久江に懲役9年の判決。

永田、坂口に手紙

10月23日 永田は坂口に、改めて離婚宣言を謝り、連赤問題とは「反米愛国路線の放棄」が間違いという、坂口の総括に対しては反対を伝えた。坂口からは「私に対して『かつての感情』を持ってないこと、連赤総括を正しいと考えていること、革命左派として闘っていくことが記された手紙が返ってきた」。「共産主義化」の闘いについては何も触れていなかった。

永田、いったん革命左派に立ち戻る決心

永田にとって川島は『新党』結成の経過を検討することなく、『反米愛国路線の放棄』で片づけ……『共産主義化』の闘いに対しては、『エロ・グロ・ナンセンス』と」切り捨てるだけだった。坂口には『共産主義化』の闘いがあったことを分かってくれるはずだという思いがあった」。

しかし永田は、連赤総括のために「一旦革命左派の反米愛国路線の立場に戻」ろうと決める。「だが、それは……党派に従属しない個人として自立できることの必要性を理解できなかったことによるものに他ならない」（永田）。

9月19日 神奈川県相模原市で、米軍の装甲車搬送が再開。機動隊と市民、学生が衝突。

9月25日 田中首相訪中、国交正常化に合意。

10月17日 韓国の朴大統領、全土に非常戒厳令を布告。「維新体制」発足。

10月28日 中国からパンダのカンカンとランランが上野動物園に到着。11月5日から公開される。

森、自己批判書を撤回

10月31日　森、「自己批判書」を全面撤回。「根底的な誤りに気付いて以降、自分が何故生きているのか、自分も死ぬべきではないだろうか、という考えに私がおぼれ、……真の自己批判を貫徹し得なかった所産であり、権力への敗北の証に他なりません」。

公判期日100回指定

11月末　吉野と加藤倫教が、統一公判へ参加を表明。

12月4日　東京地裁（山本裁判長）、73年1月から74年6月の間に、公判期日100回を指定。被告団は、十分な防御ができないと、通知書の受取拒否、出廷拒否で闘う旨を表明。

森と坂口の手紙

6～12月

坂口「君が革命左派の反米愛国路線を攻撃するのは構わない。だが、彼等に対して様々な中傷を加え、暴力の行使まで宣言したことは、どんな理由を付けても正当化できるものではない。このことをまず虚心に自己批判して欲しい」。

森「反米愛国路線を放棄したから粛清を引き起こしたなどという革命左派獄中メンバーの主張は絶対に受け入れられない」。

坂口「のぼせ上がるのもいい加減にして欲しい。君は山岳ベースであれほど過酷な要求をメンバーに課しておきながら、獄中での態度は何だ！「上申書」は書く、「自己批判書」は書く、自供はする。こんな筋の通らないことをした君が、他組織のことをむやみに批判する資格があるのか！」。

森「断固たる批判を待ちます！　君の批判については、一片の弁護もなく認めるべきだと思います」（12月27日付）。

11月6日　羽田空港発福岡空港行きの日航機がハイジャックされる。

11月13日　女優岡田嘉子が亡命先のソ連から34年ぶりに帰国。

11月16日　政府、横須賀の米空母ミッドウェーの母港化を承認する。

森から吉野雅邦あて「あたたかい手紙ありがとう……根底的な思想的敗北を切開し切ること抜きに一歩も自己批判などありえないという原点を確立しようとしたのは、最近のことにすぎません」（12月25日付）。

森から塩見孝也あて「もしぼくが絶望感の大きさに敗北したら、この手紙を公表して下さるか、この内容を御遺族、他の被告同志、同盟、革左に明らかにして下さい」（12月27日付）。

1973

森恒夫の自殺

1月1日 午後1時52分、森、東京拘置所で自殺。廊下側ドアの窓側についている鉄格子（床から1〜1・5メートル）にタオルを斜めにくくりつけ、足をシャツで縛って体を投げ出す恰好でドアにもたれていたという。

▼坂東あて遺書「ぼくの『自己批判』は新党への道を擁護し、単なる『方法の誤り』とする」「（唯銃主義などを）ぼくは（革左の実践の）あとから論理化しているのです……ぼくは党主義でそれを純化していったことに、そしてその間君（坂東）の意見を多く押さえてきたことに、粛清の道があったと思います……それはぼく自身のその論理化、純化、変質の決定的責任を抜きにして発せられるべき問いではないのです」。

▼坂東あて遺書「元旦になってしまいました。いい天気です。山田さん（ベースで死んだ山田の未亡人）が入れて下さった花が美しく咲いています。／一年前の今日の何と暗かったことか。この一年間の自己をふりかえると、とめどもなく自己嫌悪と絶望がふきだしてきます」。

1月2日 早朝より公判対策委など約20名が正門前に集合。弁護士が東拘所長と会見。

1月3日 森の家族が遺体と対面。午後4時過ぎ、家族が火葬を延期し通夜を営むことを了承。

12月27日 韓国の朴正熙、第8代大統領に就任。新憲法公布。維新体制発足。

1月1日 東京拘置所では午後8時頃、房中に流れていたラジオの歌謡番組の最中に、臨時ニュースが入った。ところが「臨時ニュースを申し上げます。連合赤軍の」まで流れて、突然ラジオの音が切られた。拘置所では購読料を払えば新聞が読め、ラジオも拘置所が選んだ番組を房内のスイッチの on off で聞くことができる。しかし事件関係者が在監しているときは、新聞が黒塗りされたりラジオニュースが切られたりする。

この時も突然臨時ニュースが切られたが、切られたのは「連合赤軍の」と言った時だった。連合赤軍が、とか連合赤軍は、ではなかった。するとその後に付くのは「連合赤軍の○○」と人の名前だろう。元旦から臨時ニュースになるのは、森か永田か、あるいは誰だろう……。そ

同志にとっての森恒夫

▼永田「森氏が死刑攻撃をはじめあらゆる非難、中傷に耐えながら、連赤問題を総括し自己批判しぬいていくという困難な闘いから逃げたと思い、卑怯だと思わざるを得なかった」。

▼坂口「森恒夫君は、意図して独裁体制をつくったのではない。自ら創り発展させた共産主義化の理論により、理論上の専制主義者になったのである。森君の〝独裁〟とは……この理論に招来された〝独裁〟のことであり、野心によるそれではない。それは結果であって、目的ではない」。

▼坂東「『弱さ』を共にして、変革しあっていくというベクトルを持たない分、……負い目を感じている森同志をそこまで追い込んでいった……『指導すべき』という建て前を彼におしつけ、責任をおしつけていく私のあり方が……弱音や本音をはかせない構造へと組織をおいやった」。

▼植垣「僕たちが遠慮しすぎたのではないか、森さんに問題をぶつけていく、そして彼がそれに答えていく、自殺なんてしている余裕はないという状況をつくっていったほうが良かった」

永田の過食症

▼警視庁の取り調べの頃から永田は過食症になる。「刑事の取り調べ中にお菓子などを食べることができると、自分でも驚くほど食べてしまったが、それでも常に何か物足りず飢えを感じ……」。

▼前橋拘置監に移ってからは取り調べから解放され、食べ物を味わうこともできるようになったが、人民救援会からの大袋の花林糖とポテトチップは、「感謝するよりも何よりも、膝に抱え込み、袋を破ってガムシャラにパクパクバリバリ……またたく間に二袋を食べ終えてしまった。しかし、一層物足りなく感じ、何か苦しかった」。

の時、臨時ニュースが終わったらしく、ラジオが復活した。MCの前田武彦が「それではモリシンイチさんの」、ここでまたラジオがぷつんと切られた。あれっ、歌謡曲の紹介でなぜ切られるんだ？　森進一でなぜ切られるんだ？　そうかニュースは「連合赤軍の森恒夫が」だったのに違いない。拘置所側がモリという名前に反応して、思わず切ったんだ。だとしたら、捕まっている森恒夫ができることは脱走か自殺しかない。しかし脱走なら拘置所中が大騒ぎになっているはずだ。でもそんな気配はない。だとすると、森は気が弱いと聞いていたので自殺ならあり得るかも知れない。

そのとき、何気なく房の窓から隣の舎を見ると、ある房の前に人が半円を描いて集まって、カメラのフラッシュがたかれているのが見えた。ああ、きっと森はあそこの房に入っていて自殺したんだなと確信した。それにしても、ズボンのベルトまで取られ、首を吊るものなど何もない房内でどうやって自殺ができるものか……などと、このとき収監されていたある活動家は想像を巡らせた（森は手拭いを食事の出入りに使う小窓の手すりにかけて、足を前に伸ばしほとんど座るよ

その後の連合赤軍

▼永田の過食症は、森の自殺直後をピークに、少しずつ治っていく。

公判と坂口の態度

▼**1月23日** 山本卓裁判長指定の「第1回公判」に被告・弁護団は出廷拒否。裁判長は写真による人定尋問を強行。以降、4月11日の条件付き指定取消まで、出廷拒否と出廷しての抗議が続く。

▼**2月6日** 初出廷。1年ぶりに5人が一堂に会し、みんなそれぞれに握手。坂口は永田に手を差し出さず、永田が伸ばした手に「ちょっと手を出すだけだった」(永田)。永田が革命左派の立場に立つと表明して以降も、川島と坂口は「反米愛国路線に立っていない」と不断に批判していた。

▼公判で談笑せず、目をつむり腕を組むという坂口の態度は、弁護団や支援者からは「大いに評価された……ところが、公判闘争や総括方向になると……誰もが批判的だった」(永田)。

▼「坂口さんはお山の大将になってしまい、統一公判を……革命左派の方針で動かそうとした……吉野さんに対し、「統一公判から出ていけ!」と迫りさえした」(永田)。

うな形で自殺。苦しがって体をねじれば立ち上がれる体勢だった)。

社会状況

▼**1月4日** 庁舎の休日が明けると、連合赤軍関係の被告の家族が、いっせいに面会に駆け付けた。森の自殺に動揺して駆けつけたものだった。

▼**1月27日** パリ協定調印により、米軍、60日以内に南ベトナムから撤退。

▼土田邸爆破事件などの容疑で元赤軍系活動家など18人を逮捕。公判中、捜査当局のでっち上げが明らかになり、85年、全員が無罪に。

▼**3月20日** 熊本地裁、水俣病訴訟で患者側全面勝利。

▼**7月18日** 永田、坂口ら革命左派を匿ったとして6名が逮捕。

▼**7月20日** 日本赤軍(丸岡修ら)がパリ発日航機をハイジャック。

▼**8月8日** 金大中事件。

1974

9月27日　第21回公判で、弁護団は弁護方針を「内乱罪」と表明。確信犯に適用される内乱罪をもって、各人の実行行為の内容にこだわらず、内乱への関わり方の度合いによって特殊な処罰方法で対処すべきという主張だった。この頃から審理の様子が報道されることが少なくなった。

7月　永田、「共産主義化」の問題に答えない革命左派を離党。塩見孝也が中心となって結成した赤軍派（プロレタリア革命派）に植垣、坂東と共に参加。「連赤問題の核心は思想問題である」という塩見見解を支持したもの。

1975

坂口、川島豪と10年目の訣別

2～3月　坂口と川島の論戦が、革命左派党内を巻き込む。坂口は連合赤軍での闘いを、極左闘争として否定的に総括。川島は依然として武装闘争の客観的条件はあると主張。武闘を認めないなら党外分派闘争だと最後通牒。7月には、川島が坂口に同調した2名を除名。坂口にとっては10年間、影響下にあった川島との訣別は「思想革命」だった。

坂東、日本赤軍の〝奪還〟で出国。坂口は出獄拒否

8月4日　日本赤軍（和光晴生ら5人）、クアラルンプールのアメリカ大使館を占拠し、坂口、坂東ら7名の釈放を要求。日本政府は超法規的処置によって釈放。坂東らは出国したが坂口は拒否。坂口は日本赤軍に「武装闘争は間違った闘争との結論を出しています」。永田は当初、坂東のために彼の出国を喜んだが、やがて連赤の総括が一層困難になったことを感じる。

坂東はアラブで重信房子に会ったとき、「自分は同志殺害という誤りを犯した。査問委員会で裁いて欲しい」と申し出る。重信は「そんなつもりも資格もない。連赤の敗北に共に責任をとり、総括するために奪還した」と答えた。

10月6日　第4次中東戦争。エジプト・シリア両軍とイスラエルが戦闘。

10月　第1次石油ショック。トイレットペーパー買いだめ騒ぎ。「省エネルギー」が流行語に。この年、狂乱物価。

8月30日　東アジア反日武装戦線「狼」が丸の内の三菱重工ビル爆破。8人が死亡。同グループの爆弾テロ続く。

4月30日　サイゴンが陥落し、30年に及ぶベトナム戦争が終結。アメリカはベトナム戦争の敗退により国際的威信を大きく低下させた。

1976

公判メンバーの対立

7月8日付吉野の手紙「公判メンバーは、ほぼ三つに割れています」。

永田洋子は塩見孝也の影響とウーマン・リブの影響を受け、坂口は山岳ベースで死んだ12人に対して総括要求・緊縛の理由に触れると彼らを再びむち打つことになるので、事実関係に触れるのは反対。吉野は事実は事実として法廷に出し、歴史の批判を受けるべき、という立場をとった。

1977

統一公判被告は3人(坂口、永田、植垣)に

8月9日 吉野と加藤倫教が統一被告団を離脱し、分離裁判を選択。3者の対立の中で、思うような方針で裁判に臨めないことが引き金になった。

この頃から植垣が永田を陰に陽に支えていく。獄中では資本論や英語、数学の学習など。法廷では私語やメモのやり取りが激しくなる(241頁)。坂口は永田に対する個人攻撃を開始。

植垣、出国を拒否

9月28日 日本赤軍がダッカで日航機をハイジャックし、植垣ら9名の釈放を要求。植垣ほか3人は出国を拒否(➡242頁)。植垣の拒否は、永田と塩見にとっては予想外のことだった。「俺が抜けると裁判がきちんと行われなくなると思って」と後に植垣は理由を説明。

4月5日 中国で第一次天安門事件。

7月27日 田中元首相、ロッキード事件で逮捕。

9月9日 毛沢東死去、10月、文化大革命を主導した江青ら「四人組」逮捕。

11月5日 三木武夫内閣が軍事大国化の歯止めとして防衛費をGNPの1%枠内と閣議決定。➡1987年12月、中曽根康弘内閣が1%枠を撤廃。

11月25日 ハイジャック防止法成立。

1978

2月 永田と植垣は、塩見と共にプロ革派を離脱。永田にとっては初めての党派活動の休止で「それは妙にまばゆく、不慣れのものだった」(永田)。

3月26日 成田空港管制塔占拠事件。完成間近の成田空港の管制塔に第四インター、ブント戦旗派、プロ青同の行動隊が侵入。10人が管制室に到達し、管制機器をバールで破壊。このため空港の開港は3カ月遅れることになった。

5月20日 新東京国際空港(成田空港)開港。

5月23日 初の国連軍縮特別総会開幕。

1979

3月 永田と植垣は、塩見が設立した「日本社会科学研究所(マルクス・レーニン主義・毛沢東思想)」へ。連赤総括のため、研究活動に立ち戻ろうとするものだった。

3月29日 東京地裁で分離公判組の吉野に無期懲役、同じく加藤倫教には懲役13年の判決。

2月17日 中国軍がベトナム侵攻開始。

12月27日 ソ連軍が、アフガニスタンの首都カーブルで宮殿、首相官邸などに軍事介入。

1980

7月 永田と植垣は、塩見と訣別。塩見が連合赤軍の敗北の原因を、永田の個人的資質に求める「これまでのどの批判よりも差別的……女性蔑視的」(永田)なものだったから。

この頃、永田は瀬戸内寂聴に初めて葉書を書く。

6月22日 初の衆参ダブル選挙。自民党は衆院で26議席増の284議席を獲得。参院でも圧勝。

9月22日 イラン・イラク戦争始まる。88年まで続きイライラ戦争などと呼ばれた。

1982

1審判決で永田、坂口に死刑、植垣に懲役20年

6月18日　東京地裁（中野武夫裁判長）で統一公判組の判決。永田、坂口に死刑、植垣に懲役20年の判決。

▼第1審判決（以下「中野判決」）は弁護側の内乱罪中心の組み立てを認定せず、「あくまで被告人永田の個人的資質の欠陥と森の器量不足に大きく起因」した山岳ベースでの処刑であり、その原因は「自己顕示欲が旺盛で、感情的、攻撃的な性格とともに強い猜疑心、嫉妬心を有し、これに女性特有の執拗さ、底意地の悪さ、冷酷な加虐趣味が加わり、その資質に幾多の問題を蔵していた」永田の性格にあるとした（この判決は女性蔑視としてマスコミを賑わした）。

▼あさま山荘事件については「多数人を殺傷して無法の限りを尽くした犯人は、醜態をさらすことを潔しとせず、勇者の最後にふさわしい名誉ある自決の道を取ると思いきや、卑劣にも最後まで人質に隠れて我が身をかばい続け、おめおめと全員逮捕されて生恥をさらした」。

判決と坂口の幻想

▼死刑宣告に坂口は「全身から血の気が引いた」。坂口には、判決は無期懲役という感触がもたらされていたのだ。「死刑宣告の重圧は生半なものではない。最下等の人間に突き落とされた惨めさを味わった。全身がしこり、喋っている言葉も自分のものとは思えなかった」。

1983

5月24日　永田、すさまじい頭痛に襲われる。嘔吐、歩行のもつれ、数年前からあった視力障害も深刻化。東拘の医務部は脳波検査を行なうが異常なしと診断。永田は、法廷でも嘔吐、失神をくり返す。また、これらの症状が精神的なものだと見なされることに悩んだ。

1982

2月8日　東京・赤坂のホテル・ニュージャパンで大火災。33名が死亡。

2月9日　羽田空港沖に日航機が墜落。機長が「心身症」から復帰したばかりだった。

7月26日　教科書検定で「歴史の実相を歪曲化している」など中国などから抗議があり、国際問題化。

8月24日　参院全国区に比例代表制導入。

11月27日　第一次中曽根康弘内閣成立し、「戦後政治の総決算」へ。

ワープロ普及。

1983

4月15日　東京ディズニーランド開園。

世界各地で反核運動高まる。

1984

7月14日 永田、明暗の区別も付かなくなるほど目が悪化。眼底の乳頭浮腫、視野欠損、脳圧亢進が発見される。翌々日、CTスキャンで検査、松果体部に2センチ弱の腫瘍発見。脳圧亢進症状判明。さらに2日後、導水管狭窄による脳圧亢進症の緊急手術、髄液排液のシャント手術を受ける。このときは「劇的によくなった」（永田）が後に再発。

浅田彰『構造と力』、中沢新一『チベットのモーツァルト』などが出版され「ニューアカ（ニューアカデミズム）」ブームに。

1985

5月20日 日本赤軍岡本公三、イスラエルとの捕虜交換で釈放。

9月22日 G5で円高誘導のプラザ合意。

11月19日 6年半ぶりに米ソ首脳会談。アメリカはレーガン大統領、ソ連はゴルバチョフ書記長。

1986

控訴審も死刑判決

9月26日 2審判決。永田・坂口は控訴棄却、植垣は懲役20年。事実認定は1審に沿ったもの。

坂口についての認定。「被告人坂口の反省の情には見るべきものがある……犯した罪の深さを自覚し……国外からの脱出の呼びかけにも応ぜず……被害者、その遺族に自らの反省の情を綴った謝罪の書簡を送り……真摯さは疑う余地のない」。ただし死刑判決は覆らず。

4月1日 男女雇用機会均等法。

4月28日 ソ連・チェルノブイリ原発事故。

5月4日 第12回先進国首脳会議が東京で開かれる（東京サミット）。

その後の連合赤軍

11月　この頃、数少ない永田の支援者の一人として、植垣の弘前大学時代の友人井村幸司が現われる（93年3月に2人は獄中結婚）。また、永田は植垣の勧めでボールペン画に熱中する。

1987

連合赤軍の当事者や有志（雪野建作、元ML派三戸部日貴など）が「連合赤軍事件の全体像を語る会」を発足（後に、刑期を終えた前沢虎義、植垣康博なども参加）。12月に17回忌合同法要を実施。

1988

坂口の上告審の新弁護人は弁護方針を転換し事実を争う。1審は内乱罪を主張、2審で坂口は事実調べに消極的だったので刑事事件としての認定が曖昧だった。発砲者・場所の特定、死亡警察官への銃撃は狙って撃ったか否か、坂口は主にベッドルームにいて銃撃を知らないこと等々。

1989

5月28日　坂口が短歌を始めて3年目に、作品が朝日歌壇に初めて掲載される。選者は坂口の名前に気がつかず選んだ。以後、坂口は歌作にのめり込み93年10月には『坂口弘歌稿』（朝日新聞社）出版。「わが胸にリンチに死にし友らいて雪折れの枝叫び居るなり」。

1990

12月9日　川島豪、胃がんで死去。享年49。

1991

社会状況

12月30日　中曽根康弘内閣、臨時閣議で防衛費予算のGNP1％枠突破を含む87年度予算を決定。76年に三木内閣の閣議決定以来初の1％枠突破となった。

1987

11月22日　最大の労働センター「連合（全日本民間労働組合連合会）」発足。従来の総評、同盟、中立労連、新産別の労働4団体が統一したもの。

1988

1989

1月7日　昭和天皇裕仁、87歳で逝去。大日本帝国憲法下の「統治権の総攬者」としての天皇と、戦争を経て、日本国憲法下の「象徴天皇」の両方を経験した激動の人生だった。

1990

10月3日　東西ドイツ統一。

1991

1月17日　湾岸戦争勃発。

12月21日　ソ連消滅。

1992

9月17日 国際連合平和維持活動（PKO）の一環として、自衛隊をカンボジアへ派遣。

1993

2月19日 最高裁判決。永田、坂口の死刑、植垣の懲役20年が確定。植垣はこの時点で既に20年間、留置所及び拘置所に拘束されていたため、植垣の残刑は5年半となった。

1995

11月30日 よど号ハイジャック事件のリーダー田宮高麿、北朝鮮で死亡。享年52。

1998

10月6日 植垣、5年間の甲府刑務所暮らしを終え出所。27年ぶりの〝娑婆〟だった。

2000

3月18日 レバノン政府の国外退去令により、和光晴生（51歳）、足立正生（60歳）ら日本赤軍4名が日本に強制送還。岡本公三はレバノン亡命が認められた。

6月 坂口、再審請求。

11月8日 日本赤軍リーダー重信房子が日本に潜入していて、大阪で逮捕。

2001

6月 永田も再審請求。同志殺害については、殺意はなかったという主張を中心に据えるもの。

9月11日 アメリカ同時多発テロ事件。

その後の連合赤軍

2004

「連合赤軍事件の全体像を語る会」が事件当事者にインタビューする冊子『証言』を発行し始める。

2006

11月28日 東京地裁が永田洋子の再審請求を棄却。

2009

「連合赤軍事件の全体像を語る会」が読者交流会などを開始。ＨＰも開設（http://renseki.net）オープンな組織に。

10月27日 和光晴生（元日本赤軍、パレスチナ人民解放軍）、最高裁の上告棄却で無期懲役が確定した。

社会状況

2004

4月7日 イラクで日本人３名が武装勢力によって誘拐される。「自己責任」がクローズアップされた。

2005

7月 成田空港管制塔占拠事件で空港公団より損害賠償を受け、無視していた16人に対し、時効直前のこの月より、遅延損害金を含めた1億３００万円について給与差押えなどの強制執行。支援者たちは「1億円カンパ運動」を展開。11月までに２０００人から全額が集まり、完済。

2008

3月15日 若松孝二監督作品「実録・連合赤軍　あさま山荘への道程」が全国公開。１９０分の大作。

2009

9月16日 鳩山由紀夫内閣が誕生し、自民党から民主党への政権交代が起こる。

2010

8月4日 上告していた重信房子に対し、これを最高裁が棄却。懲役20年とした一・二審判決が確定。2022年までの服役、とされている。

2011

2月5日 永田洋子、東京拘置所で脳萎縮、誤嚥性肺炎のため、65歳で獄死。

3月11日 東北地方太平洋沖地震。

3月12日 福島県にある東京電力福島第一原子力発電所の1号機が水素爆発。

6月23日 大阪・浪速区の自宅で死亡している柴田泰弘（よど号グループ）が発見される。58歳没。

2012

3月1日 「連合赤軍事件の全体像を語る会」がシンポジウム「浅間山荘から四十年　当事者が語る連合赤軍」を開催。＠目黒中小企業センター。190名が集まった。ゲストパネリストに塩見孝也（元赤軍派議長）、三上治（元叛旗派）、鈴木邦男（一水会顧問）、森達也（映画監督）、田原牧（東京新聞特報部部長）、大津卓滋（弁護士）、雨宮処凛（作家）、小林哲夫（ライター）、山本直樹（漫画家）、赤岩友香（週刊金曜日）

2013

6月25日 坂口弘死刑囚の再審請求審で、最高裁は同死刑囚の特別抗告棄却を決定。

2017

2月17日 森友学園に関する国有地売却の疑惑を追及された安倍晋三首相は「私や妻が関係していたということになれば、まさに私は、それはもう間違いなく総理大臣も国会議員も辞めるということははっきり申し上げておきたい」と国会で表明。

3月23日 浴田由紀子（東アジア反日武装戦線「大地の牙」、日本赤軍）、刑期満了で釈放される。

5月24日 大道寺将司（東アジア反日武装戦線「狼」）、多発性骨髄腫により収監中の東京拘置所で死去。68歳没。

7月15日 シンポジウム「浅間山荘から四五年　連合赤軍とは何だったのか」開催。＠渋谷ロフト9。180人が集まった。ゲストパネリストに白井聡（政治学者）、鈴木邦男（一水会元顧問）、青木理（ジャーナリスト）、足立正生（映画監督）、掛川正幸（「実録連合赤軍」決定稿シナリオ）、青島武（「光の雨」シナリオ）桐野夏生（作家）、山本直樹（漫画家）、金井広秋（研究家）

11月14日 元赤軍派議長塩見孝也、心不全のため76歳にて死去。

2012年3月1日、シンポジウム「浅間山
荘から40年　当事者が語る連合赤軍」
photo＝新藤健一

6

連合赤軍を読むブックガイド

十六の墓標

■永田洋子　1982年／彩流社・刊

評者　佐賀 旭

革命左派という組織の中で永田洋子がどのようにしてリーダーとなり、組織を率いて武装闘争を繰り広げ、そして連合赤軍事件を引き起こしたのか。どこにでもいる一人の真面目な女性が「連合赤軍の永田洋子」となっていった経緯を、自身の心情を交えながら詳細に記録している。連合赤軍のメンバーが何か特別だったということは無く、道を誤れば当時の活動家はだれもが永田洋子に成り得たという衝撃を、本書は同世代の人々に与えたのではないだろうか。

本書は出版のタイミングが永田の判決が確定する前であり、死刑判決を免れるための自己弁護のための本であると評価されたり、後に出版される坂口弘や加藤倫教の著書との事実関係の食い違いが指摘されている。また永田自身『十六の墓標』に書かれた事実関係が唯一正しいものではなく、「総括」に対する心情も自己弁護的な主張だったと『続十六の墓標』で記している。

そうした経緯もあり、連合赤軍事件の事実関係を知ろうとした場合、本書だけを参考にすることは避けるべきだ。特に注意して読み進めるべき箇所は、「総括」によって暴力を加える場面だ。「総括」の現場で誰がどのような発言をし、どのような行動をとったのか。その詳細を知るためには、本書の他に坂口や加藤、植垣康博の著書などと併せて読み進めていく必要があるだろう。

本書の特徴は永田の心情が丁寧に描写されていることだろう。むごたらしい「総括」の場面や、印旛沼事件において革命左派のメンバー2人の処刑を決断する場面において、他者からは冷徹に判断を下していったように見えた永田も、その内面では暴力に対する消極性と、革命家として厳しい判断を下さなければならないという責任の間で、葛藤していたことが分かる。前述したような否定的な見解もあるこの心理描写であるが、それまで誰も知ることの無かった、連合赤軍事件の当事者の心情を初めて明らかにしたという点で、画期的な書籍であった。

連合赤軍事件の同志殺害を永田がどのような心情で主導したのか。その内面の真偽を判断することは容易ではない。だが本書において永田が、事件をどのように捉えていたのかはうかがい知ることができる。『十六の墓標』というタイトルは、山岳ベース事件の犠牲者12人と印旛沼事件の2人、そして上赤塚交番襲撃事件で亡くなった柴野春彦、そこに東京拘置所で自死した森恒夫を加えた16人の死を扱ったことに由来している。この連合赤軍事件の加害者と被害者を同列にする捉え方こそ、本書の意図を表わしているのではないだろうか。

兵士たちの連合赤軍

■植垣康博　1984年／彩流社・刊

評者　佐賀 旭

元連合赤軍メンバーと聞いて、最も多くの人が思い浮かべるのが植垣康博の名ではないだろうか。1998年に刑期を終え、出所直後から様々なメディアで証言を発信し続けてきた植垣が、自身の生い立ちから活動歴をまとめたものが『兵士たちの連合赤軍』だ。植垣の著書は本書の他『連合赤軍27年目の証言』という本もあるが、こちらは植垣へのインタビュー記事や逮捕後の刑務所内での様子が中心となっている。

　本書の最大の特徴は青春譚のようにも読める明るい内容だろう。同級生たちと大自然の中で過ごした少年時代、活動を通じて知り合った女性たちとの巡り合いなど、学生運動の本筋とは逸れた日常の描写が、読者と植垣の架け橋となっている。陰惨な内容の多い連合赤軍の関連書籍の中で本書は異彩を放っており、これは明朗快活な植垣のパーソナリティに因るものが大きいのだろう。学生運動の知識が全く無い人が、連合赤軍を知るための入門書として読むにはもってこいの本だ。

　だが本書の後半で植垣が赤軍派に加わり、自身の目指していた理想と赤軍派での現実の活動に乖離が生じてくると、明るい内容は徐々に変化し、組織と個人の狭間で苦悩する姿が中心となってくる。厳しい雪山での生活と、そこで行われる同志の「総括」。極限の状況下での暗い描写が多くなる。だがこの明るい前半と暗い後半のコントラストこそ、本書の肝ではないだろうか。

　田舎育ちの陽気な植垣がどうしてあのような事件を起こしていったのか、特に森恒夫や永田洋子といった連合赤軍という組織の幹部ではなく、一人の「兵士」として植垣がどのような思いを抱いて活動に身を投じていき、そして「総括」へ至ったのか。本書では植垣が連合赤軍兵士となっていく過程を丹念に記している。組織の方針に違和感を覚えながらも、植垣はそれに抗うことができず、流されるように仲間を殴り、そして恋人を見殺しにしてしまう。「党派の論理」が絶対化されるとき、人は主体性を奪われ、間違いを犯してしまうのだと植垣はメディアで度々証言している。ごく普通の若者たちが連合赤軍の兵士となり、仲間をリンチして死に至らしめる。その変容の危険性に植垣は警鐘を鳴らしているのだ。

植垣の語る「党派の論理」の問題は、50年前の昔話でも、特定のイデオロギーに限った話でもない。現在の日本においても、官公庁や企業、学校といったあらゆる組織において「党派の論理」は存在する。そして

それはどこにでもいる普通の人々を凶行に走らせるのだ。

連合赤軍少年A

■加藤倫教
2003年／新潮社・刊

評者 雪野建作

加藤倫教 Michinori Kato
連合赤軍 少年A
我々は「恐怖」に支配されていた──
あの冬、あの山で、連合赤軍「少年兵士」は何を見たのか。
新潮社 定価・本体1400円（税別）

1985年頃の春、私は愛知県刈谷市の加藤宅を訪ねた。加藤能敬君の父上にお会いし、私たちの運動の誤りについて謝罪して、能敬君の位牌に焼香し、合掌した。父上は「よく来てくれました」と言われただけで、一言も私達を責めるようなことは口にされなかった。能敬君の弟で、浅間山荘で逮捕さ

れた「少年A」、加藤倫教君が出獄する数年前のことである。

出獄後、倫教君は事件の当事者として証言することを自らの義務とし、マスコミの取材に対しても、興味本位なものでない限り、誠実に対応してきた。2003年企画された連赤問題の学習会にも当事者として出席し、報告と質疑応答を行った。

しかし、これらの証言は時間も限られ、限られた内容にとどまらざるを得なかった。そのとき、彼は、事件後30周年に際して週刊誌に寄稿した原稿が大幅に削られた、と不満を述べていた。

四六判216ページに及ぶ本書の出版でも、原稿はかなり削られたという。しかし、今回は「一般の読者にとっては不要な部分が整理されてこれはこれでよかったとも思う」と述べており、語るべきは語りつく

した心境にある。

内容は端正で、剛直である。政治的バランス感覚も的確だ。連合赤軍の革命左派系指導部、永田・坂口両名の著書と比較しても、政治的にははるかに成熟した印象すら与える。

「（逮捕されて連行する際）私はただ前を真っ直ぐ見つめて歩くことを心に決めていた。…私は、正しい情勢分析をすることができなかったのだ。自分が立ち上がることで、次から次へと人々が革命に立ち上がり、小から大へと人民の軍隊が成長し、弱者を抑圧する社会に終止符が打たれる。そんなことを主観的な願望だけで夢見ていた。

その自らの浅はかさ、未熟さを思い知り、自分を打ちのめしてやりたいほどの悔しさを感じていた。だから、逮捕され、引き立てられていくことには何の感慨もなかった。ただ、せめて正義を実現する社会を夢見た志だけには誇りをもち、毅然と歩こうと考えたのだった」

私が「剛直」と感じるのは、このくだりである。

人は、かつて考えていたこと、公言していたこと、その他諸々の事情に縛られており、「自由に考えること」は決して容易ではない。面子や、「他人がどう思うか」ということへの顧慮、組織内での地位や社会的生活に及ぼす利害の打算、それまでいだいていた思想・信条の呪縛、これらすべてが自由な思考と透明な判断を妨げる。

坂口弘が武闘路線に対して同じ認識に至るには、これから3年余の月日を要した。その理由について坂口はいみじくも次のような趣旨のことを述べている。

―「武闘路線の誤りを認めてしまうと、自分や同志たちがこれまで払ってきた犠牲がすべて無駄になってしまう。このように考えて、これまではどうしても誤りを認めることができなかった。

しかし、誤りは誤りであって、いくら否定しても仕方がないことがわかった」

このような事情は坂口に限らず、獄中のほとんどの革命左派のメンバーは、武闘路線の総括について同様の経過をたどっている。

これに対して倫教君は、自由な思考を妨げる私心に妨げられずに、すでに浅間山荘の戦いが終わった段階でこのような認識に到達している。自らの戦いが占めている歴史的・政治的位置が、客観的に正確に把握されている。

浅間山荘と山での破局が明らかになった直後に、指導者の川島豪と全面的な論争を開始した私の例とともに、加藤倫教のケースは例外中の例外である。

倫教君は出獄後においても、かつての志を忘れることなく、しっかりとした足取りで歩んでいる。

本書には、そのような自由な精神と太い芯の通った知性に映った「連合赤軍」が描かれている。

名古屋の運動の状況、特に、東海高校での運動の記述は、当時の学生・生徒の運動の気分と勢いを活写している。

このような事情は、全国至るところの高校で見られたのだ。

名古屋でわれわれが展開した運動と組織活動についての記述も正確である。名古屋での組織化の特徴は、高校生グループを除いて、大学生でなく、労働者のグループとの協議と交流が中心だったことである。本書にも、その一端が記録されている。

いまひとつ印象深いのは、浅間山荘の前後で倫教君が指導部に対して何度か意見を述べ、それが無視されたことでもはや指導部に対して意見を述べる気を失っていた経緯である。ここに、当時の指導部と被指導部の典型的な関係が象徴されている。

能敬君が榛名で指導部に意見書を提出して異議を申し立てた前後の記述も印象的で痛切だ。革命左派の指導部の無能と傲慢と対比して、骨のある平党員だった能敬君の原則性と勇気に心を打たれる。

その兄の能敬君を失ったときの悲痛な叙述。

名古屋での私の一年間の活動がなかったら、倫教君とその弟は、このような過酷な体験をしないですんだかもしれないことを想う。

倫教君は、本書を、やがて思春期をむかえる「子供達のために」書いたという。しかし、本書はこれまでの関係者の手記の中でも優れた記録であり、連合赤軍問題を考える方は、ぜひとも一読されることをおすすめする。

（「証言」1号より転載）

あさま山荘1972

■坂口 弘　1993年／彩流社・刊

評者　佐賀 旭

いまだに越えられることのない89・7％という視聴率を記録したあさま山荘事件。銃撃戦やモンケンによる山荘の破壊など、日本中の人々の記憶に焼き付いた衝撃的な事件であったが、警察に包囲された山荘の内部の連合赤軍兵士はどんな状況だったのか。その詳細は坂口弘の『あさま山荘1972』によって明らかとなった。

また本書ではあさま山荘での10日間に及ぶ籠城戦について、内部からの視点が詳細に描写されているだけでなく、森恒夫と永田洋子に次ぐ連合赤軍のナンバー3であった坂口の苦悩も描かれている。革命左派の指導者であった川島豪の唱えた武装闘争に違和感を覚える様子や、「総括」によって瀕死の遠山美枝子を前にその場を去ろうとする永田に責任を追及したり、印旛沼事件の前後で一貫性の無い態度の森に不信感を抱くなど、坂口は川島や永田、森といった組織のトップとは違う立場にいたことが読み取れる。

しかしながら、川島が推し進めた武装闘争や森と永田による「総括」。それらに心の底では抵抗をしながら、寡黙で口下手な坂口は理論家の森や押しの強い永田に流されてしまう。だがこの姿勢が、あさま山荘事件まで坂口を生き延びらせたのかもしれない。連合赤軍の目的であった銃による権力との闘争が、坂口によって実行されたことは皮肉な結末とも言えるだろう。

本書で印象的なのは、坂口が自分たちの活動によって被害を受けた人々へのお詫びを丁寧に記述していることだ。山岳ベース事件での「総括」の犠牲者はもちろんのこと、革命左派でスパイと疑われて組織を追放された女性や、札幌で坂口を匿ったことで逮捕された大学の先輩、あさま山荘での銃撃戦で死傷した警官など、与えた被害の詳細や事件後の坂口との交流が自責の念とともにつづられている。坂口がここまで被害者たちと誠実に向き合おうとする理由は、最後まで周囲の強い言葉に流されて事件を止めることができなかった後悔なのかもしれない。

元連合赤軍メンバーの出している本のほとんどが、自身の生い立ちから活動歴を時系列順に記述しているが、本書は違う。愛知外相の訪米阻止のため坂口が川島から羽田空港への突入指示を受ける場面から始まる。そこでは坂口が闘争への参加を拒絶する大学の先輩と訣別するシーンも描かれている。子どもが生まれたばかりの先輩の胸倉をつかみ、裏切り者と罵るのだ。なぜこの場面を冒頭に持ってきたのか、その意味の中に連合赤軍事件に対する坂口の答えがあるのだろう。

遺稿

■森 恒夫　1973年／査証編集委員会・刊

評者 佐賀 旭

連合赤軍のリーダー森恒夫に関する資料は多く残されていない。それは森が事件から1年後の1973年の元日に、拘置所内で自死を遂げるからだ。『遺稿』は森の自死までの一週間に書かれた手紙と自死の直前に残した遺書をまとめたものだ。

森の残した手記は、本書の他に逮捕後に獄中で執筆した自己批判書が存在する。だがその内容は専門用語によって森の理論を説明したもので、大変難解なものとなっている。本書においても、自己批判書と同様に難解な文章が多くを占めている。しかしながらそうした理性的であろうとする文章の端々に、森の感情の吐露を見て取ることができる。本書で注目すべき箇所はここだろう。連合赤軍のリーダー森恒夫とはどのような人物であったのか、彼はなぜあのような惨劇を引き起こしたのか。それを読み解くための貴重な資料である。

自己批判書の中で森は、連合赤軍事件について自身が狂気の世界をつくり出していたことを認めつつ、革命のために非常に多くのことを考え、判断し、処理した結果生み出されたものであると書き残している。そしてその狂気の正体が何であるのか、自己批判書で書ききれていないとしている。そこにあるのは自身の信じた道を猛然と突き進んだ結果、取り返しのつかない過ちを犯した苦悩であり、なぜ連合赤軍事件を引き起こしたのか、その原因を森自身ですら最後まで答えを出せずにいたのだろう。

あさま山荘事件の直前に逮捕された森を、小心者として揶揄するメディアが多くあった。実際森には赤軍派の時代に内ゲバの現場から敵前逃亡をして活動から離れた過去があり、そうした面があったことは否定できない。しかし「小心者」とは捉え方によっては「心優しい」と表現することもできるのではないか。森の学生運動の原点である大阪市大の関係者からは、森が心優しい人物であったという証言も出ている。いずれにせよ、人を傷つけたり人から傷つけられることを恐れていた森が、なぜあのような事件を主導したのか、謎は深まるばかりだ。

連合赤軍事件の原因を永田洋子の個人的資質に結論付けた中野判決（東京地裁82年6月18日）は、事件の関係者のみならず世間からも大きな批判を受けた。同様に、森の個人の性質だけをもって、事件の全容を解き明かそうとすることは不可能であろう。しかしながら「心優しかった森恒夫」が、12人の同志をリンチし死に至らしめた「連合赤軍の森恒夫」となった変容。その現実を直視して、その原因を考察していくという作業は、連合赤軍事件の本質を探るためには必要ではないだろうか。

坂東国男・坂口弘・塩見孝也・松田久宛への5通の書簡。森恒夫が読むことはなかった73年1月1日付の坂口弘による森恒夫宛の返信を含む。

氷解 女の自立を求めて

■永田洋子　1983年／講談社・刊

評者　佐賀 旭

『十六の墓標』は永田の生い立ちから、政治運動への参加、連合赤軍事件、そしてその後の裁判や拘置所での生活、というように時系列順に事実を描写したものである。対して本書は永田が死刑判決を下される場面から始まっている。

事件から10年後の1982年、東京地裁で中野武夫裁判長は永田に死刑判決を下した。元々死刑判決が下されることは予想されていたが、その判決理由要旨において同志殺害の原因を「永田の個人的資質の欠陥」とし、永田の性格にある「女性特有の執拗さ、底意地の悪さ、冷酷な加虐趣味」が事件を引き起こしたと判断したことは、連合赤軍事件を永田個人の問題に矮小化したことや、女性に対する差別的な内容が問題となった。

『十六の墓標』があくまでファクトを記録として残すことを目的としたものであるのに対し、本書は中野判決に対する永田の直接的な反論として読むことができる。特に永田が中野判決で問題としているのは女性蔑視の点であり、本書で永田は自身の活動の原点が女性の自立と解放にあったと明かしている。

だがこの永田の主張は矛盾しているようにも見える。その代表的な事件が指輪問題である。革命左派と赤軍派の共同軍事訓練の際、永田は赤軍派の女性メンバーであった遠山美枝子が指輪をはめていることに気づく。そして指輪をはめることは兵士にあるまじきことだと非難するのだ。この出来事は女性の自立と解放を目指した永田が、女性らしさを否定しているようにも捉えることができるのではないか。そして批判は遠山への「総括」の要因にもなり、その遠山への「総括」も永田の主導によって行われた。

　永田の特徴である意志の強さは、活動家のリーダーとして存分に発揮された。その実績は、真岡銃砲店襲撃事件によって革命左派が全国に指名手配されてからも、警察の捜査を逃れて組織を維持してきた事実が証明している。しかしそれは、印旛沼事件で山から脱走し組織を危険にさらしたメンバーを処刑したように、組織のためには犠牲を厭わない人間性を無視した方針でもあったのではないだろうか。

　永田の活動方針は、本当に女性の自立と解放を目指したものだったのだろうか。一つ事実を挙げるとすれば、永田が活動の初期に革命左派の指導者であった川島豪から性的暴行を受けた過去があるということだ。その出来事が永田の性に対する意識に大きな影響を与えたことは確かだろう。だがそれにより、性に対して肯定的になったのか、それとも否定的になったのか、それとも全く別の感情を抱いたのか。本人ですら何か明確な答えを持ち合わせていなかったのかもしれない。

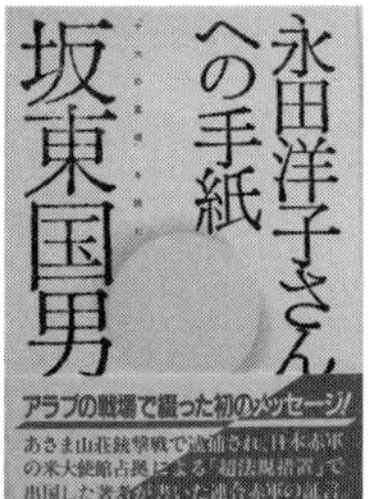

永田洋子さんへの手紙
『十六の墓標』を読む

■坂東国男　1984年／彩流社・刊

評者　佐賀旭

　連合赤軍事件から3年後の1975年、日本赤軍のクアラルンプール事件による超法規的措置によって日本を出国した坂東国男は、事件後もアラブで武装闘争を継続し続けている唯一の元連合赤軍メンバーである。連合赤軍事件の悪夢から目を背け、沈黙することもできた坂東はあえて本書を記した。そこにはどのような意味があるのだろうか。

　永田洋子の記した『十六の墓標』

への返信ともとれるタイトルであるが、本書で書かれているのは、組織の幹部として見た連合赤軍事件である。特に坂東は連合赤軍に合流する前の、赤軍派の時代から森恒夫の右腕としてその活動を支えてきており、その言動をつぶさに観察している。そこから坂東は森本人が決して表に出そうとしなかった、連合赤軍のリーダー森恒夫の内面を読み取っている。

特に象徴的なのは、坂東が森に印旛沼事件の報告をした際のエピソードである。革命左派が二人目のメンバーの処刑を実行したと、坂東が森に報告した際「もはやあいつらは革命家じゃないよ」と森が驚愕していたことを坂東は見逃さなかった。先の革命左派との会議では「スパイや離脱者は処刑すべきではないか」と言い放った森の言葉が、ただの虚勢であったことに気が付いたのだ。そしてそれは坂東にある問題を投げかけたはずである。それは革命左派の処刑に否定的であった森が、なぜ12人の同志を殺したあの事件を主導したのかという疑念である。

アラブの地で本書を書きながら当時の自身の有り様を振り返った坂東は、森が何か重大な決断を行う際に、坂東の顔色を気にして判断を下していたのではと考える。そこから坂東は、森を支えることができなかった自身の未熟さが、森の判断を誤らせたのではないかと思い至ったという。

そして坂東は革命家の真の勇気は、誤りを認めそれを克服していくことにあると記している。裁判で事実を明らかにして刑に服することなく日本を出国した坂東を、大半の人は無責任であると考えるであろう。しかし事件の責任から逃れるための出国であれば、坂東が本書を書くことは無かったのではないだろうか。強い指導者であり続けようとして、自身の誤りを修正できなくなった森を支えきれなかった責任が、アラブで日本赤軍として闘争を続ける坂東にはいつまでも消えること無く残っているのだろう。

優しさをください
—連合赤軍女性兵士の日記

■大槻節子　1986年／彩流社・刊

評者　雪野建作

本書は、雪野が編集を担当し、1986年に初版が刊行された。関係者の著作の中でも、みずみずしい感性があふれ、文学的香気の豊かな一冊であるが、出版に関与した者として、私はその「書評」を書く立場にいない。そのかわりに、巻末に加えられた「断章」を転載させていただく。革命左派につながる初期の運動の雰囲気と、横浜国大の学生運動の一端を知るよすがともなることを願って。

＊　＊　＊

大槻さんは、小柄で明るい、いきいきしたひとだった。

　はじめて会ったときの記憶はない。しかし、話をする機会があったとしたら、反帝平和青年戦線（YF）に私が加わって以後だから、1967年の秋以降ということになる。

　当時の横浜国立大学は、中核派の有力な拠点校だった。共産同（ブント）系が欠けていた他は、たいていの党派がそろっていた。

　その中で、反帝平和青年戦線はやや毛色の異なった存在だった。私の場合、この小グループにひかれたのは、一種独特の大衆的スタイルと、学生臭の稀薄さに対してだった。彼らは新左翼特有の難解で絶叫調のアジテーションを好んではいなかったし、ビラやレジュメの文体も平易で明快だった。

　赤い小さな毛沢東語録には多少抵抗があった。しかし読んでみると、存外いいことが書いてあり、彼らの大衆的スタイルの由来が腑に落ちた。

　私たちの組織はもちろん反代々木で実力闘争にも加わっていたが、和気あいあいとした仲良しサークルめいた側面があり、他党派には軽く見る向きもあったようだ。

　しかし上部組織の日共左派（神奈川県委員会）は、日本共産党の革命的伝統を継ぐことを自負しており、単なる学生組織ではなかった。主力軍はあくまでも労働者・農民であるとされ、青年・学生運動はその先鋒隊――一方面軍と位置づけられていた。定時制高校生たちの労働者の集会には、学生運動とは全く気質の異なる、素朴で力強い空気が満ちていた。

　五年後の革命左派はこれとは似ても似つかぬ鬼子に姿を変えていたが、強固な規律をつくりあげる基礎となった気概と一種の凄みは、大衆的な仲良しサークルの外観にかくれてはいたが、まぎれもなくあった。

　あるいは、大槻さんも、反帝平和青年戦線を選択したときに、そこに「本物」につながるにおいをかぎつけていたのかもしれない。

彼女が71年4月3日の日記に記しているように、その後私たちが「確かな足取り」をすっかり失ってしまったとしても。

横浜国大は66年に学芸学部の名称変更闘争の洗礼を受けていた。67年10月8日には、疾風怒濤の時代の幕明けとなった佐藤首相訪米・訪越阻止闘争があった。スラム街の上にぬき出た清水が丘の上、旧横浜高商のいかめしい建物とプレハブ造りの大教室が雑然とひしめく「国大」には、若い混沌としたエネルギーがあふれていた。

大槻さんの学友の語るところでは、頭が切れて論が立つ大槻さんは、すぐにクラス活動の中心的存在になった。工学部で一学年下の私には、組織の学習会や合宿などの時の、少し気おくれしたように慎重に言葉を選びながら話す彼女と、活発で新鮮なはち切れるような若さの印象が残っているだけである。高校三年のときに父上が亡くなって、いくつもバイトをかかえた学生だったことも、うかつなことに私は知らなかった。

大槻さんのノートが始まる68年末は、日大・東大の闘争が頂点にのぼりつめようとしていたころだった。

横浜国大でも、学舎の統合移転をめぐって緊張が高まっていた。教授会と団交し、会議室を占拠して赤いじゅうたんの上で徹夜した日々。一月半ばには、大学本部が学生に封鎖された。バリケードをまたいで守衛室の窓から本部に入ると、テレビは安田講堂の攻防戦を映し出していた。

このとき偶然学生の手に落ちた学生課長の「岩田メモ」(活動家の動向を記載)は、一年に及ぶ国大闘争の発火点となった。

運動の昂揚期には、かつて学生運動とは無縁だった層も揺り動かされる。私と、後に榛名山で「殺害」された寺岡恒一君の属していた化学工学科では、「遊び人」層もたち上がった。ストを決議する学生大会の当日も、遊び人諸君はレポを一人会場に残してなじみの雀荘で卓を囲んでいた。学生大会がヤマ場にさしかかると、レポが雀荘へ走っていく。あわてて戻ってきた遊び人たちは、スト突入決議に賛成票を投じるのであった。彼らは下宿と教室を往復するマジメ学生よりはるかに行動力を備えていた。

69年の3月から4月にかけて、組織に大きな変化があった。日共左派(神奈川)が分裂し、年輩の旧日共党員グループをはじき出して日共革命左派が発足した。反帝平和青年戦線も「学生戦闘団」に再編成された。学生戦闘団は、京浜労働者反戦団、反戦平和婦人の会などとともに、数ヵ月後に共闘組織として京浜安保共闘を結成する。

大槻さんは、4月11日のノートで、この転換を前にしたとまどいを記している。「組織性への疑問。入るまい、と決心する。今が組織的なことと別れるあるイミで絶好期」

学生戦闘団という名称には、たしかにロシアの昔のテロリストを思わせるさむざむとしたひびきがあった。

しかし5月3日に彼女は記した。

「Aに論破される。逃れられぬ。ヤッテミルしかないだろう。ヤル……

Aは、『政治』以外の点ではゾッとしてしまうようなところがある。

こんな疎遠さを感じていて、それでもなお選択は正直だったろうか」

8月に大槻さんは組織の指示で、学籍を伏せてK光学に就職した。

この時期、学生戦線の活動家のかなりの部分が、京浜工業地帯の工場に投入されている。

しかし労働運動の組織化という目的は、ほとんど実らなかった。職場で着実に運動を組織する視点も指導も、すでに消えつつあったからである。

9月4日、愛知外相訪ソ訪米阻止闘争で逮捕されて、処分保留で釈放される間の体験は、彼女に深い傷跡を残した。

恋人のK（キタロー）と組織を権力に売った、という自責の念は、組織が下した「キタローと会わせない」という奇妙な「処分」と共に、彼女をさいなむ。

取調べを担当した「善意」のI刑事とのいきさつは、更に深く彼女を打ちのめす。釈放後間もなく、彼女は親近感を込めて学友に話している。

「セブンスターをうまそうに吸うデカがいた。権力機関の一員として、人間的に疎外された存在」

しかし、「厳格な機能」は否応なしに見えてくる。仲間の裁判を傍聴に行ったとき、彼女ははじめて、自分の供述が証拠とされていることを知り、深い衝撃を受ける。

「ちくしょう!ちくしょう!」とくやしがった娘のことを、後に母上が学友に話してくれたという。

1970年の12月18日に、革命左派は獄中にいる指導者川島豪の指示の下に、彼の奪還のための武器の入手を企てた。

結果は、しかし、無残なものだった。

横浜国大以来の古参の指導者柴野

春彦が警官に射殺され、大槻さんの恋人Kと、少年が重傷を負って逮捕された。

　以後、革命左派は「革命戦争」を呼号し、71年2月17日、真岡市の銃砲店襲撃を経て、7月には赤軍派と「統一赤軍」の結成を宣言するに至る。

　銃砲店襲撃を前に、永田指導部はほとんどの合法メンバーに潜行の指令を発した。

　大槻さんは千葉県の大貫のアジトで、2カ月近い無為の時を過ごすことになる。海の近い、郊外のアパート。冬の終わりから春にかけて、次々とアジトを発見されて逃亡を続ける非合法部隊のニュースと、三里塚闘争のニュースを見ながら、彼女たちはひたすら沈潜することを強いられた。

「閉鎖された空間に、どうしても思考も感性も重く循環していく……」

　そこにM君がいた。

　冗舌で傷つきやすい、テロリスト志向の文学青年。皮肉屋の演技者。不健康な言葉のたわむれ。

　激しく反発し、嫌悪しながらも、ひびき合う感性。

　すでに3カ月前に重傷を負って囚われていたK。

「鉄格子の中の、戦士よ。遠い戦士よ。私にあなたの自由を下さい。私はより広い空間にいて、なおあなたより縛られている。愚鈍さの中に。

　元気ですか。身体の具合は？ 指の具合は？」

　しかし、長く強いられた隔離のあとで、絶対的なものとなった隔離。

「私とKとの交わりも、何と現実的過程を踏みしめるよりも、作りあげられていったことだろう。

　何故、自然のままに私達をあらしめなかったのか」

「私に一体どういう保証書を求めているのか。被所有化されることを私に要求しているのか」

　既に始まった崩壊の自覚。

「思考の停止」を命ずる運動の現実。

　失われた「確かな足取り」

「しかし情感だけはどうしたって偽らざる自分のものだろう。

　そう、何を隠そう、彼（M）を自分のものとしたいのだ。無縁であることを拒否したいのだ！」

　激しくほとばしる情熱。暗合と予兆に満ちた言葉がつづく。

「一つの死に焦がれて邁進する狂気した情念と、それに寄り添う死の花」

「何というか、どこかで聞いたことのある文句ではないか、〝再び帰って……お前自身、私の死の執行人。私の死に参画する〟

　もし既に使われた言葉だったら、嘲ってやろうではないか」

M君の語った小説のプラン。

苦汁に満ちた現実は、しかしその「三文劇」を現実のものとした。

春が過ぎて、時は8月。

夜通し二人で歩き回りながら、大槻さんは深い悩みと迷いを語っていた。相手は、ある戦闘グループの活動家であった。

「仲間が山から脱走した。山のことを小説に書いており、訪ねてきた刑事と酒を飲んだりしている。大問題になって、対策が議論されている……。どうしたらいいのか」

活動家は答えた。

「病をなおして人を救うという方法をとるべきだ。敵に対する方法はとるべきではない」

彼女はひどく動揺していた。

二人はいろいろなことを話した。公園のブランコに揺られながら、彼女は、「世の中でいちばん大切なものは母さんだ」と語った。

しばらく日を経て、大槻さんは活動家のところへまたフラリとやってきた。

今度は話はしなかった。

ただ、飲んだ。

ほろ苦いチンザノを、グラスでぐいぐい空けた。

帰る時は足元が少しふらついていた。

二人の迎えた過酷な結末。しかし彼女の手記を読むと、すでに彼女は4月の段階で、運動の崩壊の兆しを感じとっていたように思える。おそらく、それは、単なる熱狂だけでなく、冷静に事態のなりゆきを予感する理性の一片を残していた者にとって、多かれ少なかれ共通していたように思える。

当時、私は他の戦闘グループと連絡をつける仕事を担当しており、都会で大槻さんと行動を共にすることが多かった。彼女が連絡をつけ、日時をセットして、二人で会いに行った。

しかし私たちは、運動の先行きについて腹を割って話すことはなかった。しばらく前から、うるおいを失ってかさついていた組織の中で、そういう会話は不可能だった。

その年の6月に、指導部と、軍事方針と指導方法について激しく徒労に終わった論争を行った後、私は半ばあきらめの境地にいた。

組織がそのままではもたないことは自明だった。かといって、方向転換はただちには全く不可能だった。一度壁にぶつかるまで、待つ以外になかった。もっとも、転換すべき新しい方向も、私には未だ十分明確ではなかったのだが。極左的偏向は明らかだったが、論理を最後まで突きつめて首尾一貫した路線を定式化するには至っていなかった。それには、逮捕されてからの指導者との論争と、組織が破局を迎え、私が「極左の呪縛」から解放されるのを待たねばならなかった。

　そして一番決定的なことだが、私自身も、極左的行動に対して激しい共感をいだいていた。こうした前提を共にしている限り、結果として極左路線に従う以外なかった。不徹底で懐疑的な極左は、盲目的確信で武装した徹底した極左に、たちうちできようはずがなかった。

　その年の12月下旬、大槻さんはある同志の母と会っている。

「あなたたちの運動は、このままやっていてもだめなんだから、思いきって出直しなさい。今までは誤っていました、と宣言して、一からやりなおすのよ」

　彼女は、この説得に答えている。

「それはよくわかっています。しかし、運動には勢いというものがあって、今すぐそうすることはできないんです」

　また、同じころ、大槻さんはある医療関係者を訪れ、出産を控えた金子みちよさんのためにアドバイスを受けた。彼女の様子は、以前と異なり、これから山へ行く、という決然たる悲愴感に満ちていた。

「おやめなさい。もう家へ帰りなさい。このまま行ってもだめなのだから」

　必死に止められたが、彼女はまた答えた。

「それは良くわかっています。だけど家に帰ることは、仲間を裏切ることなので、私にはできません」

　その翌日、彼女は雪で白い榛名山へ登っていった。

　不条理な「総括」を経て大槻さんが死亡したのは、その1月ほど後だった。

「私は生きたい。かなう限り自然に、自然に、十分自然に！」（71年3月6日 大槻節子）

（「証言」7号より転載）

ブントの連赤問題総括

■荒 岱介　1995年／実践社・刊

評者　早見慶子

　私が戦旗派にいた時代、最高指導者の荒岱介さんから「塩見（孝也）さんにオルグされてブントに入った」という話を聞かされていた。彼は他のブントの批判はしても20年も監獄にいる塩見さんのことは一目置いていたのだろう。ところが、その塩見さんが19年9カ月という監獄生活を終え、出所し、「自主日本の会」を設立すると批判に転じていく。塩見さんは戦旗派を辞めた私や作家の見沢知康さん、反戦自衛官の小西誠さん、一水会の鈴木邦男さん、北野誠さんなどさまざまな人を集めてイベントを行うなど精力的に活動を開始。新左翼でトップになることを意識していた荒さんはライバルとして警戒したのだろう。そういう中での論文である。優秀な部下である西城（友行）さんに塩見さんを批判させて、塩見さんの反論を誘導。最後は荒さんで締めくくり、戦旗派の優位性、いや荒さん個人の優位性を示そうとした。ブントの歴史で避けて通れないのが、連合赤軍の事件だ。連合赤軍と自分たちは違うのだと言い切れる総括ができれば同志粛清という呪縛が解けるに違いない。そのためには塩見さんと連合赤軍の加害者である植垣（康博）さんの登場が不可欠だと考えた。人間は言葉とイメージを関連付けて覚えるため、実態が変わっていようと同じものとして認識してしまう。日本人にとって従軍慰安婦問題が過去のことであるにも関わらず、知らない世代まで引きずっているではないか。だからこそブントの負の遺産を総括しないと先に進めない、そう考えた。

残念ながら西城さんは塩見さんを知らない。連合赤軍事件は塩見さんが逮捕され、監獄にいたときの出来事だ。塩見さんが「連合赤軍は塩見批判をし、新党を結成した」とあるように赤軍派と革命左派が合流して結成されたのが連合赤軍だ。だから自分とは違う世代になったときのことだと客観視してしまう。西城さんはそうしたスタンスを内在的ではないと捉えた。つまり西城さんの論点は塩見さんが客観主義的に捉えて、自分の作り出した組織に内在的にかかわっていないこと、浅田光輝の資本主義の高度化が原因だという説に対して封建的社会主義だったという表現が浅い、ということが中心である。その点においては少し疑問である。当時塩見さんは監獄の中であさま山荘事件を知るのだから、リアリティがなく、客観的になってしまうのは自然である。それが理想の上司でなかったにせよ、監獄で遮断されているとそう感じてしまうのではないかと思う。また塩見さんの語る封建的社会主義という点では「社会主義」という造語を除いた封建的上下関係はあったんじゃないのか。指導部の絶対的権力。それは戦旗派も例外ではない。私が西城さんに対して反抗的な態度をとり、禁煙運動を無視したこと等を「戦旗派」的じゃないと批判し、幹部から排除した。その西城さんも荒さんから排除されてしまう。ほとんどの指導部が荒さんに排除されていったのではないだろうか。その荒さんは労働者からのカンパでポルシェを買い、1億円以上する豪邸を手に入れ、実践社からも数億円もらっている。カンパを私物化した絶対的権力そのものだ。

居場所を失い、戦旗派をやめた私は、ブントの歴史が知りたくて、いろいろなところに顔を出して話を聞いて回った。ある日ブントの先輩たちと連合赤軍で粛清された山田孝さんのお墓参りに行ったときのことだ。山田さんの妻が「塩見さんがね、監獄から手紙を出してくれたのよ。それがね『同志殺害はレーニン主義的でなかったから起こった』と書いてあったの。すごく腹が立ったのよ」と言っていた。遺族が聞きたい言葉は人の命の尊さ、亡くなった人への思いやりの言葉だったのではないだろうか。そうした人間の心を理解しない議論は萎れていく花でしかない。

ちなみに塩見さんは生前、私と論争したことがあった。塩見さんはときどきお金のかかるイベントを開催し、その尻ぬぐいを労働者にさせていた。「いつも失敗すると俺に払わせるんだよね」と愚痴っていたのを聞いていた私は「労働者に尻ぬぐいさせるんだったら、自分で働いてお金の穴を埋めなさいよ」と言った。彼は机を叩きながら「俺は労働者にはならない。革命家なんだ」と言い放った。「塩見さん、それ労働者になるって恥ずかしいと思っているの。労働者を尊敬しているから解放するんじゃないの。まるで働く人が落ちこぼれているみたいじゃない」と私は言い返した。「俺にはプライドがあるんだ。労働者には労働者のプライドがあるように」「てことは、労働者になると塩見さんは傷つくわけ?」「俺が働いたら革命家じゃないんだ」「はあ?労働者の味方をするフリしてイベントのために利用しているだけじゃない」と激しくやりあった。そんな論争の後、塩見さんは駐車場管理員になり、労働者にたかることをやめた。人間の気持ちより言語に固執した『ブントの連赤総括』。カンパで個人的贅沢をしてきた荒さんより、批判の対象となった塩見さんのほうが人間的な指導者だったのではないかと思う。

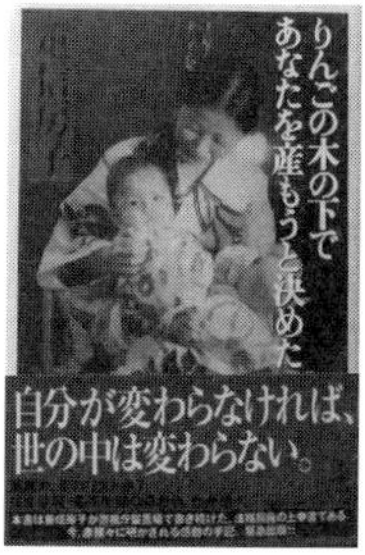

りんごの木の下で あなたを産もうと決めた

■重信房子　2001年／幻冬舎・刊

評者　佐賀 旭

本書は重信房子がアラブで生まれた娘の日本での戸籍取得のため、法務局に向けて書いた上申書を書籍化したものである。その内容は右派団体に関与した過去もある父親の背中を見て育った幼少期から、親友である遠山美枝子を連合赤軍事件で失いながらもアラブで活動を続けてきた重信の人生が、娘に語りかける優しい文章で書かれている。

パレスチナ解放人民戦線での活動の中で重信が何度も言及しているのが、日本赤軍がイスラエルの空港での銃乱射によって多くの民間人を死傷させたテルアビブ事件である。その事件の残虐性から日本赤軍を肯定的に捉える人はほとんどいないだろう。だが日本赤軍が西側諸国からは「テロリスト」と呼ばれる一方で、アラブ諸国からはパレスチナ解放のための「英雄」として扱われていると重信は主張する。

確かに日本の学生運動が海外で評価されるという例は他にもある。ベトナムでの米軍の空爆に抗議し、当時の佐藤栄作首相のベトナム訪問を阻止するため、多くの学生が羽田空港に集結した10・8の羽田事件はベトナムでは高く評価されている。

連合赤軍事件の同志殺しのショックにより、日本国内で学生運動はタブーとされ、その歴史が顧みられることはほとんどなかった。そのため学生たちが何を目指して闘っていたのか、後世の人々にはほとんど伝わっていない。だが日本国外では、当時の日本の若者たちよる活動を称賛する声があるというのも事実だ。

果たしてあの時代の闘争は誤りだったのか。どちらか一方の視点が絶対的な正当性を持つというわけではない。異なる視点や価値観があることを認め、理解すること。それこそ重信が娘に伝えたかったことなのではないだろうか。

ベイルートの果樹園で重信はパレスチナの仲間たちと語り合い、娘を産むことを決めた。その決断には約1月前に起こしたテルアビブ事件のことがあるのだろう。アラブで生まれた娘が将来日本の地を踏んだとき、テロリストの娘として非難を浴びるかもしれない。だからこそ、自分たち日本赤軍はなぜ事件を決行したのか。どのような意志で遠く日本を離れアラブの地で闘っているのか。それを娘に伝え、そしてより多くの日本人にも知ってもらいたかったのだろう。

　連合赤軍事件から50年という長い月日が経った。だがこの50年間パレスチナ問題はくすぶり続け、現在でも報復の連鎖が続いている。日本赤軍の若者たちはなぜ銃を取ったのか。それを知るのは今からでも遅くはない。

赤軍派始末記

■塩見孝也　2003年／彩流社・刊

評者　**黒宮雪彦**

　本書は、あとがきに書かれているように、「文字通り元赤軍派議長塩見孝也の個人史を通して」、共産同赤軍派の歴史を振り返ったものである。実際の章建てを無視して言えば、1．赤軍派の形成から連合赤軍事件に至るまでの赤軍派の歴史（第1部第1～3章）、2．連合赤軍問題の総括（同第4章）、3．「よど号」グループの拉致疑惑について（第2部）、という三部構成になっており、その外に第3部資料編、第4部年譜が付されている。

　赤軍派の歴史においては、これまであまり目にすることの無かった、60年過ぎの関西ブントの様子、そして全国展開＝二次ブントの再建、赤軍派の結成に至る状況が、生き生きと語られている。運動や組織、思想の展開が、それを担った生身の個人の姿とともに描き出されているのだ。実名で出されてしまった個々人にはかなわない面もあるかもしれないが、かつての新左翼運動史や学生運動史とはひと味違う、魅力ある運動史となっている。この意味に於いては、それぞれ扱っている時期や領域が少しずつ異なってはいるが、「情況」誌に連載されたさらぎ徳二の「革命に生きる」や荒岱介『破天荒伝』（太田出版）、小野田襄二『革命的左翼という擬制』（白順社）なども、同じく魅力あるものとなっている。別の言い方をすれば、30年ないし40年の歳月が経過することで、初めて可能となった書かれ方なのかもしれない。

　連赤問題の総括においては、①指導部として最後に残ってしまい、もはや逃げられない立場にいた森恒夫の苦闘、②山岳ベースにおける暴力的総括は森・永田の権力を固めるための粛清だった、③連赤問題の総括の中心課題はスターリン主義の問題、そして④マルクス主義における人間を中心とした世界観の欠如の問題、と展開されている。

暴力的総括要求を森・永田の権力固めのための粛清としてしまったならば、組織・運動・路線をひとり抱え込んでしまい、他に頼る人なく、解決不能な課題と格闘した森（そしてまた永田も）の苦悩は何処に行ってしまうのか。また、連赤問題の総括の中心はスターリン主義の問題、という。しかし、スターリン主義の問題とは、ある意味ロシア・マルクス主義（ボルシェヴィズム）の問題であり、さらには著者自身が「マルクス主義だけで突き進んでいった場合には、必ず最終的には殺し合いになる」と指摘するようにマルクス主義自身の問題でもあるのではないか。

そして、連赤問題の総括の最後に、著者は「人間を中心とした世界観」をいう。このあたりは、著者の30年来の思想的格闘・研鑽を端的に表しているところなのだろう。山岳ベースにおいて、森恒夫もやはり「人の要素」の問題で苦闘していた。著者はそれを「人間不信を根底に人間を見ている」として切って捨て、「どれだけ信頼関係を築くことができるか」と問題を立てている。「人は本質的に社会的な存在で、信じ合えるというところから出発しないとだめだ」と言う。嫉妬、憎悪、羨望、背信、懐疑、これらが「自己の自由な発展が他者の自由な発展の桎梏とならざるをえない市民社会」固有のものではない以上、連合赤軍への道はまだまだ続く。

（「証言」3号より転載）

「彼女たち」の連合赤軍

■大塚英志　1996年／文藝春秋・刊

評者　早見慶子

連合赤軍事件を知ったのは私が中学生になったばかりの頃である。理想の世界を求める人たちがなぜ仲間を殺してしまえるか理解できなかった。いつも一緒にいるということは家族や友だちのように生活や思い出を共有してきたはずだ。そこに躊躇はなかったのだろうか。そんなふうに感じた私も大学を卒業して間もなく過激派への道をたどっていく。革命によって大衆を抑圧から解放するという正義のためには暴力が必要であるとマルクスやレーニンから学んだ。暴力を肯定するとはどういうことであろうか。戦争を担うことができる人間へと成長することである。どんなに素晴らしいことを語っても武力の前にあっけなく殺されてしまうはかない生命。戦争の歴史とは武力の強い者が勝つ歴史であった。あの時代若者は理想を夢見て、国家権力の持つ軍隊に勝とうとした。歴史に学び、先人たちに習い、武装の道に進んでいく。そんな中で連合赤軍は銃撃戦を想定し、兵士の育成へと向かう。力の弱い女性も例外ではない。武器を持って戦うという道を歩んでいった。

　大塚英志は『「彼女たち」の連合赤軍』でこの女性問題に着目。指導者であった永田洋子のイラストが女性的な繊細さに満ちていることに興味を持った。監獄という物理的に抑圧された空間。そこで彼女は抑圧してきた女性性を解放させていくのである。永田洋子は男性指導者のように考えようとし、自らのかわいいと感じる女性性を抑圧してきたため、少しずつ女性の部分を表現する自由を獲得し始めたのだった。

　あさま山荘の事件を見てみよう。遠山美枝子は軍事訓練をする場所に指輪をしたままやってきた。金子みちよは森のことを「目がかわいい」と言った。森に対する「かわいい」というセリフ。そこに永田は女性特有のかわいいと思われたい、男の気を惹きたいという年頃の女性の無意識の願望を感じ取ってしまう。それは革命家であろうと一般大衆であろうと共通に持つ女性的感性の一つである。著者である大塚は消費社会における性の商品化問題に結びつけながら当時の女性の意識に迫っていく。加害者である永田洋子は川島豪に強姦され、坂口(弘)との間にできた胎児を中絶によって殺してしまう。それは歪んだ家庭環境によって形成された、家父長に従順な女であり続けようとする永田洋子の性格からきていると鋭くとらえる。理論上の敵は国家権力であったとしても、不満は日常的に近くにいる人に人間に向かって行く。こと女性の不満は可愛い女性に向かいやすい。女性のバッシングが既婚者である東出昌大の心をつかみ取った唐田えりかに向かうように永田の批判は女性らしさを表現する遠山や金子みちよに向かって行く。金子が森に対する「かわいい」というセリフに永田は女特有の媚びるような女性らしさを発見してしまう。それは中絶した女性が妊娠している女性に対して無意識的に抱くジェラシーがあったのかもしれない。その一言を見逃してはいけないと思うほど攻撃した。森は女性の生理を「気持ち悪い」とさえ語っていた。男を扱うように女性活動家を扱えないジレンマがあったのだろうか。生理のある女性がどんな思いで山に行く覚悟をしたのか理解する包容力をもてなかった。人間を殺すには相当深い憎しみがない限り罪悪感に苛まれるはずだ。森の粛清は一人でとどまらないところを見ると女性のことを嫌悪していたのではないだろうか。

結局のところ、活動家が女性を理解できないのは今も昔も変わらない。あのマルクスは女中を孕ませた上に認知さえしていない。戦旗派時代、女性は子供を産まない覚悟が必要という論文が理論戦線に掲載された。本部事務所をパトロールするために泊まったときのことだ。荒さんが「女ってすぐ子供ができたからと言い訳して家庭に逃げてしまうんだよな。そんなんじゃ革命家になれないね」と女性活動家を批判していたのを耳にする。つまり左翼の語る女性の解放とは「男性のいる社会に進出すること」だったのだ。

かつて革命を目指す男性たちは家事に縛りつけられた男性主義から女性を解放しようと戦った。しかし、女性だからできる妊娠、出産、授乳という行為は共有できるわけではない。子育ては簡単ではない。忍耐力と観察力と知恵が必要だ。愛と知性に満ちた子育てに男性が参加していくことも大切ではないだろうか。そういう意味で大塚英志の問題提起は重要な意味を持つといえよう。

監獄記

■塩見孝也　2004年／オークラ出版・刊

評者　**椎野礼仁**

塩見孝也に成熟は訪れたのか？

語りたくても語れなかった獄中のことを、娑婆生活14年を経て、満を持して世に問うたのが本書だ。確かにここには、きわめて正直に、言いよどんでいるところも含めて、鮮やかに、等身大の塩見孝也がいるように思う。「痛快で、ウジウジもしている塩見」が。

6章で構成されている本書の第1章「厳正独居物語」は、懲役18年の刑が確定して、府中刑務所に下った時に受けた「厳正独居」処遇に、最初はそれと気づかず、6カ月を経て敢然と立ち向かう塩見孝也像が鮮やかです。文字通りの四面楚歌、たぶん気分としては八面楚歌ぐらいな中で、たった1人で刑務官僚と渡り合うのは、常人ではできないことだろう。どんなふうに、やりあったかは、ぜひ本書で確かめて欲しいが、ページをめくるごとに高々と吹き鳴らす進軍ラッパの音が響いてくるとだけ、比喩しておきます。

第2章「府中刑務所・北部区物語」も、痛快譚といっても怒られないだろう。獄の生活やその影響を述懐していて、筆者の筆は冴える。3章「逮捕、取調べでの死闘と僕のすさまじい決意」には、完黙できなかったことを、いまだにくだくだしく弁解せざるを得ない赤軍派議長がいて、僕などは「もういい加減、人もそんなに責めませんよ」と進言したい気分なのだが、30有余年を経て今なおこうを書かざるを得ない人が背負ったものの重さに、ここは思いをはせるべきなのだろう。5章「東京拘置所の英雄たちと我が新3舎2階15房」も、版元からのエンタテインメントをという注文に(塩見流ではあれ)応えてもいて面白い。出色は、6章「僕の監獄録と監獄論」の冒頭に措かれた夢の話。いまだに見る夢、妻子の夢などには、正直、思わずホロリとしました。

さて、ここで『監獄記』を取り上げるわけは、第4章「監獄での『連合赤軍体験』体験－森恒夫物語」があるからです。実は私は本書に編集者として少し関わった。その時の目の当たりにしたことは、この章になった途端、他の章に見られるような、漢文の教養がにじみ出る語彙の豊富さ、レトリックの巧みさが姿を消し、かつての機関誌や論文でさんざん目にした、紋切り型の言い回しや述語で、行が埋め尽くされたことだった。

「本書の狙いは、今まで塩見の本に接したことのない新しい読者を獲得することなので、総括はいりません」と口を酸っぱくした私やオークラ出版の伊藤編集長の言葉に、塩見孝也は頑として耳を貸さなかった。森恒夫と永田洋子について書くとき、総括抜きに語ることはできない、これだけは譲れない、と、それを主張し出すと、話はアジテーション口調に段々近づき、いつまでも止まなかった。

「ああ、連合赤軍事件や森恒夫、永田洋子の問題というのは、塩見孝也という人にとっては、いまだに現在の問題で、客観視して書くことができるまで、対象化されていない(一生され得ない?)事柄なんだ」と、強く思ったことでした。

　それでも塩見さんは、喫水線ギリギリまで、原文を整理して、この形に収まった。当初では森と永田にそれぞれ1章が裂かれ、時には明らかにフライングと見られる表現もあった。その意味では、ここまでまとまったことは、塩見さんの成熟なのかもしれません。

　後書きに、塩見さんはこう書いています。「人間には、ある年齢に達すると、自分の過去を全体的に見晴るかせる時期、言い直せば、その人にとっての成熟の時期が訪れるのかもしれません。僕も齢60を超え、成熟の年齢に達し始めたようです」。

　ところで肝心のことにまだ触れていません。4章で塩見は何と言っているのか、どう総括しているのか?


今度の本の仕事を終えた後、「証言」の3号を読みました。塩見が20年の獄中生活を終えて4カ月しかたっていない1990年3月に、連合赤軍についてインタビューしたものが載っていました。驚きました。今度の本の4章「監獄での『連合赤軍体験』体験」で述べられていることが、すでにほとんど同じ形で載っていました。

　これは決して非難すべき事ではないでしょう。塩見孝也という人が、娑婆に出てから、政治的、思想的に、いろいろ行きつ戻りつしているように見える。その中で、苦衷や、時に矮小に思われることもすべてひっくるめて、変わってないことがある。そういう意味で、僕にとって収穫でした。


(「証言」4号より転載)

『証言 連合赤軍』
2013年/皓星社
連合赤軍事件の全体像を残す会が編集する冊子「証言」10号までの総集編。

7

インタビュー

「いまだから語れること」
当事者にとっての連合赤軍

2002年6月13日

植垣康博

僕らは権力に負けたんじゃない、党派に負けたんだ。

撮影：新藤健一（2012年5月10日）

――出所されて、すぐにテレビ取材に応じられていましたね。誤解を受けることも多々あったのでは？

98年10月、甲府刑務所から出てきてすぐに、取材攻勢を受けました。こんなのに巻き込まれるのはかなわん、と一度は思ったんですが、マスコミのペースにのらなければいいやと思い返し、取材を受けることにしました。

というのは、「私は過去の問題を隠さず、今までと同じように、これからもやっていきますよ」と言いたかったからです。特に僕と同じ世代に対してね。連合赤軍の問題を伝える〝アドバルーン役〟という自覚も、僕にはありますから。

僕ら「団塊の世代」は、企業ではリストラ攻撃を受けたりしてひどい目に遭っています。

うえがき・やすひろ
1949年静岡県生まれ。67年、静岡県立藤枝東高校から弘前大学理学部物理学科に入学。民青から転じて全共闘運動へ。69年の10月逮捕され70年12月まで拘置所生活。71年「兵

彼らの多くは運動をやってきたことを曖昧にしながら会社に入ってさんざん苦労させられ、今度はリストラでクビが危ない。ほとんど無抵抗にやられ、自殺も僕らの世代が一番多い。みんな忸怩たる想いをもっていると思うんです。

それは、党派の論理に絡め取られてしまった全共闘運動を総括できていないからではないかと考えられます。僕は「連赤」までいってしまったおかげで、若いときにひたすら苦労させられたわけだけれども、彼らは今、僕と同じ苦労を味わっているのかもしれません。この状況を前にして、僕らの世代の一番悪いところは、過去を隠して生きている人が多いことだと思っています。そういう人たちに、「隠さず、開けっぴろげでやっていこうよ」、そして、「当時の問題を含めて、もう一回しっかり決着をつけなくちゃいけないんじゃないの」というメッセージを伝えたいんです。テレビに出たのは、そういう理由です。

討論酒場「スナック・バロン」

僕は2001年の2月から、静岡でスナックをやっています。店名は「スナック・バロン」。これは、赤軍派のときからの僕の渾名「バロン」からきています。71年頃に流行ったコミックに、バロン吉本の『昭和柔侠伝』という作品があったんですが、その登場人物に僕が似ているということから、いつのまにか「バロン」になっていました。それを店名にもってきた。はじめは「レッド・バロン」にしようとしたんだけど（笑）、中古バイク販売店にあるんで、結局「スナック・バロン」。つまり、「昔の名前で出て」いるわけです（笑）。これも過去は隠さずオープンにやっていこうよ、ということの表明です。

僕が飲み屋をやることの意義を言うと、1789年のフランス革命も「サロン」[※1]から始まっ

士」として赤軍派に参加。「M作戦」などの闘争を担い、その後連合赤軍に参加。72年2月19日、軽井沢駅で逮捕される。82年6月18日、一審。懲役20年の判決。86年9月26日、二審。懲役20年の判決。93年2月19日、最高裁、上告棄却。98年10月6日、約27年ぶりに刑期満了で出所。このインタビューはその4年後、2002年に行われた。

※1　フランス18世紀

たじゃないか、という発想です。全共闘運動でもほかの運動でも、人が集まる酒場は重要な役割を果たしている。飲み屋から何か新しいものをつくっていこうということですね。いわば〝討論酒場〟。飲み屋で議論を重ねていくうちに、社会についても運動についても新しい形が見えてくるのではないかと考えています。

立地がいいわけじゃなく、知り合いの連中も「3ヵ月で潰れる」なんて言うもんだから、「それならしっかりやりましょう」ということでがんばって、今も続いています。飲み屋がどんどん潰れているこのご時世で、カラオケもない、女性もいない「バロン」がなぜ続いているのか。それは、本来酒場が持っている人間関係の文化といったようなものがうけていると考えたいですね。

町内会の組長の仕事もしていますよ。テレビに出て「ワタシ、連赤のウエガキです」とやったおかげで、かえって町内の人たちと仲良くなれた。町内会の顧問をしている自民党の県議も挨拶をしてくれました。これからの運動は、コソコソやるんじゃなくて、オープンにドーンとやっていかなければならない。そのほうがみんなを惹きつける力になるんじゃないかな。

しかも、住民基本台帳法や個人情報保護法等によって、国家権力による情報の集中管理が進み、個々人の管理がより強化されるなかでは、隠すこと自体が意味を失ってしまうわけです。それに対抗して生きていくためには、自分の主張や行動をできるだけオープンにして、監視することのメリットをなくしてしまったほうがいいと思っています。

権力に負けたんじゃない

僕がテレビなどに出たりして、オープンにやっていることが気に食わない人もいるようで

に、人間を肯定的、楽天的にみようとする考えが浸透し、一般に受け入れられるようになったが、その背景に、サロンと社交生活の発展があったとされる。サロンはフランス革命に影響をあたえる啓蒙思想の発展に貢献した。

すね。たとえば佐々淳行氏※2は、『正論』(02年6月号)の石原慎太郎都知事との対談の中で、僕のことを「元懲役囚」と呼び、僕がテレビに出ていることを「もってのほか」とみなしています。ま、さっきのようなメッセージを込めているので、当然といえば当然ですが(笑)。佐々氏は、「あさま山荘」でだいぶ稼いでいるようですが、僕と一緒にテレビに出ることに対して、僕を利することになるとか何とか理屈をつけて、自分から身を引いている。ずいぶんと立派な「侍」です。僕との対談ならば応じるというようなことを言っていますが、テレビ局がまじめに企画したら、果たして応じるかどうか大いに疑問ですね。

佐々氏たちは、「あさま山荘事件」を警察側から描いた映画にかこつけて、警察の勝利を喧伝し、その当時を戦後警察の最高の時代と称賛したりしています。でも、「ホントにあなたたちが勝ったの?」と聞いてみたいですね。たしかに連合赤軍をはじめ当時の闘いは敗北し、国家権力を打倒することに失敗しましたが、では、僕らの闘いが潰れたことによって、あなたたちの思うような社会になったのかということです。その後の警察の腐敗や犯罪をはじめとした国家権力の威信の崩壊、国会の無能化、経済の衰退、思想や文化の解体などといった状況を考えると、彼らが勝利した、資本主義が社会主義に勝ったとはとうてい言えないと思います。しかも、連合赤軍自身の敗北も、自らの崩壊によるものだった。

だから、「僕らは権力に負けたんじゃない、党派に負けたんだ」という言い方をするんです。僕らの運動は、全共闘運動(70年前後の安保闘争や反戦闘争における学生運動の闘争形態)を含めて、党派というものを乗り越えられなかったという意味で負けたんです。権力が勝利したのではない。にもかかわらず、なぜ連合赤軍はあのような結末に至ったのか、党派に負けたとはどういうことなのか、そのことをこれからお話ししようと思います。

※2　警察・防衛官僚。その後、危機管理評論家に。東大安田講堂事件や、あさま山荘事件の現場指揮に当たったことで知られ、内閣安全保障室の初代室長も務めた。2018年没。

テロとゲリラを混同している

最近の言論の動向で気になるのは「テロとゲリラの混同」です。「テロ」という言葉がものすごくいい加減に使われているでしょ。国会でも、パレスチナの「自爆テロ」について「民族解放闘争とみるのか、単なるテロとみるのか」と小沢一郎[※3]が質問しましたが、小泉首相はあいまいにしか答えなかった。そういう問題にも関わってきます。

連合赤軍の指向していた行動は、ゲリラとテロが分岐するちょうど境目に位置しているということができます。その後74年の「東アジア反日武装戦線」や西ドイツ赤軍の要人暗殺などは、純粋にテロを志向するものだった。しかし、その少し前は、ゲリラとテロが混在しているわけですよ。

たとえば、僕らの部隊がやったM作戦や爆弾闘争などの武装闘争は、テロを意図していたわけではなかったけれど、赤軍派の指導部が考えていた武装闘争は、テロという形態をとらなければできないものだった。ところが僕らはゲリラ戦をやろうとしていた。ここに僕らの部隊と党中央との軋轢が生じたという側面があるのです。赤軍派の他の部隊は、この軋轢で次々と潰れてしまったため、それが僕らの部隊ほど鋭くあらわれなかっただけです。

ゲリラ戦というのは、あくまでも大衆運動との関連のなかで、具体的な階級の攻防の場でなされるものです。現在のパレスチナの場合、「自爆テロ」という言い方をしますが、あれはパレスチナの民族解放闘争の一環として、それを脇から支えるというかたちで行われるものですから、「テロ」ではなくゲリラ戦なのです。もちろん、「自爆テロ」がいいか悪いかは別の問題ですが、「自爆テロ」によってしか反撃できないパレスチナの悲しい現実を忘れて

※3　2002年4月10日、国会の党首討論で自由党党首小沢一郎が小泉首相に向けて「自爆テロ問答」をぶつけた。「若いパレスチナ女性らによる自爆テロは戦時中の日本の特攻隊の手法と同じだが、これは自治を要求する民族の抵抗運動なのか、単なるテロ行為なのか」。

はならないと思います。

これに対しテロは、大衆運動とは無関係に動く。01年9・11の同時多発テロは、アメリカによる侵略的な中東政策が背景にあるとしても、間違いなくテロなのです。実際の闘争との関連はまったくない。それどころか、ブッシュ政権がその情報を事前に知っていながら、その後の政策のためにあえてやらせたという疑惑が後から出てきたように、テロには不断に謀略の臭いがつきまといます。しかも、たいていの場合、それは実際の闘争に打撃を与える口実に利用されています。

しかし今、ゲリラとテロをごっちゃにして、なんでも「テロ」として一刀両断にする傾向がありますが、それではことの本質がみえなくなってしまうのです。

僕らの例で言うと、71年「6・17」明治公園の爆弾闘争なんかは微妙なことになるわけです。赤軍派の指導部が目指していた武装闘争は、テロでしかできないわけですから、指導部は、あの闘争は党の軍が独自にやった武装闘争ではないということで、あまり評価しなかった。だから、党独自の方針のもとに、白河という田舎にある交番を襲って警官を殲滅し拳銃を奪え、なんて指令が出てきたわけです。[※4]

現在の日本ではテロもゲリラも必要ないし、むしろ有害だと考えています。たとえばテロについては、第二次大戦の前にヒトラーをテロで暗殺できたとしましょう。するとナチスは潰れたかというと、そんなことはない。ヒトラーの暗殺を乗り越えて、もっと強力なナチスの権力が登場したかもしれない。あるいは、危険な傾向があるといって石原慎太郎を暗殺したら、もっと悪い状況になるのは容易に想像できます。テロは政治的に有効ですらないということなのです。

これに対しゲリラ戦は、中国革命戦争やベトナム戦争のように、あるいは現在のパレスチ

※4　70年12月18日の革命左派による上赤塚交番襲撃とは、別の話。

ナのように、時と場所によっては重要な役割を果たすことはありうるということです。

指導部はテロ指向だった

僕らの部隊は、ゲリラ戦をやろうとしていました。しかし、指導部が出してきたいわゆる「銃による殲滅戦」(71年10月頃)という方針は、それとは相反するものだった。それは大衆運動との関連性のまったくない、「党の闘い」「党のための闘い」でしかなかった。これが、僕らの部隊の行動を困難なものにし、結局は連合赤軍の悲劇を招く原因のひとつになったと思います。

さっきの白河の駐在所を襲うという指令が、結局中止になったのはそういうことからです。僕らの部隊にはテロ指向はありませんから、はじめからやるつもりはなかった。その後、僕らが南アルプスにベースを探し、「新倉ベース」をつくったのは、米軍の北富士演習場から武器を奪うためだった。それをもって72年の沖縄決戦[※5]に挑むつもりだったんです。ところが、そこに降ってわいたように、「共産主義化」の論理がやってきて、全部おじゃんになってしまった。

しかし、今から考えると日本における階級闘争は、武装闘争を中心に考えるべきものではなかったのです。それを、僕を含めた赤軍派は、武装闘争を中心とした階級闘争に変えていこうとしていた。そこに無理があった。あの頃武装闘争が必要だったかと考えると、必要性は低かったと言わざるをえません。ゲリラ戦は大衆運動を脇で支える、あくまで副次的な役割であるべきなのです。だから無理してやる必要はなかった。

「孫氏の兵法」では、「勝つ軍隊は、勝ちを収めてから戦争する。負ける軍隊は勝ちを求めて

※5　岡本喜八監督の『激動の昭和史 沖縄決戦』(1971年公開)など、太平洋戦争末期の沖縄での戦いを描いた映画や小説作品は多いが、ここで言う沖縄決戦は佐藤栄作とニクソンによって決定され

戦争する」といいます。暴力が必要になる場面があるとすれば、それはすでに「勝ちを収めた」局面でしかないのです。僕らは「勝ちを求めて戦争」した。

実際赤軍派は、国家権力の攻撃を一手に引き寄せたわけですが、日本の階級闘争総体にとっては、マイナスの役割を果たしたといえるでしょう。赤軍派の誕生は戦線をかなり混乱させたし、学生の結集軸を潰す役割も果たしました。もちろん、当時の全共闘運動が潰えた原因は武装闘争だけではなく、党派政治の問題のほうが大きかったとは思います。しかし逆に言うと、武装闘争に行っちゃった底流には、党派主義的な考え方が強固にあったのです。

たとえば、赤軍派が軍に「兵隊さん」を徴兵するでしょ、するとそういうメンバーは地方の大学で指導的な役割を担っていた人がほとんどだった。そうした指導者をひっこ抜いちゃうものだから、地方の運動は壊滅的な打撃を受けたんです。

また、僕らの部隊は横浜の「寄せ場」※6寿町に拠点をつくっていたんですが、指導部のほうでは勝手なことをやったといって、僕らは召喚させられてしまった。これもまた、寿町の運動にとっては打撃でした。寿町は劣悪な条件で働く日雇い労働者の町ですから、そこでの運動は、ヤクザや警察と文字通り暴力的な対決もあるわけです。ですから、僕らのように武装闘争だってできるという者が入っていくと、運動は盛り上がる。ところが71年5月に、僕らの部隊が召喚されることになると、その運動の指導的部分の人を一緒に連れていくことになってしまった。すると、そこの運動もだめになってしまう。

そのへんがテロとゲリラ戦の大きな違いです。党中央のほうは革命戦争をやろうとしながら、赤軍派単独の革命戦争でしかないがゆえに、その意図に反してテロへテロへと向かっていった。しかし、現場の僕らの部隊はゲリラ戦をやっていこうとしていたし、実際、大衆のさまざまな支援や協力ぬきに闘うことはできなかったのですから、赤軍派という党派的

た「72年・核抜き・本土並み」の返還を見据えたもの。

※6　日雇い労働の求人業者と求職者が多数集まる場所のこと。1960年代、山谷、釜ケ崎、横浜寿町などに、バラック建てではない、本建築の簡易宿泊所が造られ、家賃日払いの長期宿泊者を抱えるいわゆるドヤ街がつくられた。

な立場にこだわらないゲリラ戦しかできなかった。こうした指導部の意図と現場の考えとの違いは自覚されていませんでした。それが軋みはじめていたんだけれど、指導部のテロ的闘争は大衆の支援や協力がないため、「精神力」が必要だということになり、「共産主義化」の論理がダッーと入ってきた。現場はそれに圧倒されてしまったのです。

――テロに純化せざるをえない、というのは、赤軍派が権力に追いつめられていたからということですか?

というより、それは「党派の論理」によるもののほうが大きいと思います。

たしかに、僕らの部隊以外の赤軍派の部隊は、M作戦に失敗したりしてどんどん潰れていましたが、僕ら自身は追いつめられた感じはもっていなかった。むしろ、僕らは手を広げていたし、人数も増えていた。なんで増えたかというと拠点(大衆との接点)をもっていたからです。そこのところに、僕らと赤軍派指導部との対立関係のようなものがあったのです。その間で四苦八苦していたのが、坂東國男さんです。彼は指導部からは責められ、僕ら現場からは年中突き上げをくらっていました。

党派の論理とは

もっとも寿町から召喚されるまで、僕らは指導部の方針なんてろくに知らなかったということがあります。指導部との連絡も、人づての間接的なもので弱く、一度切れてしまった。そのため、自分たちで方針を立ててやっていかざるをえなかったし、ずっとそうするつもりで72年6月の沖縄決戦までスケジュールを立て、独自に行動していこうとしていたんです。だから、僕らの部隊は処刑しないで済んだ。指導部から「○○を処刑せよ」という動きがあっても、現場としての判断は違うわけで、それを回避できた。組織から脱落するように仕向けて逃がしてしまい、正式に指令されたときにはその人間はいなかったわけです(→73頁)。その頃までは、僕らの部隊の独自性は保たれていたということもできるでしょう。

処刑されそうになった人は女性で、左翼運動にまったくといっていいほど関係ない芸者さんでした。僕らの部隊の強さはそういうところにあったかもしれませんね。赤軍派とは関係ない人が入っていて、部隊は武装闘争をやっているわけですから。だから指導部の森恒夫さんにしてみれば、むちゃくちゃなわけですよ。

僕らの部隊はパクられず生き延びたけれど、森さんが指導した部隊はすべて失敗した。この事実をもっと強硬に主張していれば、違った結果になっていたのかもしれません。

僕は方針に反することをしょっちゅうやってたわけだから、何度も懲罰を受けるわけです。2カ月の禁酒・禁煙(笑)。やっぱ「整風運動」※7とか、そういう「作風」ってよくないよね(笑)。やがて、笑い事では済まなくなるのですが……。

71年の秋、「共産主義化」が始まる直前まで、僕らはそうやって自分らの独自性を守ろうとしていたわけですが、抗しきれなくなります。その後はしばらく「消耗」の連続でした。徒労感といいましょうか、「何で俺はこんなことをやってるんだ」と思い、自分の存在位置はどこにあるのかみえてこなくなったんです。誰とも口をきかなかったこともありました。

でも、「消耗」の後、居直っちゃったんですよ。「もうええわ、自分たちであらためてきっちりやっていこう」という感じでね。で、南アルプスにさっきの基地をつくった。

ところが、革命左派と連携を深めていた指導部から、「そこで共同軍事訓練はできないか」という話になる。そこから、あらゆる事態がガラッと変わっていくことになるのです。

その後の事態の進行に対しては、何もできなかったというのが正直なところです。

※7　1940年代に中国共産党が行った党員再教育運動で、学風（学習態度）党風（党活動）文風（文書類の表現）の三風を正し、党内の主観主義・セクト主義・空言主義を克服しようとするもの。一種の反対派粛清運動。当初は党の思想

もっとも、当時僕らが指導部に対して感じていた違和感とか、対立とかは、直感的で漠然としたところが多く、「共産主義化」とグワッーと言われると、「ご無理ごもっともです」になってしまった。

――植垣さんも、党の「無謬性」[※8]のようなものを信じていた？

そうですね。僕らは指導部から、「お前らのやっていることは、ただの銀行強盗と同じだ」と言われていたんですよ。そう言われると「たしかにそうかもしれないな」と思ったりして。森さんに言わせると「単なる銀行強盗とそうでない銀行強盗がある」ということになる（笑）。僕らの部隊以外はみんな、党の方針に基づいた軍事行動だから正しい。全部パクられちゃってもね（笑）。そうでない僕らの行動は、「無政府主義」だとか「唯軍主義」ということになるわけです。

党を中心に考えていくという論理は、たとえば党派の活動家にとっては当たり前のものです。党で方針をつくり、それに基づいて部隊が動き、またその結果をフィードバックするというやり方を間違っているとは言いません。企業でもどこでもやっているということもできるでしょう。会社のある部署が会社から、独立して動いて成果を上げても評価されないのと一緒です。

ただ、党派の論理が絶対化されると妙なことになります。「前衛党[※9]が指導するから武装蜂起は正しく、大衆がやったらただの暴動」ということになる。でも実際、党が指導して成功した革命なんてほとんどないんですよ。たとえば、ロシアの二月革命、十一月革命だって、大衆が自発的に蜂起したのが、党の指導の成果になってしまった。そうやって前衛党が免責される神話がつくられるわけです。

党の役割には、いろいろあると思っています。たとえば発展途上国の場合、普通の人は一

を正すものとして、肯定的に受け取られていた。

※8　党は間違えることはないという日本共産党で発生した神話だが、今でもこの神話は存在しているものと思われる。

※9　マルクス・レーニン主義の立場では、プロレタリアートや大衆運動、革命などを指導する政党のこと。たとえば日本共産党は国

日中労働に忙殺されて、政治に関わっている時間がほとんどない。そこで政治闘争を専門に担う集団、党の必要が出てきます。必然的に党の存在というものも大きくなってくると思います。

それに対して経済的な先進国では、普通の人でも政治に関わる余裕がある。そこでの党の役割は、相対的に小さくなっています。この意味で党は、さまざまな運動を側面から支える黒子のような存在であるべきなんです。

個性を解体する作業

――ところで、当時の状況をほとんど知らない人々に、左翼用語を使わないで連合赤軍の問題を語っていくとするとどうなるでしょうか。

僕は最近、新入社員教育の例を含めた「会社」を例に挙げて説明することがあります。つまり、連合赤軍の「共産主義化のための総括要求」というのは、企業において「会社人間」をつくる教育と変わりないというか、それを極端にしたものであるということです。

新入社員教育というのは、それまでもっていた個性を解体し、純粋な会社人間をつくるということでしょ。聞くところによると、新入社員教育に携わっている人間は、左翼運動に関わった人間が多いらしい。それも関係しているかもしれません。

連赤ほどドギつくないかもしれませんが、他の党派でも似たような個性を解体する作業はやっていたはずです。だいたいこんな感じです。まずある行動や発言に対し、「それはお前のブルジョワ[※10]性だ」とか「敗北主義[※11]的な根性だ」といったように指摘します。「それをどう克服していくか」が問題だということで、「自分で何が問題かを出せ」と要求し、それに対し「こ

民多数の共感と信頼をになえる党として「大衆的前衛党」という概念を示した。

※10 「プロレタリア」の反対語で、近代資本

れが問題かもしれません」という答えがあると、「そうだ、それが問題だ」という具合に追いつめていくわけです。どんどんどんどん、その人間が「組織の論理と同じことを言わなければ、自分は生きていけない」というところまで個性を解体していくのです。

このようにして、純粋党派人間や会社人間ができていくのだと思いますが、連赤の場合は、その過程において暴力が発現したわけです。党の方針に反対したから殺すというような粛正とは違います。

連合赤軍事件を描いた映画『光の雨』[※12]では、暴力が簡単にあらわれたようになっていますが、そこにいたるまでの個性を追いつめる過程が省かれていました。本当はそこのほうが重要なんです。

その過程での精神的な圧迫感、重圧感にみんな苦しみ抜いた。誤解を恐れず言えば、ある意味で暴力は、その重圧から脱却する手段だったのかもしれません。ギリギリの抜き差しならぬ状態のなかで、暴力は事態を「わかりやすく」した面があります。暴力をふるうほうも、ふるわれるほうも、「これでもう考えなくて済む」ということです。追及するほうも、相手がもうどうにもならないところまでいってるわけで、ある意味で暴力はひとつの解答、あるいは膠着した状況を打開する方法だったといえるかもしれません。

——総括を「援助」するための暴力とは?

たとえば遠山美枝子さんの場合、彼女が「死にたくない」と言うでしょ、すると森さんが「だったら総括しろ」と言う。「自分で必ずやり抜きます」と言うと、「それなら、(総括できてない)自分を自分で殴れ」と言う。そこで問い詰めていくという作業は終わってしまうんです。あとは殴るしかない。このとき、殴るほうも殴られるほうも、もう考えなくていいわけだから、ある意味で「楽だ」ということさえできる。

主義社会で、資本家階級に属する人を呼ぶ。

※11　勝利・成功の手だてを念頭におかず、初めから敗北・失敗するだろうと考えて事にあたる考え方や態度。「革命的敗北主義」は、「たとえ負けるとしても」かつての日本軍の玉砕のように、自己を犠牲にしてでも「革命的敗北」を貫徹しなければならないとする考え方。

※12　連合赤軍事件を描いた立松和平の小説『光の雨』をベースに映画化された、高橋

総括に最初に持ち込まれた「援助」としての暴力は、左翼の論理ではありませんでした。森さんの論理はこうです。殴って気絶させる、そしてそこから目覚めると新しい自分になることができる。これは運動部の論理でしょ。森さんは剣道部の主将をしていたこともあったしね。「運動部」と言って悪ければ、極めて日本的な論理です。こうも言えるでしょう。過酷な状況に追い込んでいって、そこから総括していけるかどうかという論理は、オウム真理教の修行の論理と同じなんです。彼らの場合は、臨死体験を経て、そこから覚醒したときに何を思ったかによって、その人の修行段階を検証する。

――「自己克服」の論理の罠ということでしょうか。昔だったら「自己否定」と言ったのでしょうが。いずれにしても、「連合赤軍は集団狂気だ」なんて言っていると足元を救われるということですね。

そうですね。その原型は日本の軍隊にもあっただろうし、戦前の日本共産党の「査問」もそう。連合赤軍の「敗北死」は、共産党スパイ査問事件[※13]のときの「ショック死」と同じ論理で、問い詰めに耐えられなくて「勝手に死んだ」ということでしょ。日本軍では暴力に対する恐怖心をなくさせるために捕虜を殺させたり、しごきがあったり、アメリカの海兵隊でも過酷な状況をつくって、相手を殺すことを含めた暴力に対する恐怖心を克服させようとする。

それは集団狂気ではないし、単純に誰かにマインド・コントロールされて行動したわけでもない。そこには集団を支える強固な論理構造がある。

――あえて「ｉｆ」を言いますが、もし、森氏のポジションに植垣さんがいたら、どうなっていたでしょう？

もし僕が兵士ではなく党の政治局員で、森さんの立場だったら……当時の僕だったら、同じことをやってしまった可能性が高いですね。ただ、兵士ではなく政治局員になるというこ

伴明監督『光の雨』が2001年に公開された。

※13　治安維持法下、「特高警察のスパイ」として日本共産党で中央委員らが査問（リンチ）され、死亡負傷した事件。

とはある意味で「出世」だから、党派の論理で動いていることを評価されなければならないわけで、僕という人間がそうなる可能性はなかったとは言えるでしょう。

――組織内の個人の行動が免責されるわけではありませんが、組織のポジションが行動させたり、発言させたりするというメカニズムがあるように思います。その意味では、「連赤」でも「オウム」でも戦前の「共産党」でも、どういう集団でもいいのですが、どんな知性的な人間であったとしても、暴力的な総括に至ってしまう共通した論理構造のようなものがあるのかもしれませんね。

共通性ということで言えば、組織間の競合関係があると思います。「連赤」も「オウム」も、行動の中身は違っても「どれだけラディカル[※14]になれるか」という点で競っていた点があったと思います。会社だって、ライバル社との激しい競争が、そういう論理を招くということが言えるでしょう。

しかし、そういう構造は共通してあるにしても、じゃあ全部同じように扱えるかというと、そうではない。それぞれ、社会的な文脈、歴史的な状況のなかにおいて考えなければなりません。

今の若い人たちは、危ない状況におかれていると思う点があります。僕らは組織というものに染まりやすい部分をもっていますが、彼らは組織に対し拒絶反応を示しています。それはいいのですが、彼らをある「組織」に統合しようという動きが必ずや出てくると思うのです。「有事法制」やら何やらもそうでしょう。そういうとき、「拒絶反応」だけで大丈夫かという疑問です。組織に対抗するしっかりした個性をもっていないと、簡単にコロッといっちゃうような気がするんですね。

――話しをまた当時に戻しますが、個別の闘争について、文字通り「命をかける」ことが

※14　ラジカルとも。急進的な、根本的なという意味で、ラテン語のradix（根）に由来する。

あるのはわかるような気がするんです。でも、その向こうというか、革命というものをどれだけ具体的にイメージされていたのでしょうか。

「とりあえずぶっ壊せば、後は皆がなんとかやってくれるだろう」という発想でしたね。将来の展望がないままに武装闘争をやっても、死にきれないというか、自分をすべて犠牲にできないという気持ちは当然あるんですが、それは「敗北主義」であるとか「日和見主義」であるとか、そういう評価になってくるわけです。そして「共産主義化」しなければならないという論理が出てくる。

素晴らしいものに見えた「共産主義化」

僕自身のことで言えば、「植垣は決意してよくやっている」と言われたことはあったけれど、実際、「この後、たとえば沖縄決戦の後どうなるんだろう」と考えると「後の人に託すしかない」、そう思わざるえなかった。そういう意味（革命までの展望は無い）での運動の行き詰まりは感じていた。だから、「共産主義化」がでてくると、素晴らしいものに思えたんです。ひょっとするとそれは、新しい展望をつくっていくものではないか。あるいは「共産主義化」によって、新しい「諸関係」を自分たちのなかにつくりだすことこそが展望を拓く、ということでね。

僕も「植垣は女にもてたいがために闘争をしている、そこを総括しろ」と言われた。「ちょっと違うんじゃないか」という思いや、さっき述べたような漠然とした違和感のようなものはなかったわけじゃないけど、「総括します」と一応答えてしまう。僕は、爆弾でも、M作戦でも、ベースの設営でも、きちんとやってきた圧倒的な自信があったから、それ以上追及されなかったけれど、違和感を論理的に展開することはできなかった。

ですから、違和感はずっとあったわけです。共同軍事訓練が終わった後、遠山さんと進藤君と行方君に総括要求をしていくわけだけど、その後、森さんたちは「榛名ベース」に移っていく。僕ら赤軍派の兵隊だけが、南アルプスの「新倉ベース」に残るんですが、「いつまでこんなことをやってるんだろうな」と話していた。

そんなときドーンと、新党結成という事態になったんですよ。もちろん新党には大きな違和感を感じた。でも、そんな違和感より、自分の総括をどうするかという問題の方が先だったんです。「俺たちに無断で決めやがって」という思いはあったけど、自分の問題が負い目になって、言えなかった。あの頃は、理論を体系的に話せる者に頭が上がらなかったところがあったしね。訳のわからない「理論」とくに赤軍派の「理論」を語られると、わからないのは自分が未熟だからとか、「自己否定」が足りないからと思ってしまったんです。

こういう言い方もできるかもしれません。60年代前半の左翼は、「貧しい農民・貧しい労働者」という概念を基盤に運動を作っていた。ところが60年代後半の全共闘運動は、いわゆる中産階級の子弟が担っていたわけです。すると、それまでの農村的文化を中心にした革命運動に、商品経済の中心の市民的な文化がもたらされた。農村的文化を感性にもった人たちにとって、市民的な文化をもつ人間は、物凄く異質で、いってみれば「ブルジョワ的」にみえる。その「ブルジョワ性」をなんとかしようというのが、「総括要求」「共産主義化」の論理だったともいえるわけです。

特に古い左翼党派の感性は「清く・貧しく・美しく」という「清貧の思想」ですから、全共闘などの新世代の人間は、「だらしがない」とか「チャラチャラ」しているように見えるわけです。現場の状況は変わってしまっていたにもかかわらず、です。ですから、僕なんかは半分「清く・貧しい」社会主義感をもっていたので、現実とのギャップに悩みながら、「共産主義化」の論理を受け入れていったのだと思います。

原点は「クラスの代表」

――このへんで、植垣さんが「兵士」となっていく過程をうかがってみたいと思います。植垣さんの左翼運動の出発は民青[※15]ですよね。

一応そうですが、僕の原点は「(大学の)クラスの代表」です。あるいは「コンパの幹事」(笑)。コンパの幹事役が全共闘運動の幹事役になり、赤軍派の兵士になった。でも、一貫して「クラスの代表」という意識は変わりませんでした。「左翼活動家」とか「職業革命家」という意識を持ったことも、持とうとしたこともありません。

僕は67年、弘前大学理学部物理学科に入学しましたが、その時代、クラスの討論では、ベトナム戦争の問題だとか、大学のあり方はこのままでいいのかといった問題を活発に論じ合っていたんです。ですから、そういう問題に関わること自体、「あえて」するものではなく、「学生運動」をしているという意識もあまりありませんでした。

民青に入っても、「クラスの代表」の意識のほうが強く、民青に違和感を感じましたね。自治会の代議員の会議があると、当然民青はこういうふうに発言しろという方針を出すわけです。でも僕は、クラスでの意見のほうを優先させてしまった。すると、「クラスの意見をこちら側にまとめろ」と文句を言われる。選挙では、思想動向調査のようなものまでやる。クラスの仲間に誘われて、対立する全共闘系のデモに出たことがあるんですが、「なんでトロツキスト[※16]のデモなんかに出たんだ」と言って詰られる。そのときトロツキスト批判の文書を山のように渡されたんですが、読んでみると、全共闘もいいことを言っているように思え

※15　日本共産党の青年組織「民主青年同盟」の略称。

※16　トロツキズムとは、レフ・トロツキー

た（笑）。

　共産党の選挙路線だとか、69年の東大全共闘潰しのゲバルト部隊に動員された友達の話を聞いたりしているうちに、どんどん嫌になっていった。それこそ「査問[※17]」もされたしね。

　決定的だったのは、69年4月、全共闘の前身の集団が「入学式粉砕闘争」を起こすのですが、このとき、多数派だった民青系が彼らをボコボコにぶん殴った。どっちが「暴力学生[※18]」かわからない様相でしたね。これをきっかけに民青を離れ、全共闘運動に関わっていくわけです。いろいろ資料を読んで、一生懸命勉強しました。

　それからは、クラス討論会や代議員大会、学生大会などで民青との論争を活発に行なっていきました。論争は、民青派の自治会執行部の基調報告をめぐって行ない、僕らもそれに対抗する形で独自の基調報告を出したりしました。主な議題は、やはり大学のあり方や大学自治の役割で、そのなかでは物理学の社会的役割を通して、自然科学を研究するということの意味を追求したりしました。そうした論争は、それまで行なわれたことがなかったので、多くの学生をひきつけることになり、学生大会を深夜まで行なうことがたびたびありました。

特に大学の自治について、民青は「守るべきもの」ととらえていたのに対し、僕らは「闘いとるべきもの」としていたのが、際だった違いでした。僕らはそれを自分たちの手で獲得することによって、政府の政策、特に安保体制下でのベトナム戦争への加担に反対していく立場を確立すべきだと主張しました。しかも、政府が大学闘争を警察力によって潰そうと、「大学臨時措置法案」を持ち出してきたこともあって（69年8月）、僕らの主張は、多くの学生の支持を得ることになりました。

　そんなこともあって、僕らは学生の支持を背景に実力で大学を封鎖したわけです。大学側は即座に機動隊を導入しました。そのため学生側は、機動隊導入に抗議してストライキを行

によって主張されたマルクス主義および共産主義革命理論のことだが、左翼内部では、極左派を指して「トロツキスト」と呼んだ。
※17　調べ問いただすこと。特に、団体が、その構成員の犯した不正や過誤につき、本人を呼んで取り調べること。
※18　民青は全共闘系の学生をしばしばこう呼んだ。

なうなどして弘前大の闘争は、中央での大学闘争が機動隊によって次々に潰され、大学が「正常化」されていったのとは反対に、活発化しました。そんなとき赤軍派から僕に、「爆弾を作ってくれ」という依頼があり、それに僕が応じるというようなことがありました。それが赤軍派との最初の接触でした。

ただ僕は、その頃から次の展望が見えなくなってきていました。というのは、機動隊の暴力に対してどう対抗していくべきか、大学を封鎖したあと、大学闘争をどの方向にもっていったらいいのか、わからなかったからです。だが、赤軍派との接触があったからといって、ただちに赤軍派に参加するということにはなりませんでした。そうしているうちに僕は、69年10・21国際反戦デー[※19]の東京でのデモでパクられ、大学本部封鎖の件などもあって、1年2カ月ほど拘置所に入っていました。

赤軍派内ノンセクト

拘置所生活は、展望を見失っていた僕にとっては、新たなエネルギーを補給する場になりました。特に重要な事は、赤軍派との関係が深まったことでしょうね。赤軍派に対しては、69年の11月5日に大菩薩峠の福ちゃん荘で一斉逮捕されたことから、関心を失っていました。ところが、70年3月の「よど号ハイジャック」で、赤軍派はなかなかやるじゃないかと、赤軍派への関心を改めて持つようになった。それで赤軍派の機関紙が手に入ったこともあって、軍事の勉強を始め、これからは武装闘争で機動隊を突破していくという方法もあるな、と思うようになった。さっきも言った「ゲリラ戦の役割」なんてことも考えるようになったのは、この時です。そういう意味では、獄中にいた時期がちょっとズレていたら、赤軍派と関わる

※19　1966年10月21日に総評（日本労働組合総評議会）が「ベトナム反戦統一スト」を実施し、それと同時に全世界の反戦運動団体にもベトナム戦争反対を呼びかけた。以来、10月21日は国際反戦デーとして、ベトナム戦争や東西冷戦などの終結後も、一部の運動団体や左翼団体など

ことはなかったかもしれないですね。

僕の場合、武装闘争に新たな方向を見出そうとしていたので、70年の12月に保釈で出獄した時には、赤軍派以外の党派にはほとんど関心がありませんでした。だから、再び赤軍派から爆弾を作ってくれと依頼された時、躊躇することなくそれに応じ、爆弾専門の部隊に入った。この爆弾は、ダイナマイトを使用したものですが、時限爆弾のようなテロを目指すものではなく、ゲリラ戦のためのもの、現場で使うものです。「ＭＧ５[※20]」の瓶に入るようなちっちゃいやつ。

70年12月沖縄の「コザ暴動[※21]」も大きかったですね。これはもう学生を主力とした運動ではなく、新しい動きが始まっているのだと感じました。そこで、「ゲリラ戦」をやろうと。どこかに拠点をつくらなくてはならない、山谷の暴動なんかもあった時代ですから寄せ場にということで、先にもお話しした横浜寿町を拠点に定めた。ここを、僕らの部隊がゲリラ戦を展開する際の基地にしたわけです。

僕は一貫して「クラスの代表」という感覚を持ち続けていた。全共闘運動のときも党派の活動家はいっぱいいたわけですが、そういう連中は得てして肝心なときに引いちゃうところがあった。「党派の活動家ってのは、案外だらしがねぇな」という感覚があって、「だったら僕らがやりましょう」というふうにやってきた。感覚としてはノンセクト。この感覚は全共闘運動で培ったものでした。

党派の連中はヘルメットの色にこだわって、一生懸命ヘルメットに色を塗ってましたが、僕は何色でもよかった。僕のヘルメットには「理」としか書いていなかったんだけど、パクられて出てきたとき、自治会室にそれが飾ってあったんですよ。この前27年ぶりに娑婆に出てきて、弘前のクラスの仲間とあったときも、彼らが「植垣は僕らのクラスの代表のまま〝連

により集会が毎年開催されている。

※20　当時、流行った整髪料。

※21　１９７０年12月20日未明、米軍嘉手納基地のあるコザ市で人びとの怒りが爆発し、米軍の車や施設を焼き討ちした。

赤〟までいったんだ」と言ってくれた。そういうのは嬉しかったですね。
この寿町のときも、自分ら独自の運動をつくっていこうとしていた。「赤軍派内ノンセクト」っていうかな。たとえば僕らの部隊でいえば、たしかに坂東さんは赤軍派の中央委員だけれども、僕にしても、進藤隆三郎さんにしても、山崎順さんにしても、別に赤軍派でなくてもいい人間だった。森さんは進藤さんを「遊び人」、山崎さんを「不良」と規定しましたが、「遊び人」の人間関係がかなり役に立った。処刑されそうになった人は芸者さんだしね。そこに、さっきも言ったような、指導部との軋轢が生まれていくわけですが……。

――「銀行強盗」をやるときに、躊躇みたいなものはなかったのですか？

「後ろめたさ」はなかったですね。なにしろ僕らの部隊の「入社試験」が銀行強盗なんだから(笑)。銀行強盗くらいできないで、ゲリラ戦なんかできるかと思っていたわけだから。
それは、自分でレーニンのパルチザン戦[※22]なんかを勉強してそう考えるようになったのであって、誰かに感化されたわけではない。だから、赤軍派の軍に入らなくてもそれなりのことはやっていたと思う。自分でどんどん部隊をつくったりしてね。むしろそれをやっていったら、違っていたことになっていたかもしれないと思うところもあります。

――東アジア反日武装戦線のようなテロに進む方向ではない、新しいゲリラ戦ができたかもしれないですね。しかし、植垣さんの「兵士」という自己規定は、理論面については捨象しているというか、ある種の「安全弁」のように働いていませんか？

いや、違います。赤軍派の理論をもって71年の武装闘争をやったかというと違うけれど、獄中にいた間などで蓄積した自分なりの理論に基づいて実践したわけです。それは赤軍派の「銃による武装闘争論」とは合わないものだったし、それは結局うまく行かず、「連赤」として帰結してしまったのですが。

※22　パルチザンとは、なんらかの党派あるいは思想に参画し身を捧げる人をさしたが、転じて、部隊の指揮に巧みな人、さらには軽装兵や不正規兵の部隊の一員を意味するようになった。

当時、僕自身自分の理論に限界を感じていたのも事実です。そんなとき、赤軍派が「軍」なり「軍事」について考えるきっかけを与えてくれたのが大きいですね。内容はどうあれ、赤軍派の論文には軍事用語がたくさん登場する。それまで、「軍事」について考えたことがなかったので、それがすごく新鮮な感じがしました。でも、赤軍派の文章を読んでもさっぱりわからないから(笑)、毛沢東の軍事論文を読んだりしました。しかし、ダイナマイトの使い方も知らない連中が武装闘争するというのだから、そこがおかしいと思わないといけなかったわけですが、「作れないなら、私が作って上げましょう」となっちゃった(笑)。

「一人一党」の強さと弱さ

僕としては赤軍派の軍に入っていたけれども、「赤軍派の活動家」という意識はあまりなかったんです。もっとも、そういうところが赤軍派の特徴だったと言えなくもない。当然党派としての強固な論理はあるわけですが、現場は独自に動いている要素があった。しかし、そういう要素を「共産主義化」が解体してしまった。

——ということは、いわゆる党派の活動である、中央の政治集会に行き、赤ヘルかぶって情宣し、機関紙の読み合わせをしてというようなことはなかった？　それは非公然の活動だったからでしょうか？

いや、赤軍派自体がそういう組織ではなかったんです。最終的には「共産主義化」で全部変わってしまうわけだけれども。

僕は党員ではなかったし、赤軍派の「細胞会議」のようなものに呼ばれたことは一度もなかった。「よど号」の人たちや日本赤軍との接点もほとんどなかった。森さんと梅内恒夫さんと[※23]の関係がおかしくなるというような党内闘争はあったりしたんですが、僕らはそんなことに関係なく動いていた。党員ではないけど、僕は一番赤軍派の闘争をやってたんですけどね（笑）。「一人一党」的組織というか、それが赤軍派の強みでもあった。組織としての赤軍派は潰れてしまったけれど、赤軍派的な人間は各地に残って、何らかの運動をやっている。今から思えば、そういう良さをもっと生かせばよかったんだよね。

この「一人一党」というのは、赤軍派の母体であるブント（共産主義者同盟）の特徴でもあり、強さでも弱さでもあったということがよく言われます。なにしろすぐ四分五裂しちゃうわけだから（笑）。とても中核や革マルのようにはいかない。

同じ「軍」といっても、中核、革マルの「革命軍」と赤軍派の軍とではずいぶん違う。なにしろ赤軍派の軍は、無党派の人間をかき集めてゲリラ戦をやって、「生き残った」者が次の闘争をやるというものでしたからね。「独立愚連隊[※24]」みたいだけど（笑）。ちょっと違うのはそれぞれの部隊に一応中央委員が入って統括しているという形になっていることくらいかな。

革命左派、山岳ベース

そういうふうに考えると、革命左派と僕らの理論上のことはもとより、組織の体質面でもずいぶん違っていました。彼らの前身である「警鐘」グループ（66年4月）は共同生活をしたりして、家族的、あるいは閉鎖的だと言われていました。新左翼とは異質な存在で、新興宗教の組織に近い感じでした。

森さんはそこに、自然発生的な「共産主義化」の萌芽を見出したわけですし、彼らとしても、

※23　9年9月、弘前大に植垣氏を最初にオルグに来た人物。

※24　『独立愚連隊』は1959年に公開されヒットした岡本喜八監督の戦争アクション映画の題名。

評価されたということで喜んでいたところがある。それが「総括要求」に転化していった。

これは今まであまり強調してこなかったことだけれども、山岳ベースについての考え方も、僕らの部隊と革命左派、そして連合赤軍ではかなり違っています。

前にも述べたとおり、本来南アルプスの新倉ベースは米軍基地から銃を奪うための基地であって、革命左派のようにそこで生活するなんてことは、全然考えてもいなかった。

彼らは、中国革命戦争時代の中国共産党の影響を受けているわけだから、その真似をしたのでしょう。僕らにとっては作戦上の基地なのが、彼らにとっては革命の根拠地になっている。

赤軍派と革命左派の一番の違いは、革命左派は閉じられた〝サークル〟なんだよね。サークルがそのまま党派になり、その組織形態のまま武装闘争までやった。はじめから閉じられた、狭い組織形態です。それに対し赤軍派は全国組織だし、軍をとってみてもいろいろな地域から、それぞれ多様な人間関係をもった人が集まってきていた。だから「赤軍派は支持しないけれど、植垣は支持する」という人が組織の周りにいっぱいいた。

革命左派は、そういった個人的な人間関係が狭い。だから、権力に包囲されるとその弱さがもろに露呈して、山に閉じこもってしまうことになった。彼らの山岳ベースには、そこに行くしかなかったという側面があると思う。そして、共同生活というのが彼らの運動形態の中心になっていく。僕が彼らを見て「アットホーム」というか「家族的」と感じたのは、そういうところです。


――遠山美枝子さんは、「ピクニック気分」で山に入って来たという見解（高橋檀『語られざる連合赤軍』）がありますが？

遠山さんはそれまで、赤軍派の軍というものに接触がなかったから、日々の合法活動[※25]で質

※25 赤軍派の大衆組

問されたりすると、詰まってしまうことがあった。彼女が山に入ったのは、軍の雰囲気や状況・信頼性などを自分で確かめて、それからのオルグ活動に生かそうとしたからです。ですから、彼女が「ピクニック気分」だったというのは、言葉の綾としてもちょっと違うんじゃないかと思います。

僕らとしては、彼女がイヤリングをしていようがどうでもよかったわけで、戦力としてもあまりあてにはしていなかったし、使い物にならなくても構わないと思ってた。でも、その部分を革命左派は問題にしたんだね。

ここにも、山岳ベースに対する考え方の違いがあらわれています。僕らの部隊にとって、ベースはあくまで作戦上の基地であって、共同軍事訓練なんかをやる場所じゃない。ましてや共同生活の場でもない。僕らには、作戦の足手まといになる人は不要であって、ついてこられなかったら帰せばいいという考え方があった。これは、共同軍事訓練なんてことを考えた森さんの発想とも、山岳ベースが革命の根拠地という革命左派の考え方ともずいぶん違っていたと思う。

僕からすれば、彼らの方が「山」の使い方を間違えていると思っていた。「ぞろぞろいっぱい入って来やがって、目立つじゃねぇか」という感じで。そのへんについて連合赤軍全体で意思一致もされてなかったし、その違いが悲劇を増幅したかもしれません。

――一般的に「連合赤軍の山岳ベース」というと、追いつめられ「最後の場所」を求めて山へ逃げ込んでいったという、ひとつの悲壮感に満ちたイメージになります。そういう物語を求めているのかもしれませんが。

みんな、僕ら（の部隊）が余裕をもって山に行ったとは考えたくないんだろうね。革命左派が「赤軍派は楽をしている」と批判したけれど、そう見えたのは、僕らに全国を飛び回る

織「革命戦線」での活動。

ことができる圧倒的な機動力があったからだった。それが全然理解されていなかったわけです。南アルプスのベースは山小屋をちょっと〝借用〟したものだけれども、革命左派にはそれが「楽している」ように見え、自分たちのベースでは小屋を作っている。それは僕らにすればまどろっこしいわけ。そういう違いや誤解が重なっていった。

坂口と永田

そういうこともあってか、坂口弘さんとは実践での判断でことごとく見解が違っていた。たとえば「伽葉山はもう危ない。群馬県は危ないから、福島へ行こう」と僕が言ってるのに、結局彼の判断で、群馬県に行くことになってしまった。最後に山越えしなければならなくなったのも、山で私服警官に遭遇した時の彼の判断ミスだった。山越え自体も、僕の足が凍傷でダメになってしまったので、彼に先頭を代わってもらったけれど、それが道を間違える原因となった。彼はことごとく判断を間違っていくんだよね。

あさま山荘だってそう。仮定の話をしてもしようがないけど、管理人夫人をどうするか中でも議論になったようだけど、僕だったら当然そんな人は邪魔だから出てもらい、突破する方法を考えたと思う。立て籠もって沈黙を守り続けるっていうのは、まったくもって坂口的な戦術だね。

ほかの本(2001年の『連合赤軍27年目の証言』)でも述べたけど、彼の一貫しない裁判闘争――二審、上告審で方針が180度変わっている――も、そういう判断違いだと思わざるをえない。

一方「なぜ永田洋子さんを支援するのか」とよく言われます。彼女は、総括を含めて自分がどういうことをやってきたのかを一人では表現しきれないんです。だからだれかが支えなければならない。

表現できないのは、問題が大きすぎるということもあるけれども、彼女は自分に向いていないことばかりを、ただ「がんばる、がんばる」だけでやってきたからです。裁判になってからでも、彼女は革命左派や赤軍派の総括文章をそのまま引用しながら自分の文章を書いてきたけれど、総括論争などの過程で、それではやっていけなくなってしまった。党派の論理に依拠できなくなり、ほとんど思考停止に陥ったのです。

そうこうするうちに、永田さんにすべての責任を負わせるような批判が起こった。そういう問題じゃないだろうということですね。マスコミや裁判だけでなく、塩見孝也さん[※26]が典型だけれども、党派も指導者個人の資質に問題を還元しようとします。「党派の路線は間違っていなかったけれど、やった人間が悪かった」ということです。それに対し僕は、「党派の論理、党派の思想が問われているんだ」と反論していきました。それが基本的に永田洋子さんを守ることにつながっていったわけです。

もうひとつは、当初革命左派の側から総括する人がいなかったということもあります。僕は彼女を通して、革命左派とはどういう組織だったのかを追及することができた。これも総体として彼女を支えることになりました。

また、彼女の病気のこともあります。彼女が法廷で文字通り崩れてしまう[※27]のを、なんとかしたかった。そのためには、なんらかの刺激を与え続けようと、法廷で元気づけたり、会話を交わしたりしたわけです。裁判も重要ですが、先程のような論争も重要だから、そのためにも彼女を支える必要があったのです。

※26　元赤軍派議長

※27　永田洋子は1984年に脳腫瘍の手術を受けている。2006年には脳萎縮から八王子の医療刑

出国拒否の理由

ですから、77年に出国を拒否[※28]したのは、「みんなから批判され苦労している人を見捨てて、自分だけ出て行けるか」ということもありました。僕が出てしまうと、赤軍派で連赤問題を総括する人間がいなくなってしまうということもあったし、僕はずっと外の状況を獄中から見ていましたから、「いま外に出ても、できる事は高が知れてる」と思ったのも事実です。それ以上に、裁判という重圧の中で自分のやってきたことをきっちり総括していくことの方が重要だと考えました。ですから、すべてを永田さんの資質に押し付けようとする論理に対抗して、僕は党派の論理・思想というものを問うてきたわけです。

そのとき、「いつか僕のような人間がまた必要となる時代がくる」と思いましたが、本当にそんな時代になりそうですね（笑）。

——さて、現在の植垣さんは、前衛党はいらないというか、前衛党を必要とする理論が間違っていたとおっしゃっていますが、いつ頃からそう思うようになったのですか。

塩見さんと論争するようになってからです。簡単に言えば、国家が死滅する論理があるのに、党が死滅する論理がないじゃないか、ということから考えはじめました。あくまで党は永遠に生き残るのか、すべてが党に統合された社会が「共産主義社会」かといえば、違うわけですから。党の死滅、国家の死滅を含んだ社会を構想しなければ、仮に革命で体制を壊しても、ソ連や中国と同じことになってしまう、そう考えるようになりました。80年頃だから、30歳くらいのときですね。

あるいは、文章を書くときに「私は」と書けるようになったときから、ということもでき

務所に移された。

※28　1977年9月に日本赤軍がダッカ日航機ハイジャック事件を起こしたとき、釈放要求メンバーとして植垣も指名されたが、「日本に残って連合赤軍問題を考えなければならない」として植垣は出国を拒否した。

ます。「我々」ではなく「私」。これでガラッと変わった。すべてを自分の言葉で言い換える作業をするようになった。マルクス主義者でもマルクスの言葉を使う必要はない、というのはそういう意味です。結局、「革命とは何か」を自分の言葉で語ることができなかったというのが、最大の問題だった。そこから「連赤」へ至る自分の解体が始まったのだと思います。

時代を牽引していた左翼的な思想や文化

僕らが壊そうとした体制は、現在解体状況に入っていると考えています。当時の体制は、内部の腐敗なども表には出ず、かなり安定した組織に見えた。それが現在、内部から自己解体しているように見えるということです。たとえば最近、本人も汚職をしていた検事が、調査費の不正使用を暴露しようとして潰された事件がありました。極左がほとんどなくなっちゃったから「調査費」が余るわけで、僕らがいなくなったために権力の腐敗が始まったともいえる。外務省でもなんでも、そういう「腐敗」が組織全体を蝕んでいる。当時僕らが暴力的に打倒しようとした体制が、内部の腐敗によって崩壊しつつあるということです。

また、当時の時代を牽引していたのは左翼的な思想や文化だったと思うんですが、それが「連赤」によってトドメを刺され自壊してしまった。すると、思想や文化自体が解体し、希薄なものになってしまった、ということもあります。権力側の使命感もなくなりつつあるのではないか。だからこそ彼らは危機感を募らせ、「盗聴法」から始まって、「住民基本台帳法」「個人情報保護法」、そして「有事関連法」[※29]やらを出してきて、なんとかしようとしているんだと思いますね。

だから、現在の体制は僕らが当時考えていたほど「強く」なくなっている。仮に当時のよ

※29　有事（武力攻撃や侵略を受けた場合など）に際し、自衛隊の

うな規模の運動が起これば、権力は簡単に崩壊するだろうけれど、問題はなぜそういう運動が起こらないのかということです。これだけ腐敗が進んでいるのに大衆は動かないのか。それは、「その後」の展望が見えていないからだと思うんです。日本社会の「未来図」が見えてこない。当時は「社会主義」と言っておけばとりあえず良かったものが、今はそれに代わるものがない。官僚制や資本主義に代わるものが見えていないということが、みんなの動きを鈍くさせている最大の原因だと思います。

　そこが、これからの運動の難しさですね。でも、僕は焦らない。混沌としたなかから「次のスタイル」を出していければと思っています。当然、運動のスタイルも変わってくる。どんどんオープンにやろうと。たとえ「住民基本台帳法」や「個人情報保護法」が成立しても心配する必要はない。なんでもできるんですよ。なにしろ僕は27年間、もっとすごい管理を経験してきたんだから（笑）、そんなもん大したことないと思っている。ふざけた法案が通っても、くよくよすることはない。先をみていけば、つまりその後どうするかを考えておけばいいんですよ。

組織に依存しない個性

今後のことで言えば、いろいろな人との意見交換を通じて、あらゆる階層と協力関係をどんどんつくっていきたいと思っています。静岡で飲み屋をやっていろいろな人と付き合っているのも、その一環です。

　静岡に店を出したのは、生まれ故郷ということもあるんですが、もう一つ理由がありました。01年は6月に静岡の知事選挙があって、そのためにもいろいろな人が集まることができ

行動を規定する法制のこと。70年代後半から有事法制研究は始まった。

る場所がほしいということもあったんです。

知事選というのは、長野で田中康夫知事が誕生したように、静岡でも自民党系の知事を倒そうということで、元さきがけの水野誠一[※30]という人が立候補したのですが、それに〝勝手連〟のように関わったのです。静岡の「勝手連」は登録制になっちゃって、全然勝手じゃないけど、文字通り勝手に連帯した。〝裏選挙対策〟事務所としての飲み屋というところでしょうか。民主党も支持に回らず、共産党は独自候補を立てたこともあって、落選しましたが、選挙中も選挙後も、いろいろ興味深い人間模様があった。

「バロン」では、お客さんの間でいろんな問題が語られ、それが外に出ていくという流れができつつあります。単なるおしゃべりでなく、実際の運動に絡んでいくことも多い。けっこう全国的なつながりもある。だから、懐古趣味でやってるわけじゃないんですよ。でもというか、だからというべきか、旧来の左翼的な人は来ないね。なにしろ、どこかの党派が「植垣は公安のスパイだ」なんていうガセネタをインターネットに流しているくらいだから。そういう人たちの発想からははみ出しているんだろうね。

会社のサラリーマンはほとんど来ない。こういうところに出入りするのが、会社員としていかがなものかと思っているのか、来ませんね。組織的な差し障りがない弁護士とか、会社の社長とかが多い。倒産した会社の社長が、僕に人生相談を受けに来たりもします(笑)。20代もいますよ。ひょっとすると、将来「バロン」が役に立ったという人がいるとすれば、それはそういう若い人たちかもしれないと思っています。

来ないといえば、警察の公安も来ませんね。かつてだったら、彼らがピタッと張り付いて店に出入りする人間をチェックしていたと思いますが、なぜか来ません。警察も不祥事が続いていますし、ずいぶん「弱く」なった感じです。警察は「私の更生」に協力すべきではない

※30　西武百貨店社長を経て、1995年参議院議員に。96年、新党さきがけ政策調査会会長。2001年に参議院議員を辞職し、静岡県知事選挙に出馬し、落選。

でしょうか。「調査費」でもなんでもいいから飲みに来い（笑）。

これまでの自分の活動を振り返ってみて、一番重要で、これからも生かせると思ったものが、さまざまな協力関係なんです。赤軍派時代でも、左翼でもなんでもない人が協力してくれた、そういう関係をつくっていくことです。

こうした僕の総括――党派の、ひいては組織の論理に対抗する強烈な個性をもつ、あるいは自分なりのやり方を確立する、そして協力関係をあらゆるところで築いていく――は、いま苦労している僕と同じ世代の人たちにも、必ず役に立つと思っています。

（聞き手＝椎野礼仁、杉山尚次）

2021年8月5日

加藤倫教

大量生産・大量消費する時代のような強大な権力は必要ないです。

刈谷市、自宅近くのファミレスで。

かとう・みちのり
1952年、愛知県刈谷市生まれ。東海高校卒業後、革命左派に参加。連合赤軍となり〝山岳アジト〟での「総括」などを経験。1972年2月の「あさま山荘銃撃戦」

加藤倫教さんは、革命左派→連合赤軍メンバーとして初期段階から山岳アジトでの活動に関わり、さらに浅間山荘での10日間の銃撃戦も戦った。その両方を体験して、日本社会で発言しているのは加藤さんだけだ。〝連合赤軍事件〟から50年がたとうとしている今、お話を伺った。「50年というのにどれだけの意味があるんでしょうか。まだ取材に来るのかい、という気持ちです」と苦笑する加藤さんではあるが、丁寧に質問に答えてくださった。

革命左派に入って

――そもそも新左翼の活動へ参加された動機は？

新左翼という意識はあまりないんです。それは後で話しますが、そもそもで言うと、小学校のとき、宮沢賢治の「雨ニモマケズ」という詩に出会って、ああいう世界観に憧れました。「そういうものに私はなりたい」と（笑）。誰にも気にかけられず、世界の隅で生きてる人間。詩の中に出てくる「デクノボー」、俺はこれでいいんだと。親父の言うような、医者とか弁護士とか、偉い人にならなくていい。これが原点で、その後の人生も、ずっとこれで来てます。

私に最初にオルグをかけてきたのが革命左派。1969年、私は高校2年生でした。夏休み、兄貴（加藤能敬[※1]）が大学から帰ってきて、いきなり「今の世の中、どう思ってるの」という話から始まって、「いや、俺もデモ行ってますけど」って（笑）。

高校の演劇部に活動している生徒達がいて、その連中に誘われてデモに行きだしました。アジトみたいになっていたアパートにも行ってました。名古屋の栄にべ平連[※2]の事務所があって、そこにも出入りして、ほかの高校の連中と知り合いになったりしました。

革命左派（革左）の一員と意識して動き出したのは、70年8月15日に中京安保共闘が立ち上がった時ですね。それは東京からオルグに来た雪野さん（建作。真岡市銃砲店銃奪取事件で服役）が作ったんです。当時は見るからに学生さんという感じでした。

左翼だとか右翼だとかいう視点で政治に関わろうとしたわけじゃなかったんです。革左の「反米愛国」というスローガンは、私にとっては、反米は当たり前だし愛国も当たり前。反米愛国は両方が補完しあうような言葉であって、愛国って言葉に抵抗感はもともとなかった。アメリカに占領されてるんだから、アメリカに反対するのは愛国でしょって感覚です。愛国って言葉で国民を動員することがおかしい。

ただ、デモとか集会に行くと、労働者階級がそもそも基本のはずなのに、学生ばかりじゃないか！　そういう点で新左翼に親近感は覚えなかったですね。でも、そうではあっても、

を戦った5人の一人。83年2月、懲役13年の刑が確定。未決拘留期間が引かれ87年1月、社会復帰。野鳥保護などの活動に携わり、1990年からは「藤前干潟を守る会」事務局長、「日本野鳥の会」愛知県支部副支部長などを歴任。現在は家業の農業を引き継ぎながら、「明治用水土地改良区」理事など地域活動に勤しむ。著書に『連合赤軍少年A』がある。

※1　加藤能敬は1949年生まれ。東海高校から和光大学。72年1月4日、総括死。

日本中にこんなに米軍基地があって、どこが自立なのかって。そこが革命論としては、新左翼の社会主義革命ではなく、共産党の人民民主主義革命を選んだ理由だったんです。

――革命左派は爆弾闘争を推進していましたね?

私は心情的に言うと、過激派そのものなんです。革左の爆弾闘争は、当初は「政治ゲリラ」と説明されていたんですが、私には意味が分からなかった。爆弾仕掛けるなら敵に損傷を与えないと意味がないでしょうと。政治的なアピールを狙って過激なことをやるというなら、9・4(1969年9月4日)の愛知外相訪米訪ソ阻止闘争、あれは大成功だったと思うんです。前の日から潜んで海から上がってきて羽田空港の滑走路に火炎瓶を投げた。あんなこと誰も考えなかった。

あれから後は、なにか疑問があったんです。米軍基地にダイナマイト仕掛けるだとか、入管事務所に火炎瓶を投げ込むだとか、ああいうことに反対とはよう言わんけど、なんでこんなことやるんかなと。基地に反対する意思を表明する手段としては別にいいけど……。結局、いいのかなあという疑問で終わっちゃいました。

――〝山〟に入るのに葛藤はなかったんですか?

71年の夏ごろ、上から「名古屋地区のメンバーは山のアジトに入れ」という指示が来ました。ゲリラをやるのはいいけど、それを支える部隊がいるでしょう、それを全部引き上げて、山にもっていくのはおかしいと、それは思ってました。

ただ名古屋の活動も「大きな闘争をやるから破防法が全員に適用されるので、地下に潜れ」という方針が出ていたので、「山に行けば大きな闘争に参加できるだろう」という期待がありました。

――〝大きな闘争〟とは、ゲリラ闘争・武装闘争のことだと思いますが、「できる・やるべ

※2 「ベトナムに平和を！市民連合」の略称。小田実、開高健、鶴見俊輔ほか若い作家らで1965年につくられた組織。

きだ」と考えていたんですか？

できると思っていました。というのは、私たちはベトナム戦争がラオスやカンボジアに拡大して、さらに中国との衝突に発展して、米軍基地を置いている日本と世界大戦みたいな状況なるかもしれないと。そういう状況になったときに、第2次世界大戦のときにイタリアでもゲリラが起きて政権とぶつかった。そのように、国内でゲリラ部隊を作って、外部と呼応して新しい政権を作る。そのために何年先かわからないけど、自分たちの武装勢力を拡大していけば、いつかそういうひっくりかえせる状勢が訪れるかもしれない。そういうボヤっとした思いはありました。

実際は、ベトナム戦争はいつ止めるかという話が進行していたわけですが、それを見誤っていました。71年にキッシンジャーが訪中している。あそこから、もう「終わりの始まり」が準備されていた。

あさま山荘ではね、ニクソンが訪中して飛行機から降りたところで、電源が切られてプチンとテレビが消えた。偶然じゃないと思いますよ。あそこまで見させて、我々を動揺させる。後藤田さん（後藤田正晴、当時警察庁長官）の策だとしたら、敵ながらあっぱれですね。

特に革命左派はショックを感じたと思いますよ。「米日反動派の侵略戦争を革命戦争で打ち破れ」というのがスローガンでしたからね。前提が崩れちゃった。そのことを山荘内部で話題にした覚えはないですけどね。最後の5人になっても、幹部3人と私たちは別ですから、どういう方針をとるかも3人で話し合って、私と弟は結果を聞かされるだけ。

なぜ「総括死」が起きたのか

――永田さんや坂口さんの手記を読んでも、指導部と被指導部というだけで、行動にずいぶん差がありますね。被指導部＝一般の兵士（とあえて呼びますが）は厳寒の雪の中で肉体労働をやっているのに、指導部は小屋のこたつの中で、方針会議をやっているとか。そういう格差に、矛盾は感じてなかったんですか？

……なんか変だなとは思っていても、やることを分析・正当化されると、自分の中にそれに反論するだけの能力がないから……。

――それが総括死（とあえて呼びますが）でも同じ構造だったんですか？

そうかもしれませんね。なにしろ当時は、革命理論を全面展開して方針を導き出すやつが偉い。それに僕も取り込まれていた。

――森恒夫が唱えた「自己の共産主義化」には、メンバーによっては「全くわからなかった」という人もいるし「ある程度理解できた」という人もいます。倫教さんご自身はどのように思っていましたか？

極端な言い方をするかもしれませんが、一番理解していたと思いますよ。自己修養路線だと思ってましたから。要は、自分の中に弱みがあると逃げ出す。

ただ、自分の中に違和感があると、どこかの時点で表明する必要があった。赤軍派との統合問題もそうだし、次々と離脱者が出てくる問題もそう。なぜ言えなかったのかといえば、自分が革命戦争に参加できればそれでいいやと。革命を自己目的化しちゃって、そのほかの問題は自分にとって大したことじゃない。自分さえやればいいという、エゴですね。いいから早くやろうよ、という気持ちだけ。

だから離脱しようという気持ちはなかったですね。ただ、もし俺が総括にかけられたら、俺がここへ来た意味がないじゃんという気持ちでしたね。

――どこで間違ったのでしょうか？

こんなことになった根本原因は何だったのかと言えば、自分の受け取った情勢に対して、社会とか政治の分析で行動を決める、方針を決めるというより、自分がそう思うからこうするんだという、自分らが主観的に革命々々というだけ。私に言わせれば、「革命の私物化」。本来革命は大衆のためにあるはずなのに、自己目的化されていった。自分のために革命はあるというようなおごりが愚かだったなと思います。

――社会主義・共産主義には未来はないのでしょうか？

社会主義や共産主義は理想だと思うんです。でも現実化しない。現実化するとしたら、毛沢東の人民公社路線は正しかった。あれしかないと思います。ただこの20～30年の間に、江戸時代の人口３０００万くらいの規模への再評価が出てますよね。それが意味するところは、地域々々でその環境が維持できる範囲の生活をするということです。一定レベルで生活・政治を考えるなら、大量生産・大量消費する時代のような強大な権力は必要ないですよ。江戸時代だったら、藩レベル。信長が全国の市場統一を成し遂げた。当時、生産力の拡大によって度量衡とか貨幣制度とか統一する必要があったんです。

ソ連邦が解体して30年くらいたってますが、いままた社会主義の考え方の再評価が出てきている。アメリカでさえ、社会民主主義を標榜する民主党のバーニー・サンダースが少なくない若者の支持を集めている。南米なんかは社会主義政権が復活しそうだし。なぜかといえば、格差社会や貧困問題を解決する道が社会主義しかない。この道は続くと思いますね。

でなければイスラムですね。日本でもかつて、寺社が受領地を持って、宗教者が地域のリーダーを務めていた。イスラムにとってはそれが安定で、西側の大量生産・大量消費・大量廃棄のシステムを押し付けられるのは御免だという社会。

もしそれに対して力の押し付けをするんだったら、個人テロが多発する。いままさにそうですよね。

もうひとつ、今の社会の両刃の剣は携帯電話ですよ。チベットの山の奥にいたって、世界中の情報が全部入ってくる。全部入ってくるけど、全部の欲望が管理される。欲望は刺激されるけど、それが実現できない。知ってしまうと、不満が極大化する。だから携帯電話が現代社会の命取りになる可能性もあると思います。

――今日の社会主義・共産主義の可能性は

逮捕されて、24、5歳の頃に、アンドレ・ゴルツの『エコロジスト宣言』を読んで[※3]、思い出したのがエンゲルスです。エンゲルスも晩年に自然科学に興味を持って、人間の社会を分析するのに、経済体制だけを論じるんじゃなくて、自然との関わりの分析が必要だという考え方になりつつあったと思います。ところがそれが忘れ去られて、資本主義社会の直接的な是非だとか、それを倒した後のプロレタリア独裁とか、マルクス・レーニン主義になるんだけど、それだけじゃないということが、もう少し早い段階で出てきてもよかったんじゃないかと。エンゲルスがもっと長生きしていれば、エコロジーにつながっていったと、私は考えています。

――斎藤幸平の『人新世の「資本論」』と同じ思考ですね。[※4]

それは読んでないんです。威張るわけじゃないけど、私は40年前に、そう思ってました(笑)。

連合赤軍の総括と合わせて、アンドレ・ゴルツに出会ったことがきっかけで統一裁判から

※3 アンドレ・ゴルツは1923年、ウィーン生まれの哲学者。政治的エコロジーの先駆者として世界的に名を知られ、ヨーロッパ左翼の良心と呼ばれた。著書に『資本主義・社会主義・エコロジー』など。2007年、パリ近郊のヴォスノン村

分離裁判に変えたんです。もう一つ大きいのは安藤昌益です。江戸時代中期の町医者だった人が、「直耕」という思想を出した。直耕、つまり「すべての人が鍬を手にし、額に汗して土地を耕す」のが人間の生き方だと。私自身の勝手な解釈でいうと、毛沢東が提起した人民公社。農民の自主社会こそが人間の在り方で、男女の平等だと思います。

分離裁判にしたのは、ちょうどそのころ、ソ連がアフガニスタンに介入したり、中国が改革・開放路線を取り始めて、社会主義が消えていく時代で、そういうことも併せて、考え方が変わっていきました。

復帰後の人生

——社会復帰してからの加藤さんは、地域社会にすっかり溶け込んでいますね。

刑期を終えて社会復帰して、環境保護の運動に携わったわけですが、それもめぐり合わせと言うのか、ちょうど藤前干潟の問題[※5]があったり、愛知万博の問題[※6]があったりして。関わっていたら、いつの間にか中心メンバーの一人になったんです。それだって、自分から手を挙げたことは一回もないんです。やれって言われたことをやってきて、みんな成功してきている。藤前干潟はもう運動が始まってましたけど、野鳥保護とかごみの問題とか、万博問題とか、そういうものがみんな環境問題へ結びついていった。状勢にマッチしていたんですね。

これらの問題は10年くらいの運動になって、最終的にはこちらの主張が全部通ったんですけど、その成果は全部、行政のものになってるのが残念(笑)。行政の手柄にするのは構わないんだけど、それを掲げながら根本的には何も変わってない。それが問題。例えばごみ行政は変わったけど、大量消費・大量廃棄という社会自体は変わってない。個別問題をきっか

の自宅で一歳下の愛妻と心中。

※4　斎藤幸平は1987年生まれの哲学者、経済思想史研究者。人類の経済活動が気候変動を激化させ地球を破壊へ導く。これを止めるためには資本主義の際限なき利潤追求をあきらる。処方箋はマルクスの思想の中にあるというのが『人新世の「資本論」』(2020年)。

※5　藤前干潟は名古屋港西南部の庄内川、新川と日光川の河口が合流する、名古屋市港

けに社会を変えていくようにならないといけないと思っています。

万博と藤前が1990年から2000年ぐらいまで。それ以降は、私は中心としては関わってないんです。行政から要請されて、例えば里山の施設の運営協議会の委員に入ったりとか、地元の役職に就いたりはしていますけど。

いまメインは明治用水土地改良区の理事をやってます。江戸時代の末期に始まって、灌漑とかが続いてるんですが、いまは組合員が8市、1万3000戸にわたる全国有数の土地改良区※7といわれてるんです。農業用水や工業用水ですね。なぜ私がって？　わかりません。

——連合赤軍を扱った映画やテレビ番組はご覧になりますか？

取材を受けたものはDVDを送ってくるので、大抵は見ていますが、私が出してほしいと思うことは、ほとんど放送されていません。向こうにとって都合のいい編集をしてるだけですね。「革命だなんてほざいて、何言ってるんだ」という結論にもっていく。

若松孝二監督の『実録・連合赤軍　浅間山荘への道程』は、取材は一切受けなかったのに、「推薦してくれ」とDVDを送ってきました。もちろんしませんでしたけど。あの映画の最後で、私の弟が「みんな勇気がなかったんだ」と叫ぶシーンがありますが、あれは実際にはなかったですね。

——一番放送してほしいというのは、どんな点ですか？

われわれの行動がベトナム戦争に反対して始まった行動だったという点ですね。当時日本は、ベトナム戦争に対してB52が出撃する兵站基地だった。ベトナム臨時革命政府のグエン・チ・ビン女史が、ベトナムで撃墜されたアメリカの戦闘機から作った指輪を1円で買って転売カンパするという運動に対し、「お金より、日本にいる米軍をなんとかしてくれ」と言ったんですが、私は父がアジア侵略戦争に参加した人間の子供として、アジア人民に対して負

区藤前地区に広がる干潟。80年代に名古屋市が埋立による「ごみの最終処分場」を西1区に建設する計画を発表。住民団体などの反対により99年に埋立は撤回された。

※6　愛知万博（日本国際博覧会）は2005年3月25日から同年9月25日まで開催された。

※7　土地改良区とは、水利施設の新設・改良や管理、開田畑、干拓、これらの災害復旧、農地の区画整理、交換分合などの土地改

債がある、それには血をもってでも償うべき負債だと思ってました。

こういう気持ちは、何回言っても番組で取り上げてくれない。唯一、NHKのETV特集（『連合赤軍　終わりなき旅』）だけが放送してくれました。[※8]

——そもそも、なぜ加藤さんは取材に応じるんですか？

なぜインタビューに応じるかといえば、参加していた人間として、証言を求められれば証言する責任があると思っています。もうひとつは、いま言った、日本が果たした役割について見つめてほしい。とりわけ、あの当時生きていた日本人には、考えてほしいと強く思いますね。

——自民党の党員になったと聞きました。

土地改良区ってボスが自民党の二階（俊博）さん[※9]だし、入らないと事が進まないんですよ。組合員から集めた組合員費だけではとても事業をやっていけない。12億円の事業とすれば、国からの補助金、県からの補助金、そして関係市町村からの補助金で成り立つ。僕の前にやっていた理事長が、愛知県の大村秀章知事の後援会長なんです。年1回は中央まで陳情に行かないといけないし、「その点で入ってくれた方が……」と頼まれて。明治用水土地改良区には、自民党の職域支部ができていて、党員が300人いるんです。私は党支部の副支部長ですよ（笑）。あの加藤が自民党員になったとかは、組合の側が言いたくないんでしょう。もちろん、みんな知ってますよ。

よくマスコミ取材では「地域に帰ったら村八分になったんじゃないか」と聞かれたんですが、何もなかったんです。これは社会論にもつながるんですが、江戸時代からずっと続いている地域のコミュニティと、隣の人が誰だか知りませんという都市との違いだと思います。私が地域に害を与える人間だったら排除される。だけどそういうわけじゃないし、地域の

良事業を施行する法人。

※8　NHKのETV特集『連合赤軍　終わりなき旅』は2019年4月放送。ギャラクシー賞テレビ部門奨励賞。

※9　二階俊博、自由民主党所属の衆議院議員。2021年、岸田文雄の総裁就任に伴う新役員人事により、自民党幹事長を退任した。

活動にも参加している。それは地域にとってはＯＫですね。ただ、市議会に出てくれとか、そういうことはないですね。露骨な村八分はないけど、公的な立場には就かさない。

――選挙の投票行動は？

是々非々ですね。社会復帰したばかりの頃は、例えば環境保護運動をやるにしても、社会党と関係が深かったんですが、運動の経験が長くなってきて得た教訓としては、全方位でやる。また、全方位でやるべき運動でしたからね。特定の人たちの利益とか労働者の利益とかいうものじゃない。環境保護は全員の利益になることですから。

だから自民党にも会うし、共産党にも会う。そのかわり、どこの党も支持しません。共産党は運動のヘゲモニーを取ろうと、けっこう邪魔してくるんですけど、私たちと触れたことで、愛知県の共産党の活動形態がちょっと変わったのも事実だと思います。現場主義を貫くというか。藤前干潟にしても、データは全部自分たちで取ってる。行政の側が御用学者出してきても、絶対負けません。鳥のデータも底生生物のデータも、みんな持ってますから、論争はいくらでも応じますよと。そうしたら水質の専門家とか、法律上の環境影響評価の専門家とかが協力してくれるようになりました。

（聞き手＝椎野礼仁）

2021年9月28日

岩田平治

幹部が怖くてやったわけでなく、自分はある程度それを信じていた。

岩田平治さんは1970年、「鯨でも取りたい」という気分で東京水産大学へ入学。ボート部に入り、ダンパ（ダンスパーティ）などへも行く日々だったが、大学の寮に入ったことが人生を変えた。当時の大学の寮は新左翼が自主管理する学生運動の拠点。水産大もその例にもれず、8人部屋にはセクトの学生も多く、最初に山（山岳アジト）で総括死した尾崎充男は同室で、影響を受けた。下獄後は故郷に帰り就職。公的資格も取得。幼馴染と結婚し子供も設けた。地元で地道に暮らし、民生委員なども務める。2013年頃からはメディアの取材にも応じている。現在は仕事も続けながら、趣味の木工細工で毎日のように子供用の玩具を作り、各種施設などに届けている日々。

いわた・へいじ

1950年、長野県辰野町生まれ。中学、高校と向山茂徳（山岳アジトで総括死）と中学校では同学年、諏訪清陵高校でも一緒だった。東京水産大学へ入り、革命左派の活動家

自宅の木工作業所の前で。

“山”（山岳アジト）に入って

——革左（革命左派）の活動に入ったのが70年からで、山に入ったのが71年の秋頃、短い活動歴で山に入ったのですね？

70年12月の上赤塚の交番襲撃[※1]で柴野（春彦）さんの死亡した件があって、他のメンバーもアジトを借りて半合法というか、そこに潜む生活になっていました。中央メンバーの指示を仰ぎに山に行ったこともあります。私とか大槻（節子）さんはそういう任務でしたね。71年8月6日には、広島で行われた集会（「被爆二六周年八・六広島反戦集会」）で統一赤軍結成のビラをまきに行ったりもしました。

12月初めに新倉ベース（山梨県）に銃の訓練に呼ばれましたが、それも具体的な闘争を想定してではなくて、みんなそれだけの心構えを持って活動しなさいというようなことでした。この時初めて、遠山（美枝子）さんとか赤軍派の人たちと顔を合わせました。ですから特に決意して山に入ったというわけではありません。それまでの活動の延長線上のことでした。

——当時付き合っていた一般人の彼女には、なんと説明していたんですか？

大学のときに知り合ったんですが、「世の中よくするために、そういう活動をしてるよ」くらいのことで、まあ彼女も好意的でした。ただし半合法に入ってからは、会う時間もなかなか取れなくなって、それで府中市の是政というところにアパートを借りたんですが、革左のメンバーも出入りしたりして、警察の手入れを受けてしまったんです（71年11月）。そしたらピストルの訓練弾も30発くらい発見されたんで、加藤能敬や中村愛子さんと一緒に彼女

と交流が増え、人間的に信頼に足る人格と判断して、活動に加わるようになった。半合法部の活動が主だったが、山岳アジト（通称、山）に呼ばれ、加藤（能敬）と小嶋和子の総括に参加。72年1月、任務で名古屋に出た際に離脱し、山に戻らなかった。その後、あさま山荘での銃撃戦があり、仲間殺しが明るみに出て、山のメンバーの自供などが報じられ、3月31日、警察に出頭。74年、懲役5年の判決。

※1　上赤塚交番襲撃　年の判決。

も逮捕された。でも何も知らないから「取り調べのときはずっと泣き続けてた」と言ってました。さすがに起訴にはならず釈放されて、親御さんが実家に連れ戻した感じですね。で、これは後の話になりますけど、私が、彼女と小嶋和子さんの妹をオルグって山に連れて来いという任務を与えられた時、電話をしたんですが、親御さんのガードが固くて、全く接触できませんでした。

――赤軍派の印象は？

私は赤軍派と一緒になって武装闘争を進めるという程度の理解で山に行きました。新倉（あらくら）ベースでの射撃訓練でした。ただ感情的にはこんな所で銃の訓練させられてもどうなのかなと。それまでの革左の幹部達の安直なやり方には批判的ではありました。中国に行くという方針を出したり引っ込めたり、突然赤軍派と一緒にやりますとか。感性的な指導に対して嫌気がさしていたというところはありました。半合法部[※2]のメンバーは共通の思いだと思います。

新倉で初めて森（恒夫）とか赤軍派の指導部に会ったときは、なかなか論理的なので、永田（洋子）や坂口（弘）とは構造が違うなと。革左だと、何か意見を言うと「そういうお前はどういう活動をしてきたんだ」という話に還元されてしまう。そう言われたら、活動歴が違うので、立ち打ちできない。

だから、言葉による理解ができる、それが私には響いてくるものがありました。しかも森という堂々とした指導者然とした人物がいて、いかにも武闘派の坂東（国男）がいて、論理的な山田（孝）さんが控えている。そういう人たちと一緒になれるのはいいことだとは思っていました。この時点でもう森さんの風貌は「オヤジさん」とみんなが呼んでいる通りでしたね。

事件は、1970年12月18日に東京都板橋区、志村警察署上赤塚交番が3人組の男に襲撃された事件。3人は柴野春彦（横浜国立大）、渡辺正則（横浜国立大）、佐藤隆信（神奈川県立川崎高校）京浜安保共闘（革命左派）のメンバーで、柴野は警察官に射殺された。日本の左翼運動家が警察官に射殺された初めてのケースとなった。

※2　文字通り、「合法部」はデモ等法律の範囲内での活動。「非合法部」は武器、爆弾、襲撃など。「半合法部」

尾崎（充男）さんに対する暴力的な総括要求が始まるのは、私と大槻さんが、柴野さん虐殺抗議の政治集会にアピールを持って行って、そのあとすぐ前沢（虎義）さんたちがそれをひっくり返すアピールを持ってくるんだけど、そういうことに対する意見書を私が書いて、加藤能敬さんと一緒に持って榛名ベースに戻った後でした。

――岩田さん自身がかかわった「総括」は？

最初に死んだ尾崎さんが、坂口さんを警官に見立てての〝決闘〟をさせられた時は、私は中村愛子さんを連れてくるため山を下りていて、現場にいなかったんです。で、30日（71年12月）に山に戻ってきたら、降りる前には正座させられていた尾崎さんが縛られていた。誰かに理由を聞いたと思うんですけど、いろんなことが言われていて、致し方ないのかなという気持ちでした。

で翌日に尾崎さんが死亡。僕は床下に置いた尾崎さんの死体を見張っているように言われたんです。その間に、小屋の中では進藤さんの総括が始まって、ドタバタしているのが聞こえました。そのうち、よたよたした進藤さんが連れ出されてきて、木立に縛られた。僕が見張りを命じられたんですが、様子がおかしくなったんで慌てて上に報告に行って、死んだということが確認された。それから死体を埋めに行ったはずですが、それには私はタッチしてないですね。

――その時の岩田さんの心の中は？

当時は革命もある程度信じていたし、武装闘争もやらなきゃいけないと思っていたので、そういう観点からすれば、そういう人たちを鍛え直すというのは必要かなとは思ったけれど、もちろん殺すことまではやっていいのかなと。ただ、それ以前に、間違って殺してしまったのだろうという認識でしたね。

は合法の活動を主としながら、非合法部との連絡などを担う。

ただ、永田や坂口はウロウロしてたけど、森はそれを必死で論理化しないといけない立場だから、「敗北死」という総括をするわけです。自分自身を克服できなくて、死に至ったという。メチャクチャなんだけど、そういう論理化をするわけですね。そうすると永田や坂口も、そういう言葉に救われる。森は動揺を見せずに、言い切りましたね。坂東や山田さんとも、この時点ではそういう意思一致をしていたんじゃないですかね。

ただ、これは後で話しますが、私は刑務所にいるとき、「『共同幻想論』による連合赤軍事件の考察」※3という文章を書いたんです。そこでも簡単に触れたんですが、上の方だってアップアップだった。森はかつて自分は逃げたという意識があるから、今度は逃げずに、とことん論理的なものを突き詰めていこうということだったんじゃないかと思います。

そうであったとしても、私は今でも、森恒夫は指導者らしい指導者だったと評価していま す。もちろんやったことは良くないのは大前提ですけど、よほどの力がないと、あそこまで人を一つの方向に動かせませんよ。仲間を殺すなんてところまで、指導するわけですから。革左の指導者とは、理論の構築力のレベルが違うと感じました。

——岩田さん自身、彼らの指示に納得していたのですね。

僕の罪状は、加藤能敬さんと小嶋さんへの殺人です。尾崎さん、進藤さん、小嶋さんの後に、加藤能敬さんが総括されますが、これは突然起こされて、加藤さんを殴れということになるんですが、指導部の説明を聞いて、私自身も納得して殴った。自分にも加藤さんと同じような心の弱さがあるから、そういうことは克服しなきゃいけないと、その証として、本気で加藤さんを殴ったわけです。

その辺の本気さは、永田なんかはよく見ていたと思いますね。総括にかけられて、いろんな人がいろいろ自分の弱さの告白をするんですが、例えば任務で下に降りた時に、組織の金

※3 「『共同幻想論』による連合赤軍事件の考察」→272ページから掲載

でお風呂に入ったとかね、でも問題はそういう内容というよりは、態度なんです。本気で吐露しているかどうか。もっとひどいことを隠すために、少しだけ暴露してるんじゃないかとか、そういうことをちゃんと見抜くんですよね。だから同じことを言っても、是とされる場合もあれば非とされる場合もある。僕がどんなことを自己批判したかは、たぶん彼女のことかいろいろ言ったと思うんですが、今となっては覚えてないですね。

〝山〟から離脱する時

――岩田さん自身が山から逃げようと思ったのはいつからですか？

私が戻ってきた12月30日に尾崎さんが正座をさせられていて、その後、縛られて亡くなり、進藤さんが亡くなり、小嶋さんが亡くなり、遠山さんや行方さんへの総括要求が始まって、加藤（能敬）さんが亡くなる。私が山を出たのが1月8日ですから、本当にアッという間でした。その間は、私たちはもちろん、指導部は寝るか寝ないかの状態でした。総括が始まれば、夜も昼もない状況ですし。

――手記を読んでいると、被指導部が厳寒の山中で薪集めとか肉体作業をやっているときに、指導部は小屋のこたつの中で方針会議をやっている。そういう格差に不満はなかったんですか？

それはなかったですね。彼らはそれだけの能力もあるし、そういうことが任務だから、私どもは組織の運営を支えることをやるのは当たり前という感覚ですね。それと、加藤（倫教）さんも言ってたけど、難しいことは指導部に任せた方が安心ということもあったかもしれませんね。まぁ、永田だけコーヒー飲んでタバコ吸ってるのはなんでかなということは、ちょっとはあったけどね。いくらバセドウ病ということがあったにしても。

――任務で、山から下りて名古屋へ行くことになったんですね？

そうです。新しいメンバーを山に連れてくることと、カンパ集めのためでした。新しいメンバーと言っても、一人は私の彼女だし、もう一人は小嶋さんの妹ですからね。私の彼女は左翼でも何でもないし、小嶋さんの妹と言っても、お姉さんが殺されてる場所に連れて行くという話ですからね。無理に決まっている。

先ほども話したように、二人とも家に電話しても親御さんのガードが厳しくて取り次いでくれない。同じ任務で来ていた伊藤（和子）さんに電話してもらったんだけど、それもダメでした。その時点で、親御さんは詳しいことはもちろん知らないけど、一度つかまってるし、警察も様子を見に来てたんでしょうね。小嶋さんのところは、お姉さんが行方不明なわけですしね。

――名古屋に行くときには、すでに離脱を考えていたんですか？

もうその時点で何人も死んでるわけですからね。長い間闘争をやってた人間が、細かいこと、と今は言えますが、で殺されていく。しかも、私と中高と一緒の友達だった向山（重徳）君も、早岐（やす子）さんも山に来る前に殺されてたわけで、それを知ったのは榛名のベースでしたけど、そんな状況で、いくら正しかろうが間違っていようが、こんなことで革命が…というより、こんなことをやる革命運動ってどうなのかという疑問が、感性的にわいてきたわけです。論理的には正しいと思ってたんですね、当時。指導部の言動はそれなりに理解していた。

そういう中で、山を下りることになった時、下りた時点でよく考えてみようと思ったんです。あの山の状況では、そういうことを考える暇《いとま》もない。それで、下りるときには私物を全部持っていきました。戻らない可能性が大と思っていたもので。
もう死んでる小嶋さんの妹は、まだ高校生だし、私の彼女だって、たまたま私と付き合っているだけ。それに連れてきたって、幹部連中がその人たちを革命戦士にしてくれるわけでもない。一応、山を下りる時の決意表明は「彼女を連れてきて、彼女が革命戦士にならなかったら私自身の手で殺す」みたいな調子いいことは言ったんですけど。実際に私にはできっこない。

――それで同行していた伊藤（和子）さんに離脱を打ち明けるわけですね？

ええ。名古屋で10日近く活動して、いよいよ帰るという時に伊藤さんに喫茶店で話をしました。この任務では私がキャップだし、組織の金も預かってるわけだから。「逃げる」と言ったら、伊藤さんはすごい形相で私をにらみましたね。まごまごしてたら、「この反革命、殺してやらなきゃいけない」くらいな顔でした。普段やさしい顔の人なんですけど。それと「私を試してるんでしょう？」とも言いました。

伊藤さんはその時点で、組織内の経緯《いきさつ》の中で、坂東と結婚してたんです。それで、特に好きという感情もないのになぜ結婚したのか聞いたのですが、彼女の答えは「自分でもわからない」と。これは後から話になると思いますが、吉本隆明の用語を借りれば、「対幻想[※4]を共同幻想が従えた」ということなんです。

離脱を切り出してからは数分で、4万円くらいの金と明細書を伊藤さんに渡して別れました。私としては伊藤さんが「なんで岩田を逃がした」なんてことで総括にかけられなかったことを後で知って、何よりほっとしました。本当は、あの時点で伊藤さんにうまく話をして、彼女も山に戻らないように説得できればよかったんでしょうけれども、自分自身がめいっぱいでしたからね。それに僕にできるのは、あの革命は正しいかもしれないけど、俺はついて

※4　対幻想《ついげんそう》とは、吉本隆明の造語。人間の幻想領域を構成するカテゴリーの一つで、「男女の肉体的、動物的な生殖行為や子育てから疎外された幻想」とい

いけないと言えるだけですからね。説得力はまるでない。

吉野さんの手紙によると、私が逃げたので榛名ベースから移動しなきゃいけないか検討した時、森は「あいつが警察に出頭して話すことは考えられない。あいつも死刑になるからな」と言ったそうです。そして「我々も知らない間にすごい地平に来てるんだな。パクられれば死刑になる地平に」とも言ったようです。

私はもちろん警察に飛び込んで「実は……」なんてことをしようとは、全く思ってはいませんでした。

後ろめたさは当然ある

――たとえば鈴木邦男[※5]さんは「山から逃げた人は正しいことをやったんだから、表に出てきて堂々としゃべればいい」と言ってますが。

革命というものから逃げたという後ろめたさは当然あるんだけれど、もしあの後、組織が私の家族とか妹を拉致して、「お前、出てこい」と言われたら、戻らざるを得ないなと思ってました。その時迎えに来るのは前沢さんかなぁとか思ってました（笑）。

続けてあんなことやってたんだから、あの時点で、彼らはそんな余裕なんかあるわけないんだけれど。でも私は、あの時点では、とりあえず弱い部分の総括要求が終わって、これからいよいよ本格的に殲滅戦を始めることになるんだと思っていました。

――逃げたことで、もう自分には何か言う資格はない、生きていく価値はないという敗北感にとらわれることはなかったですか？

私の場合は、事件が明るみに出て、幹部たちが次々に上申書を書いたり自白したりしてい

う意味である。吉本隆明は、家族や家庭は単純な血のつながりだけではなく、対幻想が存在するから成立するといい、対幻想が家族の本質であるとしている。

※5　鈴木邦男は、文筆家・一水会の元代表。その著書『連合赤軍は新撰組だ！』で「新選組は悪の象徴だったが見直されて、新選組ブームさえ起った。連合赤軍も必ず見直される日が来て、NHKの大河ドラマにもなるだろう」と書いた。

るんで、そういう人たちになぜ負い目を感じたりしなきゃいけないのか、という気持ちになりましたね。

彼らの自白にしても、それぞれに理由をつけて、みんな悪かったとか謝っている。それが私には「あそこまでやっといて、今更、申し訳ないじゃないだろう」と。「自分たちは正しいことをやったんだ」となんで主張できないんだろうくらいに思っていました。

森にしたって、結局革命戦士じゃなかったんだという思いですね。権力にとらわれてから、間違ってましたと言うなんてね。

そういう言動を見聞きして、私も3月13日に警察に出頭しました。大阪の親戚のところに身を寄せて、働かせてもらってたんですけど。

裁判は単独の公判で、2年くらいかかって、74年の4月に判決でした。加藤さんと小嶋さんに対する殺人と、尾崎さんへの死体遺棄などで、懲役5年でした。76年の11月まで、埼玉県川越の刑務所でつとめました。

――2人に対する殺人罪がついていて、懲役5年は短かったですね。

逃げたということが影響したんでしょうね。裁判長はキリスト教徒だったらしいのと、弁護士は後に長野県の弁護士会の会長になるような方で、熱心にやってくれましたね。緊急避難、やらないと自分もやられるから、という弁護方針を出してくれたんですけど、「いや、私も積極的に参加しているから」と、それは断りました。裁判でも、それは正直に言いました。関与の仕方が軽いと見たんでしょうかね。私には何ともわかりません。

裁判が続いている間、彼女は長野で職を見つけて、よく面会に来てくれてました。でも私も若かったから、弁護人や親戚にはきちんとした態度を貫いていて、唯一彼女にだけ、泣きごとを言ったり、強い態度をとったりしたりで、刑務所に落ちてからは、1、2回、手紙のやり取りはしたかもしれませんが、自然消滅してしまいました。

刑務所を出て、地元に帰ってきたとき、周りの人はとんでもないことをした奴だと指弾する雰囲気でもなかったんです。うちの親父・おふくろは前の代から、ここの駅前で床屋をやっていて信用があったこともあったし…。近所の人たちが嘆願書を書いて裁判所に提出してくれたこともありました。

当時は学生運動をしてない人の方が少ないくらいですから、ここらでもヘルメットかぶってそこら飛び回っていた人とかたくさんいた。そういう息子、娘を抱えている地域の人々ですから、一定程度のシンパシーはあった。もちろん、親父のところに電話をかけてきて、えげつないことを言った人とか、たくさんいたようですけど、かばってくれる人も多かった。親父のお弟子さんたちも、一人もやめなかったそうです。

うちの兄貴も、私が刑務所を出所する1カ月前に結婚しているし、私も出所して1年もしないうちに近所の子供の家庭教師を頼まれて教えています。仕事が忙しくなって教えられなくなる32、3歳までに30人くらいの小学生から高校生まで、家庭教師をしました。前科者扱いをされた覚えは全くありません。

その就職ですが、兄貴も行ってた叔父さんの会社が岡谷にあって、そこに入らせてもらいました。建築・塗装業です。そこでも、ここ辰野では私の素性は知らない人がいないくらいでしたけど、「おめえ、なんだ!」と非難する人は、少なくとも表立っては、いませんでした。何か言われたら？　私は私で一生懸命生きてきて、償いもしている。あなたに言われる筋合いはない。逆に、あなたはどうやって生きてきたんだ、と反論しますかね。

地域の役員なんかもよく回ってきますよ。やり手もいないという事情もあるんだろうけど（笑）。2年前に、区長さんから民生委員の依頼があったんで、「脛に傷を持つ身だけど大丈夫ですか?」と聞いたら「私だって傷くらいはありますよ」って（笑）。

なぜ同志に対して暴力を加えて死に至らしめたのか

――今、連赤事件を振り返って、どう思ってますか？

今更、どう評価するかというレベルの話ではなくて、厳然たる結果があるもので、それに自分がどう関わってきたのか、子供や孫に伝えなきゃいけないと。

子供達には正面切って説明したことはないですね。子供たちも「二十歳まで俺は知らなんだ」と言ってましたけど、本当にそうだったのかどうか。その後は、マスコミ等々で知ったみたいで、息子の連れ合いなんかも知っていますね。私も出たNHKの番組（ETV特集『連合赤軍　終わりなき旅』）は中学生の孫たちも見てるようですけど。

――『共同幻想論』にたどりついた訳は？

（加藤）倫教さんは社会主義は思想として正しかったと言ってますけど、正しいだけじゃダメなんで、それを実行する手段のところで、みんな曲がっていく。革命に限らずね。だから、こんなことを言うと身も蓋もないかもしれないけど、人間はそんなに高等な生き物じゃない。だから目に見える範囲で、周りの人々を少しでも笑顔にしたりやさしくして、そういった人たちと楽しく生きていくことがベストかなと。もちろん、大きな震災があったりすれば、心も痛むし、危惧もするし、署名とかできることはするけど、何が大事かと言われたら、周りのことを確実にやることが大事だと思います。

獄中で4年間、なぜ自分が、同志に対して暴力を加えて死に至らしめたのか、考えました。自分なりに答えが出ないと、その後の人生が生きていけないという側面があった。

本をいろいろ読みました。聖書から始まって、歎異抄、荘子・老子なんかも読んだ。別にキリスト教徒でもないし、無人島に持っていって歎異抄を読もうとも思わないけど（笑）。最終的に吉本隆明[※6]の『共同幻想論』に依拠するようになったのは、吉本はたぶん軍国少年だったんですよね。それが敗戦で打ちのめされて、自分を顧みた時に、共同幻想という思索に至る。共同幻想はあくまでも個人の中での話なんですね。歴史的過程の中でたどれば、同志殺しなんて共産主義の歴史の中で何度もあったじゃないかなんて言う人もいるし、それはそれぞれの解釈の仕方だけど、私は参加した者として考えた時、自分はある程度それを信じていた。思考停止してああいうことに参加したわけでもないし、幹部が怖くてやったわけでもない。ある程度、賛同してやったんだというところを、自分の中で消化して書いたのが『共同幻想論』による考察』なんです。

裁判の中で「なんであのようなことが起こったんですか。あなたはどう考えますか」という問いかけが必ず来る。それに対する最初の解答として考えたのは「武装闘争を標榜している組織として、武装闘争の条件は整っているのになぜできないのか。それは主体が弱いからだ。組織の中でそれが論理づけられて、弱いところを強くしなければいけないという過程の中で、ああいうが起きた。そして自分たちの非を認めない指導部は、同じことを繰り返していった」という内容ですね。

ただ、それはそうかもしれないけど、まるで他人事のような書きっぷり。お前はどういうふうにその中で参加していったかの解答がない。それでさらにいろんな本を読み漁った中で、「人間というものは自分自身を圧殺することを知っていながら、圧殺するそういうものを作り出すのが人間だ」という吉本隆明の一節に出会ったんです。その指摘の中に、初めて自分自身を殺すというか、圧殺するものを自分の上に掲げて、自己幻想、対幻想を共同幻想によっ

※6　吉本隆明は1960年代、当時の若者、主に全共闘世代に支持された。宮台真司によれば「大衆から遊離した素朴な党派的政治運動を批判する吉本の〝自立思想〟は、全共闘世代が党派的運動や政治運動一般から離脱し、等身大の生活世界に退却していくことを正当化する口実を与えた」。

て圧殺していった。その過程が、組織的に表れたのが連合赤軍事件だったのかと。あれを書いてみたら、いろんなことが解けました。

男女関係だって、あの中で全うされた男女関係は一つもない。森にしたって、自分の奥さんと別れて永田と一緒になると宣言するわけですよね。それが組織的に正しい在り方だと。森にとっても一つの決意だったと思うんですけど、本当に子供もいる奥さんと別れたかったのか？　自分が紡ぎ出した論理に束縛されたと思います。

――森恒夫が73年の1月に東京拘置所で自殺をしたときに、弔電を打ったそうですね？

森の自殺は、自己批判書で自分を断罪すると書いていたから、論理的帰結としてはそうなるんだろうなと思いました。

森や永田の権力欲というか、ヘゲモニーを握るために総括があったという人もいるけど、人を殺して人数が減る中でヘゲモニーをとったとしても意味はない。永田さんの第一審の裁判長の中野判決[※7]みたいに、女性特有の嫉妬が原因だとか、ああいうのは、自分の理解可能な範囲で連合赤軍をとらえているだけ。あの時出た評論や報道、心理学者の分析など、それぞれにいろいろな解釈や理解の仕方があるのは否定しません。

ただ、あの事件に関わり、参加した者として、自分自身の内側からの見方を表明するのも、ある種の義務ではないかと思い、「連合赤軍事件の全体像を残す会」に関わったり、メディアの取材にも応じています。

（聞き手＝椎野礼仁）

※7　1982年に死刑判決を下した東京地裁中野武男裁判長によれば、「永田は、自己顕示欲が旺盛で、感情的、攻撃的な性格とともに強い猜疑心、嫉妬心を有し、これに女性特有の執拗さ、底意地の悪さ、冷酷な加虐趣味が加わり、その資質に幾多の問題を蔵していた」とした。これがメディアの永田悪女説に拍車をかけた。

【資料】「共同幻想論」による連合赤軍事件の考察――岩田平治

〈1〉　何故自らの過去を自らの意識の前に明瞭たるものとするのか

過去それ自身のためか、現在のためか、未来のためか。構造的には過去は未来を設定することによってその位置を得るのであるから、過去それ自身のためという中にすでに未来は含まれている。そして過去と未来を疎外する位置を占める現在という時間制の中にしか意識は存在しないのであるから、時間性はこの問いの根拠たることを失う。

意識は先験的であると同時に常に何ものかについての意識であるとするなら、そして意識していることを意識しているのが意識の本質であるなら、この問いは自らの意識にとって重く広い領域を有しているものを明瞭たるものとして認識することは、意識にとっていかなる意味を持つのかという問いに変わる。

そしてここで意識とは明瞭な認識をその本質上欲するものという事実を、意識していることを意識しているのが意識の本質という仮定から確定するなら、自らの過去を自らの意識の前に明瞭とすること自体が自己意識としての私に有意味であるという結論に達する。

カミュは「創造とは自己の運命にひとつの形態を与えることだ」と述べている。過去を明らかにする作業も「自己の運命にひとつの形態を与える」ことである。逆は必ずしも真ならずという法則のとおり、この作業は狭義の創造ではない。だが、神がこの世を創造したという意味における創造であるならば、この作業も運命の形態を描き出すというひとつの創造にほかならぬだろう。

共同性のなかにあってこの作業が如何なる意味をもちうるのか、意識にとって重い暗い領域にひとつの形態を与えたのち、一面において解放意識は何処へ向かうのかという派生的な諸問題は、恐らくこの作業を進める過程そのものの中で解決されるだろう。

「自己の運命にひとつの形態を与える」ための方法として、既に「共同幻想論」を選んでしまったからである。方法論は、常にそれを支える思想を前提としており、いかなる思想も思想に値する限り、内へ外へある位置を占めつつある志向性を有しているからである。

〈2〉　何故方法論として、いわば自己の運命を解く鍵として吉本隆明の「共同幻想論」を選択したのか

未決にいたとき、「私の考えたこと」をひとつの見方、解釈として書いた。思想的放心状態にあって内的契機は単なる願望の域を出ないので、より強力に作用したのは外的契機である。

外的に作用したのは、裁判の進行と、幹部らを中心とする関係者、関係党派の「事件」の自己正当化的解釈と「事実」の公表であった。

すなわち裁判の進行過程で何故あのような事態に至ったのかについて自分なりに見解を出す必要があったし、幹部や党派の公式見解にみられる自己正当化をはかる恣意的見解に苛立ち、反発したのである。党派を離脱し思想的に解体していた元兵士が、それらの文書に反感をもったのは当然である。しかし、ひとたび思想的基盤を喪失し、自己の血縁的地縁的個人的人間関係へ感性的に回帰していた私が、反感を反論としてどのように構築できたであろうか。

「私の考えたこと」の基本的視点は過去の思想に依拠したものである。つまり革左（京浜安保共闘）の思想の革命的部分を骨抜きにしたものを援用したのである。諸現象を階級的視点なしに、矛盾の現れとして捉える思考である。思想的虚脱状態にあっての強い権力への嫌悪と幹部らへの反感が、その思考による事件への解釈を支えたパトスといえる。

「私の考えたこと」の論脈。あの事態を招いた基本的矛盾は武装組織が武装闘争を行わなかったこと、行えなかったことにある。（武装闘争の当否についての観点を欠如させている）その矛盾が組織の権力構造を介して、組織内に反映したのが一連の成り行きである。武闘の行き詰まり状態から二組織の合同がなされ、武闘の客観条件が整っていると判断している限り、武闘の展開しえぬ原因を革命主体に求めるのは必然である。そこで組織内に以前にもまして目が向けられた、組織の権力構造たるCCが自らの指導性について反省することはないから、組織の不備の責任は下部に向けられる。下部の思想性、革命性の向上が武闘への基礎条件とされ、〈総括〉による革命戦士の創出運動が始まった。その過程で死亡者がでたが、自省的でない、ありえぬという本質をもつ権力の上部たるCCはその死の原因を自らの指導によるものでなく、死者そのものに帰し、指導の正当化、破綻の隠蔽として更なる〈総括〉の強化へと進んだのである。矛盾の隠蔽は一層の破綻を生じ、それを〈総括〉の強化で繕うのは一層の隠蔽、すなわち矛盾を激化させる役割しか果たさず、この悪循環によって、結局組織そのものの破滅まで突き進んだのである。

しかし「私の考えたこと」を書きつつ、ある欠如感、白々しさを感じていた。それは自己の責任という言葉で文末に表明されていた私自身の責任の問題、つまり私があの事態に関与し、ある役割を担っていたという事実に如何に対するのかという現在的倫理の問題と、もうひとつは私自身あの状況のなかで、疑問を感じつつも為す術もなく、一兵士としての役割を忠実に行っていたのは何故かという問題を含んでいるように思う。

また、各人がそれぞれ自己の内心では事態進展にもろもろの水準があるとはいえ、疑問に感じていたにもかかわらず、どうしてその疑問が表明されず、事態が一層の悪化へと進んでいったのかについても「私の考えたこと」には、何ら触れられていないという欠如感があった。つめていえば、我々は生身の人間として山で生きていたのだという感じが欠如していたのだ。「犬が西向きゃ尾は東」式の恰も科学論的な人間の本質を単なる物的状態の反映としか見ぬ考え方で、事件を語っても何も本質的なことは語られないのだという思いが残っていたのである。

我々は生身の人間として、つまり外的世界に自己意識を弛緩させたり、緊張させたりするものとして、あの事態のなかで生きていた。私の感じた白々しさは（関係諸個人、諸党派の事件に関する文書も含めて）結局あの状況のうちで我々が生き死んだという事実を全的に捉えず、忌わしい事件にケリをつけるために、もっともらしいレッテルを貼ることは何の意味もないのだということの感性的現れだったのである。

吉本隆明の「共同幻想論」の〈人間はしばしばじぶんの存在を圧殺するために、圧殺することをしりながら、どうすることもできない必然にうながされてさまざまな負担をつくりだすことができる存在である。共同幻想論もこの種の負担のひとつである。だから人間にとって共同幻想論は個体の幻想と逆立する構造をもっている〉という一節に出会ったとき、この思想を基軸にあの欠如感を埋める事件の本質についての考察ができるのではないかと感じた。

疑念を内に秘めつつも、その疑念を押し殺しながら、結局事態をあのような方向へ担っていったのは他ならない我々自身なのだ。この事実を解明してくれるものとして〈共同幻想論〉を感じたのである。

〈3〉 方法論として〈共同幻想論〉を基軸に事件を考察するとはどういう意味を含むか

ものにある意味を与える、ある解釈をする、ある説明を試みることは、思想の端緒であると同時に帰結である。方法論のない思想はないし、思想をもたぬ方法論もまたない。とするなら、方法論として〈共同幻想論〉を選んだなら、思想としても端緒的にではあっても、それを選びつつあるということかもしれない。しかし、全面的に隆明の思想を自身の思想とすることはできないし、一つの軸をその基底に据えたとしても、それは私自身によってデフォルメされるであろう。

自身の過去を自意識の前への明確化するための方法としての〈共同幻想論〉という形に象徴されるように、自己の領域への彼の思想の導入であって、彼の思想への自己の没入ではない。感性的な傾向の濃い観念の段階では、意思という形で、思想的虚脱状態から立ち直りつつあったが、この吉本隆明の〈共同幻想論〉による、思想の解体そのものの過程である事件の考察によって新たなる思想へのきっかけが掴めるであろう。

〈4〉 方法論としての「共同幻想論」

「共同幻想論」を方法論とするにあたって、隆明によって設定されたいくつかの概念の前提を明記しなければならない。

☆「共同幻想論」―言語を表現するものは、そのつどひとりの個体であるが、このひとりの個体という位相は、人間がこの世界で取りうる態度のうちどのように位置づけられるべきだろうか。人間は一人の個体という以外にどんな態度をとりうるものか。そして、ひとりの個体という態度はそれ以外の態度とのあいだにどんな関係を持つのか―といった問題に―人間の作り出した共同幻想という観点から追求するために試みられたもの。

☆共同幻想―個体としての人間の心的な世界と心的な世界と心的な世界がつくりだした以外のすべての観念世界。人間が個体としてでなく、なんらかの共同性としてこの世界と関係する観念の在り方。

☆全幻想域
共同幻想――国家とか法
対幻想　――ペアになっている幻想。家族論、セックス、男女関係など
自己幻想――個体の幻想。芸術論、文学理論、文学分野など

☆つまりそういう軸の内部構造と、表現された構造と、三つの軸の相互関係がどうなっているか、そういうことを解明していけば、全幻想領域の問題というのは解きうる。

☆前提――幻想領域を扱うときには、幻想領域の内部構造として扱う場合には下部構造経済的範疇というものはだいたいしりぞけることができる。しりぞける、ある一つの反映とか模写じゃなくて、ある構造を介して幻想の問題に関係してくるところまで。

☆人間はしばしば自分の存在を圧殺するために、どうすることもできない必然にうながされて、さまざまな負担をつくりだすことができる存在である。共同幻想もまたこの種の負担のひとつである。だから人間にとって共同幻想は個体の幻想と逆立する構造をもっている。そして共同幻想のうち男性、または女性としての人間がうみだす幻想をここではとくに対幻想とよぶことにした。いずれにしても私はここで共同幻想がとりうるさまざまな態様と関連をあきらかにしたいと思った。

☆共同幻想という概念がなりたつのは人間のうみだす共同幻想のさまざまな態様がどのようにして綜合的な視野のうちに包括されるかについてのあらたなる方法である。

――以上〈序章〉より――

以上のような問題意識と、共同幻想、対幻想、自己幻想の三つの軸の設定は、私の事件解明の基本的観点である。そして〈共同幻想は個体の幻想、対幻想と逆立する構造をもっている〉という思想が事件解明の中心思想である。〈序〉続く〈禁制論〉〈憑人論〉〈巫覡論〉〈巫女論〉〈他界論〉〈祭儀論〉〈母性論〉〈対幻想論〉〈罪責論〉〈規範論〉〈起源論〉のなかで隆明は「共同幻想論」を方法論として駆使しつつ、おのおののなかでその表題を解明しているとともに「共同幻想論」を方法論として提出しているが、その方法論としての「共同幻想論」を事件解明の手段とする。したがって隆明の使っている概念はそのまま援用させてもらう。

〈5〉事件をどのように解明するか

党派あるいは関係諸個人（私自身を含めて）によってなされた事件の解明、解釈は広義の政治、経済的範疇から事件を考察したものであり、自己の政治的立場（非政治的という立場もまた政治的である）の正当化以外の何ものでもない。それらの解釈のなかでは、何故〈同志〉を殺害するようになったのかについての説明はなされていない。つまり、〈同志〉と〈殺害〉という決して結びつくはずのない事柄が、何故〈総括〉によって結びついたのかについての説明はなされていない。

したがって、我々が何故あのような形態とあのような論理によって〈同志〉を死に至らしめたのかについては、何ら解答を与えてはいない。それらの解釈がいいうることは、ただしかるべき○○主義が××路線を離れれば悪しき△△主義に陥り、ああいう事態も起こりうるということのみである。

だから事件の具体的側面を取り扱えず、何故我々は些細な事柄を理由にあのような論理で、あのような残虐な手段で〈同志〉を〈殺害〉したのかについて、永田の嫉妬だとか、サディズムだとか、集団ヒステリーだとかの解釈がある程度の有効性を帯びてくるのである。

恐怖政治の下にあったので、兵士は何も反論できず、永田をはじめとする幹部らの言に従うほかはなかったというのは嘘だ。確かに外面的に見れば幹部らに反抗的言辞をとることは、自己の総括になってはねかえってきたし、その総括は〈総括〉に通じてゆくものだった。

だが、だから兵士は幹部らや永田の指示に従い、反論しなかったのではない。我々は疑問や逡巡を覚えつつも、論理的であれ感性的であれ、そうであることを自己のうちで選んだのだ。それは兵士のみでなく、多かれ少なかれ永田、森以下ＣＣ全員も感じていたのである。

逃亡の機会は殺害された兵士たちにあっても、ある段階までは充分にあった。青砥のように次は自分の番と感じつつも、踏みとどまっていた者はいたであろう。

永田の嫉妬などという解釈もあるが、我々が何故永田の嫉妬を承認し、実現しなければならないのか。永田は嫉妬を理論にすりかえ、我々を納得させ、我々は永田の嫉妬に気づかず、忠実にまるで木偶の坊のように振舞ったとでもいうのか。

組織の私物化という別の言い方もあるが、組織の頂点にいる者が組織を動かせるのは当然である。全きの意味において、頂点にいる者の恣意性のままに組織が動くということはありえない。我々は生身の人間として、感じ考え行動していたのだ。

我々が木偶でなかった以上、我々を生身の人間として扱うこと。生身の人間があの状況のなかで、感じ考え行動したものとして事件を考察すること。つまり、あの場にいた我々の全体的なあらゆる内的な構造を、きちんと把握することが課題なのだ。異常事件として片づけたり、外的な因果律によって説明するのは、あの事件の本質に何ら触れることができぬと思う。

〈6〉　共同幻想論による考察

我々は、自己を革命戦士とするため自分の過去、現在を点検するという意味で、総括という言葉を使っていた。後にマスコミによって、総括は同志に対して行われた残虐な暴行自体をさす言葉として流布された。私は「考えたこと」の中で、この暴行を「暴力的総括要求」と呼んだが、ここではこの言葉が適切と思われないので、一般化した総括という言葉を使う。しかし、本来の意味と区別するために、同志に対する暴行という意味に用いるときは〈総括〉とする。被〈総括〉者を、たんに被〈総括〉者と記すのも、また、同志と記すのも適当とは思われないので、〈同志〉とする。

――総括の持つ意味

総括は自己、肉親、異性として愛する人を禁制の対象とし、自己を組織の共同幻想そのもの、つまり〈革命戦士〉として追求してゆく過程であったといいえる。いいかえれば、自己幻想、対幻想を共同幻想へと同致させていく過程である。共同幻想は、自己幻想、対幻想と逆立する構造を持っている。したがって、我々はこの逆立した構造を超克するために、総括を必要としたのだ。これが本質的な総括の意味であり、性格である。

——総括から〈総括〉へ

しかし、何故この総括が〈総括〉へ移行していったのか。幻想領域の意識変革運動としての総括が、何故現実の具体的〈総括〉となるのか。

その背景には、一挙的に理念は現実化されねばならず、現実は飛躍によって理念化されなければならないという当時の我々の思想がある。その思想をささえたのは、一般的に当時の我々のおかれていた状況を措定できるが、それはまた別の問題である。

理念、想念、幻想と現実の著しい混同が総括から〈総括〉への道である。

理念と現実の混同はいかなる状況で起こるか。想念と現実の混同は、普通入眠状態において体験する。我々が〈総括〉を始めた時の状況は、この入眠状態に似通っている。

〈総括〉を開始する数日前から両派の幹部は連日連夜、組織の総括、幹部個々人の総括、下部兵士点検等の討論を行っていた。小屋の一隅に寄り固まった幹部らは、シートのカーテンの向こうで、昼夜を無視して、論じ、疲れたとき眠り、誰か目覚めると、他の者を起こし、再び討論を開始するという生活を継続していた。

兵士は食事の準備、薪取り、洗濯などの日常的な雑事に生活の大半を費やしていたが、生活が貧弱になれば、日常茶飯事が生活に占めるウェートが大きくなるものである。食事は幹部らが寝ていたら起こして、与えたりしていたが、兵士は昼間は働き夜は寝るという、普通の形態で生活をしていた。

始めて加藤能敬に〈総括〉がされたのは、兵士が一日の労働のあとの熟睡状態に入った直後の十一時頃だった。寝入り端を叩き起こされた下部兵士は、幹部らがローソクの炎に照らされて、同士である能敬を殴打している光景を呆然として眺めていた。

何故能敬が、小嶋和子が〈総括〉されなければならぬのか、数日前からの脈絡を思い出すことによって、また、永田ら幹部のその場の言動によって、徐々に理解し始めたのだが、兵士にとっても突然の〈総括〉の開始は、幹部らと同様心的に理念と現実の混同し易い情況のもとで起こったといえる。この後下部兵士も、幹部と同じく、昼夜の別ない極度に緊張した生活へ合流してゆくこととなる。

総括から〈総括〉への飛躍は、理念の一挙的現実化を図る思想とともに、理念と現実を混同し易い心的状況が準備された時はじめて可能となったといえる。

むろん、我々の意識が朦朧としていたということではない。逆に、我々の意識は普通以上に鋭く研ぎすまされ、冴えていた。

——〈総括〉

我々が共同幻想そのもの(つまり〈革命戦士〉)になろうとすると き、抗うのは自己幻想、対幻想であるが、自己幻想、対幻想が禁じられるとこの歪んだ状態に是正を迫るのは、私たちの身体的組織である生理的な自然そのものである。

我々は共同幻想によって、自己幻想のみならず、生理的自然をも従属圧殺せしめねばならなかった。したがって、総括はそのもののうちに〈総括〉への契機を内包していたのである。そして、理念と現実が混同される理論的心的基盤が獲得された時、総括は〈総括〉へ転化したのだ。

総括が幻想領域において、自己幻想、対幻想を共同幻想へ同調させるための回路であったように、現実において〈総括〉は生理的自然としての身体を共同幻想へ同致させるための回路であったといえる。

しかし、個人にあっては幻想領域の回路を現実領域へ拡大するとき、克服するのに困難な矛盾に直面する。つまり個人は、共同幻想への意思として、生理的自然たる自己の身体を〈総括〉せねばならぬという矛盾につき当たるのだ。つきつめれば、個人は共同幻想そのものになるために、幻想を宿している自己の身体を抹殺する地点までゆきつく矛盾である。

だが、共同体にあっては、この矛盾を回避しうる構造をもちうる。こういう言い方が許されるなら、共同体の一部構成員をこの矛盾を体現する生贄として設定し、他の構成員の贖罪とするのである。

一部構成員とは〈同志〉であり、他の構成員とは我々のことであるが、だから全構成員が総括をしつつ、一方では〈同志〉を〈総括〉するという構図が成り立ったのである。

〈同志〉を殺害した、〈志を同じくする者〉を殺さねばならなかったという矛盾の本質は、個体にあっては共同幻想によって自己の身体を抹消せねばならないという矛盾である。

〈総括〉を始めた当初〈同志〉たちの中に、我々が自己自身の姿を重層させ、〈同志〉への〈総括〉は同時に自己の総括の一部でもある、などという位置づけをしたのもこの構造の現れである。〈総括〉を〈援助〉と位置づけたのも、〈同志〉を自己幻想、対幻想へと回帰せしめる身体を〈総括〉することによって、共同幻想へ同致させるという意味であった。

のちに、〈同志〉の中に自己の弱点を見たりしていたのではいけない、〈同志〉への〈総括〉は〈援助〉ではなく、殲滅戦の質で戦われる〈闘争〉であると、その位置づけを変えた。我々はいつまでも〈同志〉たちと同じレベルに止まっていてはいけない。我々は自己総括をなしきり〈革命戦士〉へと自立するものであると認識せねばならぬとされた。つまり、我々は自らを既に〈同志〉の〈総括〉を通じ贖罪をなしきり、自己幻想、対幻想のみならず、身体までも超克した共同幻想そのものとして措定しはじめたのである。

だが、我々が自らを共同幻想そのものであると信じようが信じまいが、我々が身体を持った総合的存在として生きている以上、身体は生理的自然として、直接的に、あるいは自己幻想、対幻想を通して抗い続けた。それゆえ、いくらある〈同志〉を身体的に自己幻想、対幻想の象徴として殺害しても、我々総体が共同幻想そのものになりきれるはずもなく、更に〈同志〉たちを〈総括〉し続ける他に、理念と現実の相通じ合ったあの状況の下では、共同幻想へ限りなく接近していると信じる道はなかったのである。

――〈革命戦士〉への道

自己史の全面的切開、闘争への関わり方の検閲は、我々が自己幻想、対幻想を共同幻想へ飛躍的に同致させるために不可欠の作業であった。自己の恥辱となることを、敢えて皆の前で告白することが、第一歩であるとされたが、恥は自己幻想と共同幻想が逆立している構造を象徴するひとつの態様を示している。この恥を克服しない限り、自己幻想を共同幻想へ同調させることはできない。告白しないのは自己保身であり、情勢が切迫すると、必ず組織離脱につながると云われていたのも、この観点から理解できる。自己のみの閉ざされた事実、世界を持つことは、共同幻想への一挙的飛躍が了解されていたあの場では、個体内で圧迫感、あるいはある種の罪として意識された。告白せず自己の世界を保持し続けることを選んだ個体は、必然的に告白を迫る共同幻想を否定し、自己の世界を保持しえた共同幻想へ回帰する他ない。それが現実的場面で選択を迫られると、組織からの離脱、山からの脱走となる。

「〈共同幻想〉に背くか否かが個体の〈論理〉を決定する」という隆明の指摘は鋭い。だから逆に個体の〈倫理〉としての告白が、共同幻想に背いているか否かの〈総括〉当初の試金石とされたのである。ひとつでも赤裸々な自己告白をした者に対して幹部らは、その他の告白をしようがしまいが、どうでもよいという態度をとった。告白の内容が問題なのではなく、共同幻想に背くか否かが問題とされたからである。大切なのは恥を払拭すること、つまり自己幻想を払拭することにより共同幻想へ同調することだったのである。

自己幻想と共同幻想という逆立するものを同調させるのには、告白を含めたいわゆる痛苦な総括を必要としたのであるが、自己幻想、対幻想に固執しているとみなされた者に〈総括〉がなされた。〈同志〉は我々の過酷な〈総括〉を援助として受けとめ、総括のみに心を集中するよう強制された。

肉体的苦痛が心的集中をもたらすという思想を、幹部らがどこから引き出してきたか分からないが、能敬に対する〈総括〉に際して幹部らは彼を気絶させることを意図していた。

つまり、彼が気絶から意識を回復した時、彼は自己幻想を払拭し、共同幻想に同致しているというわけだ。しかし、意に反して気絶しなかった。このことを我々は彼が自己に固執したために、気絶しなかったのだと総括し、一層の〈総括〉を彼に強要することになる。

我々は身体的過酷→精神集中→心的飛躍（あるいは心的異常）→自己幻想と共同幻想の同一化→〈革命戦士〉としての復活という展開を夢想したのだ。目隠しもまた精神を集中させるためと称して行われたが、視覚的に外界と遮断することにより、心的異常を促進するためだった。我々は〈同志〉たちが心的異常によって、自己幻想、対幻想と共同幻想の間にある深淵を飛び越えることを期待したのである。

総括は、自らが主体的に考えださねば意味がないとされていたが、自ら総括を紡がねばならぬというのは、〈革命戦士〉が共同幻想そのものとして設定されていた必然による。〈革命戦士〉は、たったひとりになっても、革命そのものとして発展してゆける質を内包したゲリラ兵士である。つまり、〈革命戦士〉は自己幻想を共同幻想と同調させる能力を自ら体現しえる者、自己統御しえる者でなければならぬからである。その意味で我々が想定した〈革命戦士〉は、超人間である。

組織の構成員総体が、共同幻想そのものの共同性として純化し、つきつめてゆく過程で、自己幻想は共同幻想へ融合することを要請された。この融合を拒否したもの、理解できなかった者、融合できなかった者が、その都度奇跡としての〈総括〉を強制されたり、奇跡の余地すらない、〈裁判〉にかけられたりした。

しかし、どのレベルであれ〈同志〉たちは、共同幻想そのものへの融合に抗うものであったが故に、心身の強制的痛苦は〈同志〉たちの自己幻想、対幻想の共同幻想への同化を促すどころか、かえって自己幻想、対幻想を膨張させたのみであった。そして、その膨張に比例して、身体的死の極みから〈同志〉が〈革命戦士〉として出現して欲しいという奇跡への願望は、絶望的色彩を帯びた〈総括〉の強化となって現れた。このことは同時に〈総括〉をしている我々自身が、未だ〈革命戦士〉たりえぬことの表現でもあった。

永田が加藤能敬は、あの過酷な〈総括〉から立ち直ったら、幹部たちすらも乗り越えた素晴らしい〈革命戦士〉になるだろうという意味のことを語ったことがあるが、この言は以上の考察をよく裏付けているように思われる。

――〈死〉

我々が自らにそして〈同志〉たちに与えた課題のひとつに、〈死〉の関門を通り抜けることがあった。闘争戦術レベルで具体的に想起しえる死を乗り越えなければならぬという点から出発し、自己幻想の関係幻想としての〈死〉そのものの心的超克を意識内部でも純粋に追及していったのである。むろんこの〈死〉は自己の〈死〉と〈他者〉の〈死〉を含む。

とりわけ〈同志〉たちには、強く〈死〉の克服が要求された。〈同志〉たちの眼前には〈死〉があったからである。〈同志〉たちは死への過程で、つまり〈総括〉の過程で自己幻想と対幻想を共同幻想によって侵蝕し続けることを強要されたが、〈同志〉たちには二つの道しかなかった。心身の消耗の中で、心的異常を創出し、自己幻想の関係幻想である〈死〉を消滅し尽くして〈革命戦士〉として復活するか、それをなしえず、生理的な死まで至るかである。〈同志〉たちは自己幻想の関係幻想としての〈死〉を幻想的にか、さもなければ生理的に抹殺することを押し付けられたのだ。

我々は〈同志〉が〈革命戦士〉になることを拒むことによって、死に至ったのだから、〈同志〉は自ら死を選んだのだと理論づけた。〈同志〉たちは自己幻想とその関係幻想である〈死〉を自らのうちに保持し続けたが故に、生理的な死に追いやられたのである。

隆明の言っている全きの意味において、〈同志〉たちは、〈死〉を心的に保持していたがゆえに、保持せざるをえぬ状況に追い込まれたがゆえに、「共同幻想の〈彼岸〉へ、いわば〈他界〉へ追いやり、そのことによって共同幻想から心的に自殺させられる存在」であった。現実場面では我々は殺害される存在だったのである。

〈同志〉たちが、心うちで自己の受けている不当な仕打ちに対して、何を思い、いかに痛苦を感じたかは分からない。心の中で、自分は革命戦士としてダメだと吐いたかどうかも分からない。しかし、〈同志〉たちは意識的に、あるいは先験的に、自己幻想を共同幻想に明け渡さなかったがゆえに、生理的死によって共同幻想に屈服させられたのである。

能敬に対して死後、彼は逃亡する意思によって己の生命を支えていたと批判されたが、このことは彼が自己幻想を共同幻想に意識的に対峙させることにより、生理的にも通常以上に生命を保持しえたことを示しているように思える。

寺岡は、革命戦士になっていない反革命的なこんな自分のまま死ぬのは残念だと語ったというが、共同幻想に侵蝕された自己幻想を端的に物語っているように思う。

遠山さんに〈死〉の克服として与えられた試練は、〈死〉の心的超克を我々が〈革命戦士〉への道の必須条件とみなしていたことを示している。

我々の設定した〈革命戦士〉は、自己幻想の関係幻想としての〈死〉

をくぐり抜けることによって、はじめて到達できる共同幻想であった。

——総括の基準

総括の基準は、我々の共同幻想への同化が進むとともに、当時の言葉で言えば〈闘争〉が進むとともに、変動してゆくものであったが、その都度総括の基準を、共同規範と考えることができる。過去の両組織に付着した共同規範は止揚されるべきものとされ、新たに共同規範の獲得が促されたのである。

自発性に重きが置かれた総括が、同時に構成員相互の関係を規定し、互いに強調し合うことができ、また〈総括〉へと転化していったのも、総括が共同規範としての性格を有していたからである。共同幻想がそのものとして追及されてゆく過程で、全構成員がより鈍化された共同幻想により強く自らを束縛してゆかねばならなくなったのだ。

この規範は流動的であり、決して共同規律という形で明文化されなかったし、しえなかった。明文化された規律に触れぬという形で、自己幻想の保持が可能になるからである。つまり我々は規範に従う者でなく、規範を内包した者にならねばならなかったのである。

過去における自己の〈罪〉の告白も自発的である限り、告白内容を浄化する作用を持つとされたのもこのためである。時として、同じ内容の〈罪〉の告白も〈罪〉の隠蔽としてしか我々に受け取られず、一層の総括の深化が求められたが、外から迫られてなした告白は、己を規範を内包する〈革命戦士〉として確立する道ではなく、逆に外からの規範に従うものとして、自己幻想を保持拡大する道であったからである。

最後の一人になっても、革命闘争を遂行しうる自立したゲリラ戦士、すなわち自立した〈革命戦士〉になるとは、共同幻想そのものになりきることであるが、そのためには自己規範化は不可欠であったといえる。なぜなら、我々が共同体からの影響で、一時的に自己幻想、対幻想を共同幻想に同調させても、我々の生理的自然は絶えずこの歪んだ状態に抗い続け、共同体から空間的に孤立した構成員は、この生理的要因を含めた諸要因によって、共同幻想を萎縮させてしまうかもしれないからである。そして、この恐れを完全に統御しようとすれば、自己を共同規範そのものとせねばならぬからである。

外的な規律をいくら細分化しようとも、個体を心的に統制することはおろか、行動面でも完全に規制することは難しい。ゆえに我々は自らのうちに〈規範〉の本質をうちたてようとしたのである。

総括する者であると同時に、総括を判断しえる者を一個体のうちに体現しようとしたのである。共同体の構造を共同幻想として心的に構成することは、〈革命戦士〉は党の軍化、軍の党化の実現であらねばならぬという理論の帰結でもあった。

——指導者永田

この総括、〈総括〉の過程は単に我々の心的過程だけでなく、同時に組織の現実的過程である以上、総括を要求する者と、される者がいた。その過程をリードしたのは永田である。

永田の精神異常を云々する者もいるが、それは全く根拠のないものである。我々の共同幻想が彼女を受け入れなかったなら、何ら彼女の果たすべき役割はなかったからだ。万が一、彼女が精神異常者であったとしたなら、逆に彼女をして精神異常者たらしめていたのは、我々の共同幻想ということになろう。

永田が感情の起伏が激しい性格であったという事実は、地下逃亡生活で彼女の心身の疲労がかなり進行していたという事実とともに、彼女をして容易く自己幻想の共同幻想への同致を促したといえる。榛名山アジトで彼女が睡眠中に、突如半身を起し、夢幻の中で何やら激しく議論を始めたこともあった。

永田の感性は絶対的権威として、組織内で認められた。その感性的言辞を、論理化し説明するのは森の役目であったが。永田が構成員の髪型、指先、仕草など些細な事柄をはじめ、男女関係、自己保身に対し強い関心を示し、鋭く批判しえたのも、彼女が最も共同幻想へ自己幻想を同調させていたからである。彼女は〈革命戦士〉への最短距離にいた。

永田が坂口から森へ対幻想の対象を移行しえたのも、自己幻想、対幻想を共同幻想へ同調させえる能力を示しているように思える。

彼女にとって対幻想の対象としてあるべき〈男〉は、彼女の意思の届かぬ総合的存在ではなかった。共同幻想に付随する何者かであったにすぎない。彼女にとって一般的な意味における対幻想が、さしたる矛盾なく移行しえたのは、彼女の心的世界にあって、第一義的なのは共同幻想であったからだ。だから、対幻想の対象として坂口から森へ移行した際も、恐らく深刻な苦痛を心的に感じうることはなかったであろう。

他の構成員が、共同幻想の共同性へ対幻想の共同性を全面的に解体し、共同幻想に対幻想を全面的に融合させることに逡巡を覚え、心的苦痛を感じていたことなどを本質的に理解しえなかったのは必然である。共同幻想へ屈服せぬ対幻想を憎悪といえるほどの激情で否定したのも、彼女の心的構造を考えれば理解できる。

だが、重要なのは彼女の個の心的構造を支えていたのは、我々の共同幻想であるということだ。

付言するなら、彼女の否定したものは自己幻想、対幻想そのものであって、決して個人ではない。しばしば嫉妬とか、劣等感とか歪曲されているものの正体は、この自己幻想、対幻想に対する共同幻想としての彼女の憎悪的激情である。

彼女の内部で、対幻想と共同幻想の逆立する構造は、憎悪的激情を〈闘争〉として疎外することによって、架橋していたというべきである。

――〈男〉と〈女〉

対幻想と共同幻想の架橋の問題は、我々総体の問題であった。

従来の〈男〉〈女〉関係は、点検されことごとく否定されていった。対幻想の共同幻想への同致、対幻想の否定は、現実場面での対幻想の対象である〈異性〉の抹殺、共同幻想によって全面的に統制された、つまり、共同幻想の象徴としての〈男〉〈女〉関係の創出という地平までゆきつく。

能敬に対する〈総括〉の直接的理由のひとつに、総括を要求されている時に、彼が小嶋さんに接吻したということがあげられたが、これは対幻想の全面的抑圧、否定手段としての〈総括〉の側面をよく示している。

自己幻想の場合は、自分だけの世界をもつことの否定であったが、対幻想の場合は二人だけの世界をもつことの否定である。榛名山以前に自分だけの世界をもった例として向山、二人だけの世界をもった例として瀬木とM、A・MとMeを我々はたやすく想定しえた。

永田は、能敬と小嶋さんを「皆の労働によって建てられた神聖なこの小屋でよくも……」と非難したが、この言は、共同幻想の物質化に対する冒涜という形で、対幻想の〈性〉的な行為を断罪している。〈性〉的行為とは接吻や性交のみを意味するものでない以上、目つき、仕草、言葉遣い一切に拡大するのは当然であった。

能敬に対する〈総括〉の途中から、小嶋さんに対しても同罪であるとして〈総括〉が始められたが、対幻想が共同幻想に対する冒涜とされた以上、能敬と小嶋さんが同罪であるとされたのはまた当然であった。

この二名に対する〈総括〉の後、全構成員が自己幻想、対幻想の端緒として、それぞれの〈性〉的問題を含めた告白をするのだが、対幻想の特定対象としての異性を有していた者のみならず、全構成員の課題となったのは、この対幻想の止揚を現実的課題というよりも、むしろ先行的意識領域の問題として設定していたからである。つまり、我々は具体的革命運動の発展に伴って、自己の意識性、思想性を高めていたのでは、現状を打破することはできない、総括をなしきり一挙的飛躍をとげ〈革命戦士〉になることによってのみ、現状打破が可能だと考えていたのであった。

共同幻想による自己幻想、対幻想の侵蝕を具体的状況に応じて進めるのではなく、一挙的飛躍的に、この逆立する幻想関係を総括により、あるいは〈総括〉により架橋することでなしきって、はじめて現状を打開できると考えていたのである。この考え方は組織論としては、「下からの党建設」ではなく、「上からの党建設」となる。

能敬と小嶋さんをはじめは同じ小屋に縛っておいたが、後に別々に互いの姿が見えないところへ縛りなおした。これは二人の対幻想を断ち切るためになされた。対幻想を超克せねばならぬのに、総括？〈総括〉のただなかで直接的に互いの姿を認め合うことができるのは、相手の姿で互いを励まし合う結果となり、かえって対幻想を強化してしまうと、我々が考えたからである。

幻想領域で対幻想を消滅しえぬ者は、現実において対幻想の対象を殺害すること、〈性〉そのものを殺すことによって共同幻想へ同致する決意を表さねばならなかった。

幻想的にであれ、現実的であれ、夫を、妻を、愛する人を己の手で抹殺せねばならなかったのは、対幻想である〈男〉〈女〉関係を、従来のまま共同幻想の肥大化したあの状況の中で、保持することが許されなかったからである。構成員の対幻想を具体的に見てみると、最終的にはことごとく破滅させられている。

自己幻想を幻想領域で抹殺しえぬことが〈総括〉をもたらしたように、幻想領域で抹殺しえなかった対幻想は、現実の中で解体、抹殺されねばならなかったのである。

つねに総括のなかで〈男〉〈女〉問題がむし返されたのも、自己幻想以上に対幻想を共同幻想へ解消するのは難しいからである。暴かれ、縛られ、傷つけられ、虐殺された対幻想の痛ましさは、連合赤軍事件の痛ましさである。

――〈婚姻〉

総ての対幻想が圧殺される中から生まれた二組の〈婚姻〉がある。伊藤さんと坂東、永田と森の〈婚姻〉である。この二つの〈婚姻〉では、個人の対幻想がどうであったかということはさして重要でない。対幻想の否定の中から、共同幻想によってこの〈婚姻〉が創出されたからである。

伊藤さんと坂東の場合は、永田に一時間程オルグされて、結婚することを決め、いつもと比べると豪華な夕餉の席で二人が手をつなぎ、インターナショナルを唱和し、決意表明を行い〈お互い励まし合って〈革命戦士〉になるというような〉、皆の拍手で承認され祝福された。永田にオルグされる以前、伊藤さんと坂東はお互いにいわゆる恋人同士であったわけでも、特別意識し合っている〈男〉〈女〉でもなかった。二人の間には、対幻想は存在していなかったと言うべきである。

にも関わらず、二人を〈婚姻〉させたものは何か。その意味は。

二人を〈婚姻〉させたものは、永田のオルグの中で語られたであろう我々の共同幻想である。そして二人の〈婚姻〉が物語っているのは、赤軍と京浜安保共闘二組織の合同という共同幻想であり、その共同幻想の象徴として〈婚姻〉があったのである。

対幻想としての意味と内実がなかったであろうことは、私が組織離脱を決意した名古屋で伊藤さんと別れる際、彼女と坂東の〈婚姻〉を問うたのに対し、伊藤さんが「私にもよく分からない」と言った中に理解できる。私は、〈異性〉を見る眼が、時代や階級など歴史的、経済的、社会的要因によって、規定されたものであることを認めても、感性的恣意性は論理的諸帰結によってどうにかなるものではないから、私の場合は論理の現実的結着として、彼女と別れねばならぬとしても、感性的恣意性までは解消できぬと言い、更に、感性的恣意性がないまま、強制的に結婚するのはおかしいと語った。伊藤さんにとって坂東が、坂東にとって伊藤さんが、単に一般的な〈男〉であり、〈女〉であったなら、〈婚姻〉する必然性がないと思ったからである。

今考えると、この中に、私の共同幻想への論理的屈服と、対幻想への感性的支持が読み取れるが、とまれ、私はこの矛盾のうちに自己幻想を保持していたといえる。

永田と森は、ともに対幻想の対象としての〈異性〉を有していた。何故、我々は二人の〈婚姻〉を措定する必要があったのだろう。私の脱走後のことなので、当時の実情はよく分からないが、二人の〈婚姻〉は〈闘い〉として設定されたという。

〈闘い〉として設定された以上、永田と森の個人的恣意性である対幻想に共同幻想がこじつけられたと考えるのは誤りであろう。伊藤さんと坂東の〈婚姻〉と同様、永田と森の〈婚姻〉もまた、我々の共同幻想の象徴と考えるのが妥当だと思う。

二人の〈婚姻〉が〈闘い〉と位置づけられたという点は、注目すべきである。前述したように、永田は自己幻想、対幻想を共同幻想へ同調させる能力に秀でていたので、坂口から森へ対幻想の対象を移行させることにさして心的葛藤はなかったかもしれないが、森にとって対幻想を共同幻想に同調させるためには、現実場面で従来の対幻想を心的に消滅し尽くすために、共同幻想を永田との〈婚姻〉という形で〈闘い〉とる以外なかったであろう。

とまれ、組織の最高指導者二人の〈婚姻〉に象徴された〈闘い〉は、あの場にいた我々全員の心的課題であり、共同幻想であったのである。

私は逮捕後二人の〈婚姻〉を知らされたのであるが、当初二人の〈婚姻〉を、警察や世間の勘ぐりであると否定していた。共同体の象徴として、〈男〉〈女〉が〈婚姻〉することが理解できなかったからである。伊藤さんと坂東の〈婚姻〉に際しても、感性的に納得がいかず、〈婚姻〉する二人に異存がなければいいではないかと、自己の理解から疎外した地平でしか、二人の〈婚姻〉を受け入れることができなかった。

〈男〉〈女〉の対幻想は、しばしば〈女〉に象徴されるが、我々が山で「女の革命戦士であってはならず、革命戦士の女にならねばならぬ」と語っていた中に、共同幻想に対幻想を従属、解消させようとしていたことがよく現れている。

だが、主従が入れ替わろうと、〈革命戦士〉〈共同幻想〉であって、同時に〈女〉〈対幻想〉であることはできない。対幻想は消滅することによってしか共同幻想へ〈転化〉しきれないからだ。自己幻想の抹殺とともに、対幻想の抹殺が、総括から〈総括〉へと発展した我々の理論と実践の底にあったものである。

あとがき

これは、私が、川越少年刑務所に在監していた、昭和五十年一月から二月にかけて、吉本隆明の「共同幻想論」を読みながら、ノートをとり書いたものである。

今、改めて一応の身体的自由を得た時点で読み直してみて、この一文を書き始めたことのひとつの理由、すなわち我々が生身の人間として、山で生き死んだということを表したいという願望が、かなえられたかどうかについては、はなはだ疑問である。

しかし、通り一遍の事件の解釈や、我田引水式の事件の解明とは一線を画し、事件の本質に迫りえたという満足感はある。もっとも、隆明の「共同幻想論」を自己流に解釈しての結果ではあるが・・・。

一般的な仲間割れでもなく、主導権争いでも、スパイの処刑でもなく、同志を次々と殺害した、せねばならなかったという連合赤軍事件の特異性（同時にそれは普遍性でもあるのだが）の理論付けができたのではないかと思う。

ただ前述したように、我々が生身の人間として生き死んだあの一連の過程を、単にこのような論理のみによって表すことのむなしさも感じる。

もし、私に能力があり、許されるなら、我々の山岳アジトをめぐる生きよう、死によう、殺しようの中に、カミュが「思考が終わるところから表現がはじまる」といい、「創造するとは自己の運命にひとつの形態を与えることに他ならない」といっている意味において、私自身の運命にひとつの形態を与えられたらと思っている。いつになるのか、出来るのか、出来ぬのか、まったく自信はないけれど。

（以上、原文ママ掲載）

2017年7月15日、シンポジウム「浅間山荘から45年　連合赤軍とは何だったのか」、東京・渋谷　photo＝馬込伸悟

参考文献

『十六の墓標』（上・下・続）永田洋子（彩流社）
『あさま山荘 1972』（上・下・続）坂口弘（彩流社）
『兵士たちの連合赤軍』 植垣康博（彩流社）
『連合赤軍 27 年目の証言』 植垣康博（彩流社）
『永田洋子さんへの手紙』 坂東國男（彩流社）
『優しさをください』 大槻節子（彩流社）
『語られざる連合赤軍』 高橋檀（彩流社）
『銃撃戦と粛清』 高沢皓司編（新泉社）
『りんごの木の下であなたを産もうと決めた』 重信房子（幻冬舎）
『新左翼二十年史　叛乱の軌跡』 高沢皓司／高木正幸／蔵田計成（新泉社）
『新左翼三十年史』 高木正幸（土曜美術社）
『ブントの連赤問題総括』 荒岱介編著（実践社）
『連合赤軍の軌跡　獄中書簡集』 情況編集委員会（情況出版）
『「あさま山荘」籠城　無期懲役囚吉野雅邦ノート』 大泉康雄（祥伝社文庫）
『浅間山荘事件の真実』 久能靖（河出文庫）
『連合赤軍「あさま山荘」事件』 佐々淳行（文春文庫）
シリーズ 20 世紀の記録『連合赤軍“狼”たちの時代』（毎日新聞社）
『赤軍 RED ARMY 1969-2001』KAWADE ムック文藝別冊（河出書房新社）
『全共闘三〇年　時代に反逆した者たちの証言』 荒岱介／藤本敏夫 / 鈴木正文（実践社）
『北西風が党を鍛える　戦旗・共産同闘いの軌跡・第 1 部』（戦旗社）
『命燃ゆ青春　ザ・全共闘』 月刊近代麻雀増刊号（竹書房）
『死へのイデオロギー 日本赤軍派』 パトリシア・スタインホフ（岩波書店）
『新左翼とは何だっだのか』 荒岱介（幻冬舎新書）
『追想にあらず：1969 年からのメッセージ』 三浦俊一編著（講談社エディトリアル）
『日本赤軍とは何だったのか：その草創期をめぐって』 和光晴生（彩流社）
『「彼女たち」の連合赤軍』 大塚英志（角川文庫）
『アフター・ザ・レッド：兵士たちの 40 年』 朝山実（角川書店）
『レッド』 山本直樹（講談社）
『きみが死んだあとで』 代島治彦（晶文社）
『証言 連合赤軍』 連合赤軍事件の全体像を残す会（皓星社）
『ジャパン・クロニック　日本全史』（講談社）
『クロニック　世界全史』（講談社）
『日本史年表 (増補版)』 東京学芸大学日本史研究室編（東京堂出版）
『現代用語の基礎知識　昭和編』（自由国民社）

写真提供

毎日新聞社／共同通信社／産経新聞社